BUR

Biblioteca Universale Rizzoli

Dacia Maraini in BUR

Dacia Maraini

Memorie di una ladra

BUR

SCRITTORI CONTEMPORANEI

ISBN 978-88-17-11443-1

Prima edizione Rizzoli 1993
Prima edizione Superbur Narrativa 1994
Prima edizione BUR Scrittori Contemporanei maggio 2004
Seconda edizione BUR Scrittori Contemporanei giugno 2007

Per conoscere il mondo BUR visita il sito **www.bur.eu**

Mia madre aveva quindici anni quando ha partorito il primo figlio, Eligio. Poi ha partorito Orlando che è del 1912. Quando sono nata io compiva ventiquattro anni. Aveva già fatto parecchi figli, alcuni vivi, altri morti.

Dicono che sono nata male, mezza asfissiata dal cordone ombelicale che mi si era arrotolato attorno al corpo come un serpente. Mia madre credeva che ero morta e mio padre stava per buttarmi nell'immondizia.

Allora dicono che dalla mia bocca grande e nera è uscito un terribile grido rabbioso. E cosí hanno capito che ero viva, hanno tagliato quel serpente, mi hanno lavata e cacciata dentro un letto con gli altri miei sei fratellini.

La zia Nerina dice che da piccola ero una scimmia, pelosa, nera, dispettosa e imitativa. Però io non ci credo perché da quando mi conosco, sono sempre stata di pelle chiara e di capelli castano-rossiccio. Io comunque non ricordo niente di quando ero molto piccola. Il primo ricordo che ho è di quando avevo sei anni e mio fratello Orlando mi ha ficcato un dito dentro l'occhio sinistro. Dice che avevo l'occhio lucido e chiaro come una pietra e lui questa pietra la voleva per giocarci. E cosí per poco non mi accecava.

Questo primo ricordo è appiccicato a un altro ricordo, tutti e due dello stesso periodo, non so quale viene prima.

Una notte mi sono svegliata per un sogno pauroso che ora non ricordo, mi sono alzata e sono andata in cucina a bere dell'acqua. Passando davanti alla porta della stanza dove dormivano mio padre e mia madre, ho sentito un piccolo suono, come un lamento. Ho messo l'occhio al buco della chiave e ho visto mio padre che dormiva raggomitolato a bocca aperta e mia madre seduta tutta nuda sul letto che rideva e si toccava con le dita in mezzo alle gambe. Lí per lí ho pensato che giocava. E cosí ho continuato a pensare per molti anni. Poi però ho cominciato a farlo anch'io questo gioco e allora ho capito che non era per niente un gioco ma qualcosa di forte e di ubriacante.

Mia madre me la ricordo bene, aveva un bel corpo, era robusta, con i polsi e le caviglie delicate. Aveva molti capelli, chiari chiari e li portava arrotolati attorno alla testa. Era allegra, energica. Però ogni tanto aveva dei dispiaceri, la vedevo abbacchiata.

Le dicevo: mamma, che hai? Lei mi tirava uno schiaffo sulla bocca cosí forte che mi faceva sanguinare i denti. Era molto orgogliosa questa madre mia e non voleva ammettere di essere triste.

Io crescevo e mi attaccavo molto al gioco. Stavo tutto il giorno per la strada con le amiche, a giocare. Giocavamo a bottonella. Andavamo a staccare tutti i bottoni per giocare a bottonella. Ero smaniosa del gioco.

Avevamo mucchi di bottoni di tutti i colori. Quelli dorati erano i piú preziosi, valevano un milione, quelli neri venivano subito dopo, poi c'erano i rossi e i gialli, di uguale valore, poi i bianchi che valevano meno di tutti. I bottoni verdi erano rari ma dicevano che portano sfortuna e quando ne capitava uno lo sotterravamo ben bene e ci facevamo la pipí sopra.

Mia madre soprattutto si seccava quando andava per mettersi un vestito e lo trovava senza bottoni. Ne aveva uno nero a fiori gialli con una fila di bottoni sul davanti; era un vestito che a lei piaceva molto. Ogni volta che lo trovava ripulito di tutti i bottoni, veniva e mi riempiva di schiaffi. Poi comprava degli altri bottoni e con pazienza li ricuciva.

Dopo qualche giorno io andavo e glieli staccavo tutti. Allora lei mi afferrava e tenendomi ferma con le ginocchia, mi riempiva di pugni. Per qualche giorno io stavo tranquilla ma poi ricominciavo. Quel vestito nero a fiori gialli mi piaceva troppo, cioè mi piacevano i bottoni che aveva, fitti fitti e giallini, come delle palline trasparenti.

Facevo spesso a botte perché perdevo. Non mi andava di perdere, ero una giocatrice orgogliosa e quando perdevo acchiappavo una e la riempivo di botte. Cercavo delle scuse per riprendermi i bottoni persi. Dicevo: tu me li hai rubati, sei una ladra! Qualche volta la ragazzina si spaventava e me li ridava, qualche volta resisteva, teneva duro. Allora io le andavo addosso e la picchiavo.

Mia madre diceva: non sei buona a fare niente, ti devo mandare a fare la sarta! Diceva: devi imparare qualche mestiere, non puoi crescere cosí, nullafacente! stai sempre a giocare, non sai tenere l'ago in mano. Mi diceva cosí e qualche volta mi dava pure una tirata di capelli, ma io continuavo a giocare a bottonella tutto il giorno.

Nel vestire ero vanitosa. Mi mettevo una cintura nuova e mi credevo chissà che. Con le compagne andavamo a parlare sotto un albero, dicevamo che da grandi avremmo fatto le attrici. Ci specchiavamo. Ci confrontavamo i corpi, i piedi, la misura della vita, eravamo prese dalla fantasia. Io dicevo che volevo diventare il capitano di una nave e andare sempre per mare, di giorno e di notte, con le onde alte e giocare a bottonella coi marinai.

Facevamo dei rotolini coi pezzi di giornale e fingevamo di fumare. Poi, con la sigaretta appiccicata alle labbra riprendevamo a giocare a bottonella. Verso sera mia madre veniva, mi acchiappava per i capelli e diceva: da oggi basta di giocare; ti mando a fare la sarta! Ogni giorno diceva la stessa cosa.

Una volta mi ha mandata per davvero a fare la sarta. Mi ha portata da un muto che lavorava in una stanza tutta tappezzata di pantaloni che pendevano pure dal lampadario. Questo sarto, appena entro, mi fa capire a gesti che mi devo sedere accanto a lui, mi mette in mano un pezzo di stoffa e mi insegna a fare i soprappunti.

Io imparo subito. Ma ero nera, arrabbiata. Se sto qui, pensavo, voglio tagliare, cucire, fare di testa mia. Invece non potevo fare niente. Stavo sempre a cucire questi soprappunti. Il sarto non era soddisfatto nemmeno di quelli. La sua bocca era muta, c'era un gran silenzio e a me quel silenzio mi intristiva. Allora cantavo. Ma il sarto non era contento. E mentre che stavo cosí, chinata a cucire e cantare, mi arrivava una manata sulla testa.

Ho continuato a fare questi soprappunti per sei, sette giorni, poi mi sono stufata e me ne sono andata. Il sarto non mi ha voluto pagare neanche mezza lira e mia madre ha dovuto pure chiedere scusa per me.

In casa c'era molta confusione. I miei fratelli entravano, uscivano, gridavano, si litigavano. Mia madre li buttava fuori. Mio padre li picchiava. Ma loro riprendevano sempre a litigare.

Una volta mia madre mi fa: guarda che ti vuole tua nonna a te, a tuo fratello Orlando, Balilla e a quell'altro Nello; vi vuole tutti e quattro per una cosa. Dico: cosa vuole? ci vuole picchiare? o ci vuole fare qualche predica?

Questa mia nonna infatti era severa, moralista, noiosa moltissimo. Era sorridente con tutti e con noi era perversa, non so perché. Aveva la voce tremolante, ma cattiva. Diceva: vostra madre ve le dà tutte vinte, non sa neanche cos'è l'educazione! siete dei nullafacenti, siete dei mascalzoni!

Mia madre non poteva darci troppa educazione, non poteva starci troppo addosso perché doveva lavorare in casa, in osteria e in campagna nello stesso tempo. E doveva pure andare a fare il pesce. Tutti questi figli che aveva, uno dietro l'altro, la portavano via. Uno allattava ed era già incinta di un altro. Sempre figli, sempre figli, ogni anno.

Mia nonna Teresa, con quella voce tremante e rabbiosa diceva: non vi porta mai in chiesa vostra madre, è una miscredente! Perché era una pinzochera mia nonna, stava sempre a battersi il petto in chiesa. Allora mi afferrava a me per il collo e mi diceva: ci sei stata in chiesa? ci sei stata alla prima messa? Io rispondevo sempre di sí, che c'ero stata; ma non era vero niente.

Dopo, mia madre ci aggrediva a noi figli: vassalloni, mi fate litigare con quella pinzochera di vostra nonna! perché andate a dire che non vi mando in chiesa? se io non ci vado, non è una buona ragione per non andarci neppure voi.

Noi ci inventavamo la scusa che era lei che non ci mandava in chiesa, per evitare le prediche della nonna. Ma era una bugia.

E cosí veniva mio nonno, che era chiamato "il colonnello". Veniva col bastone in mano e ci picchiava sulla schiena a me e ad Orlando. Invece quegli altri nipoti, i nostri cugini, erano dei leccapiedi, sapevano fare la parte: nonnina, come stai? un bacetto. E se la imbambolavano come volevano. Io non ero buona a fare la parte. Le volevo bene a mia nonna, ma invece che un bacio le avrei dato un mozzico, soprattutto quando brontolava con quella voce tremolante e severa.

Ecco che quella mattina andiamo, i miei tre fratelli e io dalla nonna. E lei dice: sentite, volete venire in campagna a cogliere un po' di cocomeri? Era il tempo dei cocomeri. Dico: nonna, ma dobbiamo andare subito? Dice: subito subito. E ci manda a cogliere cocomeri al campo.

Andiamo con un somaro e un carretto. Ci mettiamo tutti sopra a questo carretto e turutun turutun turutun fino in campagna, facciamo due chilometri. Là c'era la campagna della nonna. C'erano certi ulivi vecchi, intorcinati, con i buchi neri in cui si nascondevano le formiche, i ragni, i serpenti. E poi delle vigne talmente cariche di uva che i grappoli toccavano per terra come le zinne di un cane che ha appena sgravato. Era una bella campagna, molto ricca e fastosa. Allora lei dice: su forza che dobbiamo raccogliere tutti i cocomeri, sbrigatevi! Intanto sceglieva quelli maturi, li tastava, li annusava e poi ce li dava e noi correvamo ad ammucchiarli sotto la pergola.

Andavamo su e giú, su e giú sotto il sole bollente. Allora io dico: ma guarda questa che ci fa andare su e giú come le formiche, ma quando ce lo fa mangiare un cocomero? Orlando dice: i cocomeri non ce li fa mangiare mai.

Allora io dico: lo sai ora che faccio? Pum! e faccio cascare per terra un cocomero. Dico: nonna, m'è cascato un cocomero per terra! Dice: va bene, non fa niente, poi ce lo mangiamo. Dico: meno male! E con Orlando cominciamo a mangiare quella polpa rossa tutta piena di sugo caldo. Avevamo una sete! E col caldo e col sudore mangiavamo questo cocomero che era una delizia.

Mio fratello l'altro dice: ah sí, ho capito, quando si rompono si mangiano. Pum! e fa cascare un altro cocomero. Nonna! m'è cascato un cocomero pure a me! come si fa nonna mia? Va bene, va bene, dice lei, mettetelo lí sotto da una parte che poi ce lo mangiamo.

Alla fine della giornata avevamo la pancia piena di cocomeri. Ne avevamo spaccati tanti che dopo ci facevano pure schifo e buttavamo il sugo nei buchi dei serpenti.

Quando fa buio rimontiamo tutti sul carretto e ce ne torniamo a casa. La nonna contava i cocomeri e diceva che erano pochi e noi per farla distrarre ci litigavamo forte fra di noi.

Tornati a casa mio fratello Luciano appena mi vede mi fa la cianchetta col piede e io casco per terra e mi sbuccio malamente un ginocchio. Allora arriva mio padre e con la cinghia gli va addosso. Ma Luciano scappa e la cinghiata ha colto me. Quella volta mio padre l'ho odiato. Non era colpa sua; voleva picchiare Luciano e invece ha picchiato me. Mi ha fatto un segno viola sulla coscia che mi è rimasto per una settimana.

In quel tempo mio padre aveva molto da fare. Allora dice a mio fratello Orlando: da domattina ci vai tu a portare da mangiare ai maiali perché io non ho tempo. Orlando dice: va bene, domani ci vado. La sera mio padre gli fa vedere come deve riempire il secchio e come lo deve portare, appeso a un bastone appoggiato sulla spalla.

La mattina Orlando prende il mangiare per i maiali e se ne va. Io esco con lui. Da un po' di tempo stavo sempre con lui, gli andavo appresso, lo copiavo in tutto. Appena mi vede, dice: vattene stupida! Dico: ma che ti fa? vengo con te. Dice: non ti voglio. Ma io gli andavo dietro lo stesso.

Allora vedo che invece di andare alla campagna si dirige verso il fiume e butta tutto nella corrente. Poi, col secchio vuoto, si siede sotto un albero e si fuma una sigaretta. Io gli vado accanto e lui mi dice: tieni la bocca chiusa Teré, se no t'ammazzo di botte! E io dico: cosa credi che sono una spia? E lui mi fa dare una boccata alla sua sigaretta.

Una volta, due, è andata bene. Dopo tre o quattro volte, mio padre una mattina gli fa: ma come hai fatto presto! e come è possibile? Orlando, con una grande faccia tosta dice: ho fatto una corsa per tornare prima. Allora mio padre dice: e com'è che io sono andato su ieri e ho vista la mangiatoia dei maiali secca secca e ho sentito i maiali che strillavano disperati? Beh, dice Orlando, vuol dire che si sono mangiati tutto, si sono leccati pure il legno.

Mio padre non dice niente. Però la sera va a vedere se effettivamente Orlando ha portato da mangiare alle bestie. E sente i maiali che strillano. Strillavano tanto che erano sfiancati. Allora ha capito che da giorni non mangiavano. Ma non ha detto ancora niente.

La mattina dopo, quando Orlando è uscito col secchio, l'ha seguito. Ha visto che buttava il mangiare nel fiume, l'ha aspettato sulla porta di casa e l'ha riempito di botte.

E tu! mi fa a me, tu non sapevi niente? Io? dico, e io che ne so? Ma lui non ci ha creduto e giú botte anche a me. Avevo tredici anni circa. Le gambe me l'ha ridotte nere di frustate. Dice: tu stavi zitta eh! tu reggevi il gioco a tuo fratello! Dico: ma se te lo dicevo, lui mi ammazzava di botte! Allora mio padre mi dà un pugno sul naso che mi fa cascare per terra.

Un'altra cosa che non mi andava era la scuola. C'era una maestra che si sedeva sulla cattedra, prendeva in mano il lavoro a maglia e sferruzzava. Chiamava una alla lavagna. Diceva: scrivi, L'ITALIA È UNA PENISOLA, cosí tutto maiuscolo. Poi diceva: ma te le sei lavate le orecchie stamattina? Beh, vai a posto. Ed era finita la lezione.

Invece di andare a scuola Orlando e io ce ne andavamo con la barca a pescare le lampadelle, i polipetti, i ricci. Ci ho rimesso un dito coi ricci. Li prendevo senza coltello, con le mani. I ricci si sa sono pungenti, hanno le spine tutte nere e dritte con la punta fine e dura. Allora a furia di prendere questi ricci un giorno mi è andato uno spino dentro l'unghia. Mi faceva male, mi batteva, ma io non ci badavo. Poi ha cominciato a gonfiare. Ed è diventato giallo di pus.

Mio padre mi prende e mi porta da un dottore di Anzio, un dottore che poi è morto, si chiamava Verace. Questo mi fa un taglio al dito. Dice: se veniva fra qualche giorno bisognava tagliare la mano.

Allora stavo con la mano tutta fasciata. Avevo la febbre alta. Mia madre mi imboccava, mi portava in braccio sul cesso. Però il dito non guariva. E mio padre mi ha riaccompagnato dal dottor Verace. Dice: qui bisogna fare un altro taglio. E mi ha aperto un'altra volta. Poi me l'ha cucito il dito, me l'ha cucito in fretta e ha tirato troppo il filo. Insomma da allora il dito non l'ho potuto piú raddrizzare. Mi è rimasto piegato per via di questo nervo cucito in fretta.

A scuola non ci potevo andare. Questo era un bene. Perché con il dito cosí non potevo scrivere. Facevo la seconda elementare. Allora Orlando mi diceva: vieni! E io andavo con lui a prendere le uova dei passeri sugli alberi. Mi arrampicavo, lui avanti e io dietro, su certi rami secchi. Non so come non siamo mai caduti. Andavamo a snidare i polipi nelle rocce. Mi buttavo nell'acqua come un pesce. Facevamo le corse al nuoto. Facevamo i tuffi. Orlando era p'.-

colo, piú piccolo di me, biondiccio, con la testa grossa, pallido. Sembrava fragile invece era agile e robusto.

Ma poi a scuola ci sono dovuta tornare perché mio padre insisteva. Sono passata in seconda e ho fatto un altro anno. C'era sempre la solita maestra che faceva la maglia tutto il giorno. Chiamava una alla lavagna e diceva: scrivi, l'ITALIA È BELLA, scrivi, tutto maiuscolo! E quella scriveva. Poi si fermava, col gesso in mano e aspettava. Allora la maestra alzava gli occhi dal lavoro a maglia e diceva: quella Italia è scritta male, con le i storte, riscrivi! La ragazza riscriveva. Noi intanto giocavamo a bottonella fra i banchi. Quando la ragazza aveva finito di scrivere, la maestra diceva: cosa credi che non l'ho visto che ti sei passata il carboncino sulle sopracciglia? sembri una zingara! vai, vai, svergognata! Faceva venire un'altra e ricominciava: scrivi, l'ITALIA È LA MIA PATRIA! E cosí passava la mattinata.

Dopo un anno di questa musica a scuola non ci sono tornata piú. A mia madre faceva comodo che stavo a casa a sbrigare le faccende. Pulivo, stiravo, stavo dietro ai miei fratelli. Ce n'era sempre uno nuovo piú piccolo degli altri.

Mia madre diceva: Teresa, lava questi panni, vài, che tu sei forte. Mi toccava lavare tutti i panni. Ho sempre lavato i panni. Lavavo certi carichi di panni che adesso penso: ma come facevo?

Lavavo otto dieci lenzuola, alla fontana. Poi quando avevo lavato tutti i panni che ero sudata e schizzata di sapone, mi spogliavo, mi mettevo dentro l'acqua, mi sciacquavo e uscivo fresca come un pesce. Facevo sempre cosí. Mi piaceva molto l'acqua.

In casa spicciavo. Stiravo i calzoni a mio fratello Eligio il grande. Se non trovava la camicia stirata e i calzoni a posto, mi picchiava. Mi picchiava sempre. Io portavo le vesti corte e lui mi picchiava. Mi dava le botte alle gambe. Era un carattere egoista questo Eligio, chiuso, un tipo forastico che non dava soddisfazione. Magari, se vai a casa sua, per carità, non sa che cosa offrirti, perché ha il cuore buono. Però è ignorante.

Come mi vedeva le vesti un poco sul ginocchio, pam pam, mi veniva addosso coi calci, con la cinta; non mi poteva vedere le gambe. Gli dava al cervello. Come mi trovava a giocare a bottoni, mi acchiappava e mi prendeva a calci.

Cammina a casa! mi diceva. Era un ignorante, sempre coi cavalli, la campagna, la caccia, un burino insomma. Era alto, robusto, castano. Come me. Però io sono un po' rossiccia. Ma lui no, era castano.

Rossiccio come me è Orlando, il secondo. Per anni siamo stati appiccicati, dove andava lui andavo io, sempre insieme. Poi ha trovato degli amici piú grandi, dei marinai e a me non m'ha voluta piú. Usciva con questi amici, andavano a donne, per osterie. A casa non ci stava per niente.

Una volta mia madre è entrata nel magazzino dove tenevamo gli attrezzi e ha trovato mio fratello con gli amici e una donna. Avevano acchiappato una di queste della strada e se l'erano portata là dentro. Mia madre l'ha preso per i capelli e l'ha riempito di botte. Poi, mi ricordo, è andato a fuoco tutto il fieno, perché erano rimaste le cicche accese di quei marinai.

Orlando era pure ladro a casa. Rubava i vestiti, le mutande, la roba da mangiare e portava tutto a quella donna che teneva nascosta con gli amici e ci facevano il comodo loro. Una volta io l'ho vista questa ragazza, di nascosto perché loro la tenevano chiusa. Ma lei è uscita per fare la pipí, verso sera e io l'ho vista. Era magra magra, bianca con i capelli rapati come una monaca.

Questi due fratelli, Eligio e Orlando erano i piú perfidi. Mi picchiavano sempre. Mi ammazzavano di botte. Un calcio uno, uno schiaffo l'altro, facevano a chi picchiava di piú.

Dopo Orlando c'era Nello. Poi Luciano che è morto. Poi hanno rinnovato un altro Luciano. Poi Libero che è andato sotto il treno. Poi Luciano, il terzo Luciano. Poi Matteo e Balilla. Poi Oreste che ora sta in America e poi Iride. Questa Iride si è fidanzata nel dopoguerra con un ufficiale americano. E mio fratello Orlando per la rabbia, ha messo le bombe a mano attorno alla chiesa.

Altri quattro fratelli sono morti piccoli, un mese, due mesi o appena nati. Luciano, Duilio, Oscar, Benedetto, sono morti di qualche anno. E poi ce n'erano degli altri, ma non ricordo perché ero piccola.

So che quando è morto l'ultimo sono venuti a disinfettare la casa perché aveva avuto il cruppe. E c'era un infermiere che ha preso in braccio Oreste e ha detto: questo bambino è proprio bello, diventerà ricco. E cosí è stato. Oreste è della razza di mia madre, biondo, gli occhi marroni, la pelle chiara, gli zigomi sporgenti. Pure Libero era bello, aveva i denti bianchi bianchi, gli occhi a mandorla, i capelli luccicanti. Era il piú bello. Si è buttato sotto il treno.

Quando è morta mia madre io non ho sofferto per niente. Lei era andata a portare da mangiare ai maiali a Bruciore, in campagna. Andava di corsa. Mia madre andava sempre di corsa perché mio padre era terribile e se non trovava il pranzo pronto all'ora giusta prendeva il pizzo della tovaglia e buttava tutto per terra.

La mattina andava alla campagna oppure andava a fare il pesce. Si intendeva di mare e di campagna mio padre. Alle quattro lui e mia madre se ne andavano al porto ad aspettare la paranza. Quando venivano scaricate le cassette, lui guardava, sceglieva, discuteva e comprava. Poi mandava mia madre a Bruciore dai maiali e lui se ne andava al mercato in piazza a rivendere il pesce.

Allora mia madre un giorno è ritornata da Bruciore di corsa. È arrivata e si è messa subito a preparare il pranzo perché era tardi. Doveva ritirare i panni stesi, doveva servire la gente all'osteria, doveva cucinare la pasta per noi. E per tutte queste cose non ha avuto il tempo di cambiarsi.

Si era presa una inzuppata col cavallo e il carretto a venire giú dalla campagna. Si era presa uno sgrullone d'acqua e colava da tutte le parti. Oh Dio, adesso arriva tuo padre e non è pronto! diceva. E invece di andare a cambiarsi, si è messa a sbrigare le faccende con i vestiti bagnati addosso per fare trovare la pasta pronta a mio padre che era peggio del diavolo.

La sera aveva la febbre. S'era raffreddata, aveva la faccia rossa, tossiva. Mi fa male la gola, diceva, mi brucia la gola. Ma a letto non si poteva mettere perché c'era troppo da fare. Insomma si è trascurata. E si è presa una bronchite. Ma lei, pure con la febbre a trentotto non si è messa mai a letto. E questa bronchite è diventata polmonite.

In otto giorni mia madre è morta. Solo gli ultimi giorni si è messa a letto. È venuto Verace, le ha dato uno sciroppo, le ha cavato un po' di sangue e se n'è andato. Io capivo che era grave perché mi guardava e non mi vedeva, stava sempre con la bocca aperta come se le mancava l'aria. Ma ero sicura che dopo un giorno, due, si sarebbe alzata. Invece non si è alzata piú.

Sono rimasta male quando ho visto che era morta. Ma non sentivo niente. Io ancora non avevo il sentimento. Ho pensato che oltre i panni ora mi sarebbe toccato pure fare la cucina. E cosí è stato.

Dopo la morte di lei non ero piú padrona a casa mia. Dovevo stare soggetta a mia zia. La zia Nerina sorella di mia madre era venuta a stare in casa e faceva la severa. Ci teneva chiusi, ci dava poco da mangiare. Non era cattiva questa zia Nerina ma aveva una grande paura di mio padre. Solo a vederlo le prendeva il terrore. E praticamente non parlava mai.

Dopo qualche mese poi è tornata a farsi vedere Doré la Lunga. Era già stata da noi quando era viva mia madre, veniva ad aiutare per casa, in trattoria. Quando mia madre è morta, lei è arrivata a casa nostra con un sacchetto di vestiti e non si è mossa piú.

Mia madre l'aveva cacciata questa Doré la Lunga perché l'aveva trovata a chiavare con mio padre. E lei era andata via, ma poi appena ha saputo di questa morte, è risbucata, col suo sacchetto, la testa riccia, gli occhi a palla.

In seguito questa friulana ha scritto al Friuli, ha fatto venire giú la sorella, l'ha ospitata a casa mia, a casa di mio padre. Si sono messi tutti e tre insieme. Mio padre le manteneva. Una se l'è sposata e l'altra la manteneva. Dormivano in tre. Una da una parte, una dall'altra e lui in mezzo.

Mio padre l'hanno abbindolato perché era un uomo che donne non ne aveva viste mai, era di paese, in tutta la sua vita aveva fatto l'amore solo con mia madre.

È stato preso da queste due donne. E loro l'hanno messo sotto, l'hanno fatto firmare, gli hanno fatto vendere prima l'osteria, poi la campagna, poi la casa. Alla fine non c'era piú niente e mio padre è morto quasi di fame.

I miei fratelli se ne sono andati tutti appena è arrivata

Doré la Lunga. Quello piú grande aveva studiato, mia madre gli aveva trovato un posto. Adesso sta a Nettuno, ha le proprietà, sta bene.

Gli altri se ne sono andati per non stare con questa friulana. Si sono sposati per disperazione. Iride stava in collegio e la sua retta la pagava mia nonna. Stava al collegio san Biagio a Rimini. Mia nonna voleva che studiasse per fare la maestra. E infatti lei ha studiato. Poi è uscita dal collegio e si è impiegata al Poligono di Nettuno.

Lí ha conosciuto un americano, un sergente maggiore, si è fidanzata, si è sposata e se n'è andata in America. Ora sta in Florida, ha delle figlie grandi. Scrive ogni tanto, ma io non le rispondo. Non ho tempo. Scrive pure a Doré la Lunga perché Doré ci perde tempo, ci piange, ci arruffiana. Le fa la politica. Le parla male di me, le dice che io vado di qua di là, che sono uno scandalo per la famiglia e tutte queste cose.

A me mi disprezzano e mi tengono lontana. Si vergognano di me, mentre io mi vergogno di loro. Loro hanno i soldi, e si credono principesse. Io ne ho maneggiati molti di soldi, potrei tenerne piú di loro. Ne ho acchiappati nella mia vita di soldi, ma me li sono mangiati tutti. Loro invece mettono da parte, risparmiano, si sacrificano e quando sono vecchie cadenti si comprano una bella casa per morire su un letto di piume. Bella soddisfazione!

Per la disperazione di questa friulana, un fratello si è sposato perfino a diciassette anni. Io pure non la potevo sopportare. Un giorno l'ho presa a botte.

Le ho dato uno zoccolo in faccia. Uno zoccoletto di quelli di legno che si usano sulla spiaggia. Gliel'ho dato cosí di colpo e l'ho presa sulla bocca, le ho spaccato il labbro.

L'ho fatto perché lei mi veniva sempre addosso con le mani. Cercava di insultarmi, di istigarmi, era pungente. Tu sei una impenitente! mi diceva, tu sei una ragazza senza legge, prepotente; vedrai come andrai a finire! Mi provocava. Perché lo sapeva che ero svelta di mano, e pensava: finché c'è Teresa dentro casa io non mi potrò mai sposare col padre, perciò devo fare in modo di farla cacciare.

Infatti, cosí ha fatto. Mi ha provocato e provocato, finché un giorno mi sono rivoltata con questo zoccoletto e le ho spaccato la bocca. Lei naturalmente si è messa subito a gridare, a piangere. Ha fatto chiamare mio padre, gli ha fatto vedere tutto il sangue che colava. Invece di lavarsi, di asciugarsi, si apriva di piú la ferita per fare uscire molto sangue. E gli diceva: guarda, guarda come m'ha conciata tua figlia!

Mio padre ha preso una sedia, una sedia di quelle marroni con la paglia sul sedere e la spalliera di legno. Durudum! me l'ha rotta addosso, mandando tutti i piròli per terra. E m'ha detto: vattene via. Esci di casa!

Io dico: meno male! almeno posso essere libera! Perché ormai avevo diciassette anni e piú che mai mi tenevano chiusa in casa, non potevo mai uscire, mai andare al cinema, mai da nessuna parte. Una volta che mio padre m'ha trovata alla fiera, sui seggiolini volanti, m'ha quasi ammazzata.

Ero assieme con una mia cugina, una che gli piaceva ballare, nuotare, correre come me. Andavamo a pescare assieme, andavamo alla fiera, eravamo libertine. Allora mio padre mi trova lí ai seggiolini. Mi prende e mi porta a casa senza dire una parola. Io a quel tempo avevo le trecce lunghe fino alla vita. Appena entriamo, chiude la porta e mi afferra per queste trecce. Prima mi dà quattro schiaffoni, poi mi incrocia le braccia dietro la schiena, mi lega le mani e con una forbice mi taglia i capelli.

Le mie due belle trecce me le vedo per terra sotto le sue scarpe e lui le pestava con rabbia. Mi veniva da piangere. Ma per non dargli soddisfazione non ho detto una parola, non ho pianto. Appena mi ha slegata, mi sono messa in testa un basco di mio fratello e sono uscita. Prima di uscire, mi sono data una guardata allo specchio e ho detto: tanto sto bene uguale! Ma non era vero. Ero brutta, pelata, sembravo uscita dal tifo.

Insomma per via di questa donna mio padre mi dice: vattene da questa casa! il mondo è tuo. Io dico: magari dicesse la verità! finalmente potrò andare alla fiera quando mi pare, a ballare quando mi pare! Mi dava la febbre di essere libera perché non lo ero mai stata. Se dovevo andare a fare una passeggiata verso la stazione, meno di un chilometro da casa, dovevo portarmi appresso due o tre fratellini. La sera non potevo uscire mai. Ero troppo legata.

Allora quando mi sono vista tutta questa libertà ho detto: meno male! Dico: adesso vado a trovare mia cugina.

A me mi piaceva molto andare in giro con lei, con questa libertina. Si chiamava Amelia e andavamo d'accordo su tutto. C'era pure un'altra che veniva sempre con noi. Questa era orfana di padre, si chiamava Rosalba.

Io mi ero attaccata a queste due libertine e insieme andavamo a fare il bagno, andavamo in barca, eravamo libere, selvagge. Quando gli ho detto che mio padre m'aveva cacciata, sono state contente, mi hanno abbracciato. Dice: ora puoi fare quello che vuoi; andiamo a mare! E siamo andate a mare. Tutto il giorno in acqua, a pescare ricci, a tirare fuori i polipi dalle rocce.

La sera, stanca morta, me ne vado a dormire dalla zia Nerina. Le prime volte lei mi accoglieva bene, mi dava il letto, mi dava da mangiare. Poi mio padre le ha fatto una stramenata e lei per la paura non ha piú voluto prendermi in casa. Dico: ma zia, io dove vado a dormire? Dice: figlia mia, io ti terrei, ma di tuo padre ho tanta paura! Mio padre faceva paura a tutti ad Anzio, era terribile e la zia Nerina era vedova, sola, non sapeva reagire.

Mio padre aveva fratelli e sorelle, tutta gente energica, impulsiva, che poi è diventata ricca. Ma erano tirchi e vivevano chiusi in famiglia. Non uscivano mai in piazza per non dovere offrire un caffè.

Hanno saputo che ero per strada, ma nessuno m'ha voluto prendere in casa. Neanche nonna Teresa che allora era ancora viva. Erano tutti egoisti, sospettosi. Le sorelle di mio padre erano due, Laura e Jole, poi c'erano i fratelli, Primo, Silvio. Vedevano che io andavo sbattendo di qua e di là, senza sapere dove dormire. Gli avevano detto che andavo a rifugiarmi in un sottoscala, dentro un portone. Ma loro niente. Mi hanno lasciato in balia delle onde.

Dal sottoscala mi hanno cacciata dopo qualche giorno e io mi sono messa a girare senza sapere dove andare. Allora ho cominciato a capire che non era poi una cosa bella essere cacciati da casa.

C'era un camion dentro un cortile, senza ruote, coi puntelli sotto; un camion abbandonato, mezzo sgangherato. Io andavo a dormire lí sotto. Ero al riparo. Vicino c'erano i fornai che lavoravano la notte e mi tenevano compagnia con le loro voci. I fornai lavoravano e io dormivo. Qualche volta vedevo un'ombra, sentivo dei passi. Ero presa dalla paura. Ma mi confortavo pensando che c'erano i fornai. Se gridavo, mi sentivano. E i fornai mi conoscevano tutti.

Stavo zitta zitta, là distesa per terra, avvolta in una coperta che mi aveva dato mia zia e appena faceva giorno uscivo da lí sotto. La mattina avevo fame, mi girava la testa per la fame. Andavo dalla zia Nerina, ma quasi sempre lei era già uscita.

Se non riuscivo a rimediare niente, andavo in cerca di Balilla, il mio fratello piú piccolo. Gli dicevo: senti Balilla, vammi a rubare un pezzo di pane da Doré la Lunga perché ho troppa fame. Allora Balilla andava, rubava un tozzo di pane, una salsiccia, e me li portava. Dice: tié, tié, mangia, ma non ti fare vedere se no quella mi ména. E io mangiavo. Mi addobbavo un po'. Balilla aveva sui dodici anni. Io ne avevo diciassette. Gli altri, i piú grandi, se n'erano andati. Erano rimasti i piú piccoletti.

Balilla mi portava qualche cosa, io mangiavo e poi per tutto il giorno stavo bene. Durante la giornata mi sentivo un leone, correvo di qua e di là. Andavo a pesca, alla fiera, andavo a guardare gli operai che costruivano una strada nuova. Ma quando diventava scuro, cominciavo a mettermi pensiero.

Delle volte andavo in chiesa. Avevo freddo e per scaldarmi entravo nella chiesa, mi mettevo piú vicino possibile all'altare dove faceva piú caldo. La gente diceva: guarda com'è devota questa ragazza! I paesani mi guardavano con rispetto. Ma non era vero. Io ci andavo cosí, per rifugiarmi un po'. Non pregavo affatto. Stavo lí seduta, con le mani in mano e guardavo la statua della madonna.

Questa madonna aveva un gran manto celeste, una corona di stelle in testa, la bocca rossa, le guance rosse, gli occhi scuri. Però un occhio era un po' storto. E io sempre guardavo quell'occhio e mi dicevo: chissà se la madonna aveva veramente un occhio storto! Passavo le ore cosí, a guardare l'occhio storto della madonna.

La maggior parte della giornata la trascorrevo con Amelia e Rosalba. Loro non avevano un padre tiranno. Uscivano quando volevano e facevano quello che gli piaceva.

Amelia e Rosalba erano piú piccole di me. Io ero la piú grande. Comandavo io. Dicevo: andiamo a prendere i polipi e andavamo a prendere i polipi. Dicevo: andiamo a caccia di grilli e andavamo a caccia di grilli.

Prendevamo questi grilli e li mettevamo dentro una scatola coi buchi. Qualche volta gli strappavamo una zampa per vedere come zoppicavano. Dicevo: andiamo alla fiera e andavamo alla fiera. Però non avevamo soldi e ci contentavamo di guardare gli altri che si divertivano.

Un giorno capitiamo vicino a una villetta, sul bordo del mare. Era una casa di villeggiatura in cui d'inverno non ci abitava nessuno. Dico: saltiamo dentro il giardino! C'era un albero di loti che sporgeva dal muro. Dico: andiamo a cogliere qualche loto! Cosí saltiamo il muro e siamo dentro il giardino.

Allora mentre stiamo a prendere i loti, mia cugina mi dice: perché non entriamo in casa? E come apriamo? è chiuso a chiave, dice Rosalba. Ci penso io, dico. Do una gran spinta con la spalla e la porta si apre.

Subito entriamo e siamo dentro. Non avevo mai visto una casa cosí bella. C'erano i letti con le sopracoperte ricamate, c'era l'armadio con gli sportelli dipinti, c'era la cucina lustra, c'era il divano coi cuscini a fiori. Dico: sai che facciamo? dormiamo qui, facciamo da mangiare, la cucina c'è, i piatti ci sono, c'è tutto. E la roba? dice Rosalba. La roba andremo a rubacchiarla. Io a casa mia rimedio qualcosa, dice Amelia: dell'olio, un po' di pasta. Io pure, dice Rosalba.

Insomma prepariamo proprio come a casa nostra. Facciamo una cena abbondante. Rosalba fa bruciare il sugo. E noi ridevamo, non so perché ridevamo, eravamo morte dal ridere. Insomma mangiamo contente un gran piatto di pasta col sugo che sapeva di bruciato ma a noi ci sembrava buonissima.

Poi prepariamo i letti per dormire. Mettiamo le sopraccoperte tutte piegate in quattro da una parte. Tiriamo fuori i cuscini. Erano di piuma questi cuscini, morbidi come la panna. Ci infiliamo sotto le coperte.

Io che dormivo da mesi sotto il camion, all'aperto, mi sembrava di essere un papa. Mi giravo e mi rigiravo in quel letto di seta. Mi sono stuzzicata lí fra le gambe con le dita, ho fatto quel gioco che dentro di me chiamavo "il gioco della mamma" e mi ha riempito di calore delizioso.

Non volevo addormentarmi per gustare tutta quella morbidezza. Mi alzavo su un gomito e il gomito affondava, appoggiavo la testa e la testa affondava. Volevo continuare cosí, per il gusto di affondare. Invece mi sono addormentata quasi subito.

Nel mezzo della notte arriva la guardia notturna. Apre la porta, ci punta la torcia in faccia e dice: che fate qui? Noi ci alziamo, acchiappiamo i vestiti e scappiamo di corsa mentre lui ci grida: ferme, ferme! Credevamo che era niente, una ragazzata. Invece la guardia ha fatto la denuncia regolare.

Mi hanno indetto la causa e mi hanno condannata a due anni di galera. Ma io ero fuggitiva, la condanna era in contumacia. Poi è venuta l'amnistia perché aveva partorito non so chi, una principessa Savoia, e questi due anni mi sono stati condonati.

Mia cugina Amelia e Rosalba sono finite al correzionale. Sono rimaste lí qualche mese, poi gli hanno dato il perdono giudiziario perché erano minorenni. E tutto è finito cosí.

C'era un certo Sisto, il figlio del capostazione di Campo di Carne che mi veniva sempre dietro. Mi conosceva da quando avevo dodici anni, prima che morisse mia madre. Mi guardava, mi sorrideva, mi girava intorno. Era un bel tipetto coi baffi, magro, asciutto. Però a me non mi piaceva, non mi andava. Aveva nella faccia qualcosa di scemo, di depravato. Era piú vecchio di me di sei anni.

Io per la verità pensavo a un altro, Duilio. Questo Duilio lavorava al negozio di ferramenta, vendeva chiodi, roba da stagnaro. Era un bel ragazzo biondo, crespo, con la faccia larga e pacifica. Era di Nettuno, veniva ad Anzio per il lavoro. A me piaceva, ne ero innamorata.

Però a mio padre questo Duilio non gli andava giú. Mi diceva: gira al largo da quel garzone. Dico: ma perché? Dice: perché sí, te lo dico io e basta. Io però non gli davo retta e ogni tanto mi fermavo a parlare con lui vicino alla fontana.

Un giorno che stavo a parlare con questo Duilio, alla fontana, è arrivato mio padre e l'ha preso a schiaffi.

Non ci eravamo accorti che lui arrivava né niente. Quando è stato lí, ha alzato una delle sue mani dure e gli ha dato due schiaffi, uno su una guancia e uno sull'altra guancia. C'era tutta la gente che passava, eravamo in mezzo al paese. Duilio non ha detto niente, non ha fatto niente. Era diventato bianco per la mortificazione. E da quel giorno non si è fatto piú vedere.

Io ho aspettato, aspettato. Poi, vedendo che non veniva, ho pensato di andare a cercarlo. Ma a metà strada mi sono fermata. Dico: se quello non viene vuol dire che non mi vuole. E sono tornata indietro. Per orgoglio l'ho lasciato perdere. Cosí è finita con questo Duilio che era proprio un bel ragazzo, biondo, alto e mi voleva bene.

Una sera, dopo che mio padre mi aveva cacciata di casa, incontro Sisto, il figlio del capostazione. Mi si mette appresso e a un certo punto mi ferma. Dice: come mai non ti ho vista piú? sei stata fuori? Dico: no, adesso abito da mia zia.

Allora è venuto a farmi le cacce sotto il portone di mia zia. Però non mi vedeva mai perché io dormivo fuori, sotto il camion; solo che a lui non gliclo dicevo. Poi un giorno mi incontra, mi affronta e mi dice: ma tu perché non stai a casa da tuo padre? Dico: ho litigato con Doré la Lunga e un altro po' l'ammazzo, perciò mio padre m'ha cacciata.

Dice: ma com'è che io sto ore e ore sotto il portone di tua zia e non ti vedo né entrare né uscire? Dico: ma io esco presto quando ancora tu dormi. Allora mi guarda, mi prende per un braccio, dice: vieni al casello con me! Dico: no, a me non mi sei mai piaciuto e non ho cambiato idea. E lui insisteva con questo casello dove faceva l'assuntore, presenziava i treni; era una specie di sottocapostazione. E sempre cercava di attirarmi al casello.

Dopo una, due, cinque volte, ho cominciato a pensare: ora magari ci vado al casello, cosí la smetto di girare sbandata a destra e a sinistra; là mi posso ricettare, fare il bagno, dormire in un letto. Ero stufa di andare randagia, di dormire sotto il camion, di lavarmi alla fontanella e dovermi asciugare la roba addosso. Mi sono detta: beh, ora gli dico di sí e ci vado al casello. Almeno mangio e dormo come una cristiana!

Ero una ingenua, una stupida, non pensavo a tante altre cose. Avevo voglia di un tetto. Lui invece, oltre al fatto che gli piacevo, contava sulla dote. Sapeva che mio padre aveva la campagna, mia nonna era nominata ad Anzio per i suoi campi. Questa porterà dei soldi, pensava. E mi diceva: sposiamoci, sposiamoci.

Ho fatto l'amore con lui, cosí per curiosità. Non mi è piaciuto. Dice: la prima volta non piace mai, dopo vedrai ti piacerà. E io dicevo: vedremo! Intanto me lo guardavo e gli trovavo dei difetti antipatici. Quando camminava aveva qualcosa del vecchio, teneva le spalle curve. Quando rideva gli si scoprivano le gengive che erano troppo rosse, come rigate di sangue. Non mi piaceva.

A me piaceva quell'altro, Duilio, ne ero innamoratissima. Ma avevo rinunciato per orgoglio. Peccato! Forse sarebbe tornato a cercarmi. Ma io, per fargli dispetto, mi mostravo in giro con questo Sisto.

Sono andata a vivere con lui. M'ha portata alla stazione di Campo di Carne, nella casa dove vivevano le sorelle e il padre capostazione. Queste sorelle appena mi hanno visto, mi hanno messo una scopa in mano. Mi facevano lavare i piatti, pulire per terra. Dicevano che non sapevo fare niente perché non eseguivo gli ordini.

Erano due sorelle molto fervide, severe. Erano carine. Quella grande era una acidona, cattiva, pettegola. Quella piccola era piú buona. La grande faceva da mamma alla piú piccola. La madre era morta quando erano bambine. Questa Agnesina, la piccola, faceva tutto quello che le diceva la grande, Ines. Era sotto di quella. Sarebbe stata pure gentile con me, ma aveva paura della sorella grande che era cattiva, tanto cattiva che è rimasta zitella per quanto era cattiva.

Quando sono andata a vivere con Sisto ero una ragazzetta, avevo appena compiuto diciotto anni. Per pura combinazione un giorno incontro mio fratello Eligio. Stavo andando a fare la spesa e camminavo distratta, guardando per terra. Tutto di un botto mi sento afferrare; non faccio in tempo a vedere chi è, mi arrivano due pugni in faccia. Perché quel mio fratello è un ignorante, uno zotico di campagna, con gli uccelletti, la caccia, è rimasto arretrato.

Mi prende per i capelli e mi dà dei pugni sul petto, sulla pancia. Lui è un leone grosso, io sono piccola. Cercavo di morderlo ma non ci riuscivo. Allora lui mi alza le vesti e mi dà un calcio al ventre, fra le gambe, ma cosí forte, con le scarpe, che sono caduta svenuta per terra. E lí m'ha lasciata con tutto il sangue che mi usciva da sotto.

Era un'ora morta, non passava nessuno. E sono rimasta svenuta piú di due ore. Se ero un'altra, cattiva, lo denunciavo. Invece mi sono rialzata, locca locca e me ne sono tornata da Sisto.

Questo appena mi vede dice: ma che è successo? Dico: mio fratello m'ha menato. Si mette a ridere. Dice: ha fatto bene, un fratello si comporta cosí. Dico: e noi perché non ci sposiamo? Ma lui ha fatto finta di non sentire e se n'è andato a giocare a carte con gli amici. Non mi voleva sposare questo Sisto perché prima voleva la dote da mio padre. E gliel'ha pure mandato a dire.

Noi stavamo un po' lontani dalla casa di mio padre. E Sisto mandava il padre, il capostazione a fare da messaggero. Gli diceva: fagli sapere che sposo sua figlia solo se mi dà dodici lenzuola, dodici asciugamani, dodici tovaglie, e una camera da letto ammobiliata con armadio, trumò, specchiera, e poltrona imbottita. E lui riferiva. Io intanto ero rimasta incinta.

Il padre di Sisto, questo capostazione, era un ciòciaro, severo, un po' ombroso, non rideva mai, non guardava mai in faccia la gente. Andava da mio padre, riferiva le parole del figlio e aspettava. Mio padre gli diceva: adesso non ho tempo di pensare a mia figlia, torna un'altra volta.

Lui tornava, riferiva. Sisto si arrabbiava. Dopo qualche giorno lo rimandava da mio padre ad Anzio. Finché un giorno mio padre scocciato gli ha detto: io a mia figlia non gli do proprio niente perché è scappata da casa e io non ho piú doveri verso di lei.

Sisto mi affronta e mi dice: bugiarda che non sei altro! sei tu che sei scappata e non tuo padre che t'ha cacciata! perché l'hai fatto, sciagurata! adesso non ti posso sposare perché non hai dote e sei disonorata!

Dico: mio padre è un mentitore, perché in verità è lui che mi ha cacciata. Dice: non è vero; tuo padre ha raccontato a mio padre che lui ti voleva fare sposare un bravo ragazzo di Napoli che tu non volevi e che per questo sei scappata.

Questa storia del napoletano era vera. Ma era successo due anni prima. Un giorno mio padre mi aveva fatto trovare in casa un uomo, un napoletano grassoccio e basso. Dice: ecco il marito che fa per te; tu adesso te lo sposi entro una settimana cosí ti levi di torno! Io me lo guardo questo napoletano: era pallido, insignificante. E gli dico a mio padre: ti piace a te? sposatelo tu! E me ne sono uscita sbattendo la porta.

Ma non sono affatto scappata, perché due ore dopo sono tornata e sono rimasta in casa ancora due anni, finché non è successo quel fatto dello zoccolo.

Sisto non mi voleva sposare con tutto che ero incinta. Dice: tuo padre è uno snaturato; deve uscire la dote a ogni costo; se no non ti sposo! Le sorelle erano diventate piú acide. Mi facevano alzare alle cinque per pulire le scale, lavare i panni, cucinare. Dovevo pure andare a fare la spesa, e nel pomeriggio stavo ginocchioni per terra a dare la cera. Non so com'è che non ho abortito.

Quando ho capito che stava nascendo, ho preso l'autobus e sono andata a partorire a San Giovanni. Sisto dice: vai, vai! Le sorelle mi dicono: ma sei sicura che sta per nascere? non potresti lavorare ancora un giorno? Dico: no, sto male. Allora dice: vai vai, vai a partorire questo bastardo!

Arrivo all'ospedale, chiedo un letto. Dice: aspetti! Mi metto seduta su una panca e aspetto. Chi correva di qua, chi di là, nessuno mi diceva niente. Dopo due ore, tre, ho cominciato ad avere paura, mi sentivo persa.

Io sono una donna normale, ho cominciato a fare l'amore a diciotto anni. Ma ero ingenua. Con Duilio era tutto fuoco; mi piaceva essere coccolata, mi piaceva baciarlo, carezzarlo. Ma ero una ragazzina e del sesso non capivo niente. Ero stata sempre in mezzo alle amiche, alle vicine e non avevo avuto occasione di capire tante cose. Se una di noi parlava di qualcosa di proibito, subito arrivava la madre e la picchiava. Se dicevamo una parolaccia, prendevamo le botte sulla bocca. "Va' a morire ammazzato!" per noi era una espressione terribile, arrivava mio padre col nerbo e tutun tutun, ci riempiva di nerbate.

Lui bestemmiava tutto il giorno, la madonna, i santi. Noi lo sentivamo. Ma dalla nostra bocca non doveva uscire una bestemmia, se no erano botte. Lui la mattina si alzava e cominciava: "mannaggia er core de la madonna!" "quel porco di san'Antonio!" di qua, "quel porco di san Giuseppe!" di là. Ma appena sentiva uno di noi che malediva un santo, ci bastonava.

Ero tanto ingenua che lí all'ospedale aspettavo di partorire e pensavo di fare il figlio dal culo. Da ragazzina avevo sempre sentito le donne che litigavano fra loro e urlavano: "brutto delinquente, io t'ho cacato e io ora ti rimangio!" Per queste parole, io m'ero messa in testa che il figlio mi doveva nascere da dietro. E rimuginavo fra me e pensavo: sentirò dolore? e poi, dico, non vorrei che mentre faccio i bisogni questo ragazzino mi esce di fuori dentro il cesso.

Verso sera, sempre seduta lí sulla panca, mi vengono i dolori forti. Allora mi alzo e comincio a girare. Ma non dicevo niente perché c'era una che stava morendo nel letto vicino e la suora mi faceva segno di stare zitta.

Poi non ce l'ho fatta piú, e ho gridato. Allora m'hanno presa e m'hanno messo in mano dei fogli. Dice: riempi questi documenti. Ma che documenti! dico, io non ce la faccio neanche a respirare e voi mi parlate di documenti. Dice: allora metti solo la firma. Ho messo una firma che era uno sgorbio e intanto bestemmiavo; tanto mio padre non c'era; bestemmiavo tutti i santi.

Proprio all'ultimo momento ho capito da dove nascono i figli, perché l'ho fatto. È venuto fuori bello grosso con una spalla prima e poi la testa che mi ha spaccato la carne. Ah, dico, cosí nascono i figli! me lo potevate dire prima!

Sono rimasta lí sei giorni, dentro il lettino, accanto a quella che stava morendo e non moriva mai. Ogni tanto le portavano il figlio che era sano e strillava perché aveva fame, ma lei non lo riconosceva. Dice che aveva il sangue guasto, avvelenato, non lo so. È morta proprio il giorno che sono andata via io.

Mentre ero lí non m'è venuta a trovare nessuno della famiglia. Sola sono entrata e sola sono uscita. C'erano le infermiere che correvano, in fretta, sempre in fretta. Volevano che liberassi il letto per darlo a un'altra. Io perdevo ancora molto sangue. Al sesto giorno m'hanno messo in braccio il pupo tutto fasciato e m'hanno mandata via.

Prendo l'autobus, scendo, cammino. Arrivo a casa, ero debole, non ce la facevo a tenermi in piedi. Entro e trovo tutti freddi, scostanti. Si avvicina Ines, guarda il pupo, fa una specie di smorfia e dice: carino! L'altra, Agnesina, stava zitta, ma guardava con gli occhi di fuori. Ho visto subito che sono rimaste sbalordite da quanto era bello questo figlio. Era grosso, bianco, con gli occhioni e non faceva che ridere.

Allora Agnesina fa: guarda Sisto, guarda tuo figlio! Ma lui non si interessava, fingeva che doveva aggiustare il berretto da ferroviere; non ha alzato nemmeno la testa.

Alla fine Agnesina ha scoperto il pupo e gliel'ha messo sotto il naso e lui l'ha dovuto guardare per forza. Ha avvicinato la faccia, come per annusarlo e poi ha fatto: mh! Non ha detto una parola.

Il giorno dopo, nonostante che ero fiacca e dovevo allattare ogni tre ore, mi hanno rimesso a lavorare per casa. Dovevo cucinare, lavare i panni, stirare. Il figlio stava dentro una culla di ferro sgangherata che avevo trovato fra la roba vecchia e nessuno se ne curava. Per fortuna era buono. Non piangeva mai.

Dopo, quando ha cominciato a crescere, gli si sono affezionati moltissimo. Sisto soprattutto si è attaccato a questo figlio con una grande passione e quasi non voleva che io lo toccavo. Per questo, per paura che me lo portavo via, dopo quattro mesi, m'ha sposata. E un poco pure si era affezionato a me, chi lo sa.

Ma il suocero mio aveva altre idee per la testa. Io non gli avevo portato niente, perciò mi odiava. Voleva liberarsi di me per dare a suo figlio una donna coi soldi. Anche se ero sposata, non gliene importava niente, voleva liberarsi di me.

Pensa e ripensa, lui e i suoi amici hanno avuto una bella idea. I suoi amici erano: il dottore di Campo di Carne e il maresciallo dei carabinieri. Stavano sempre insieme, si davano del tu, bevevano insieme, giocavano a carte. Insomma questo capostazione, il maresciallo e il dottore erano inseparabili e lí in quella frazione comandavano loro, facevano quello che volevano.

Tutti e tre insieme, tutti e tre d'accordo, hanno pensato: questa qui il padre non le dà niente, Sisto se l'è sposata contro voglia; ora sai che facciamo? prepariamo un certificato che questa donna è pazza e la mandiamo al manicomio. Il bambino, visto che la madre è inabile, rimane al padre e siamo a posto. E cosí hanno fatto.

Era da poco che avevo sposato. Un matrimonio fatto in fretta, dentro una chiesa fredda, senza fiori, senza ceri, perché Sisto aveva scelto la messa che costava di meno. Il prete correva, parlava tutto di corsa perché dopo il nostro c'era un matrimonio di lusso e dovevamo sgombrare al più presto.

Nella fretta uno degli anelli è caduto per terra ed è rotolato non so dove. Agnesina e io ci siamo messe a quattro zampe per cercare questo anello. Il prete batteva il piede. L'anello non si trovava. Ci si è messo pure Sisto. Alla fine l'abbiamo scoperto; stava sotto le scarpe di Ines.

Un giorno ero ai giardini col pupo in braccio a passeggiare. Avevo appena finito di lavare i piatti, le due sorelle dormivano e io volevo fare prendere un po' d'aria al figlio. Mentre vado cosí passeggiando vedo arrivare un'autoambulanza della Crocerossa. Si ferma accanto a me. Ne scende un militare che mi fa: buongiorno! Rispondo: buongiorno! Ma dentro di me pensavo: e questo che vuole?

Allora lui si avvicina di più e dice: andiamo signora! E dove? dico io. Dice: dovete venire con noi, per una visita. Io ho subito pensato che volevano mandarmi da un medico, per ordine di mio marito, per controllare se il mio latte era buono. Questo l'ho immaginato perché qualche volta, quando il bambino eruttava, avevo sentito Egle che diceva: questa madre non ha il latte buono.

Comunque ero ben disposta, perché sapevo che ero sana come un pesce e pensavo: se mi visitano, bene, verrà fuori che ho il latte buono. Se lo dice il medico ci devono credere questi rimbambiti. Pensavo anche: se avessi il latte cattivo il pupo non sarebbe cosí grasso, cicciotto, bianco e rosso. Allora dico: andiamo và!

E monto su quell'ambulanza con facilità, sempre perché ero una ingenua, ero rimasta paesana, non avevo capito mai niente. Monto sull'ambulanza e proprio mentre monto mi sento strappare via il bambino dalle braccia. Dice: ora il pupo se lo porta la signorina che se no prende freddo; tanto torniamo subito. E vedo mia cognata Ines che spunta improvvisamente da dietro l'ambulanza, viene e si prende il ragazzino. Era già tutto progettato. Ma io non lo sospettavo. Ero babbea. Scema.

Mi sono arrabbiata un po'. Dico a mia cognata: dammi il pupo! dove lo porti? Ma non faccio in tempo a dire una parola che il militare mi spinge dentro, chiude la porta e l'autoambulanza parte di corsa. Prendiamo la strada per Roma. Ero seccata, ma mi tranquillizzavo pensando: va bene, una visita dura poco, poi torno. Pazienza, sopportiamo anche questo.

Mentre che venivamo verso Roma, questo militare che mi guardava con una certa simpatia, mi dice: signora, io la devo avvertire di una cosa. Che cosa? dico io, sempre pensando che andavo a fare una visita per il latte. Le do un consiglio perché sono padre di famiglia, dice, e lei potrebbe essere mia figlia. Che consiglio? dico.

Dice: ora quando la portano a questo ospedale, lei deve stare calma e quando viene il professore non deve né ridere né piangere. Ma perché? dico io. E lui: se ride la prendono per pazza e se piange la prendono per pazza. Lei invece deve fare capire con calma che l'hanno mandata qui con la complicità di un dottore amico di suo marito per ordine di suo marito; ma l'ha visitata questo dottore che ha firmato la carta? Dico: no, non m'ha visitata, ma perché? Dice: l'avevo capito anch'io che era cosí: questo è tutto un accordo per farla portare dentro e toglierle il figlio. Io lo stavo a sentire, mezza rimbecillita, ma non gli credevo tanto. Pensavo che il pazzo era lui.

Arrivo lí allo psichiatrico. E vedo tutte inferriate, porte sprangate, camici bianchi, sento gridi, lamenti e capisco che non è un ospedale normale. Subito m'hanno presa e messa dentro un lettino in mezzo a tutte le pazze, in osservazione. C'erano le infermiere, le portantine che venivano dentro un momento, sempre di corsa e poi riscappavano via dopo avere chiuso la porta a chiave. In capo a due ore finalmente riesco a fermarne una e le dico: scusi, infermiera, quando viene il dottore? Dice: domani.

Arriva l'indomani e il dottore non viene. Io stavo lí, nel letto e vedevo queste pazze che si agitavano, litigavano. Mi sentivo accorata. Mi doleva il petto per il latte che stagnava. Afferro una infermiera e le dico: ma quando viene il dottore? Ah, dice, tu sei una nuova; sempre cosí le nuove, non fate che chiedere quando viene il dottore; stai zitta e aspetta! il dottore verrà quando verrà.

Io volevo piangere ma non piangevo perché mi erano rimaste impresse le parole di quel militare: se piangi, troppi giorni dovrai rimanere lí dentro! piú il dottore ti trova calma e piú prima ti manda a casa. Perciò stavo calma e zitta. Pensavo: ora viene il dottore e mi manda a casa subito. E invece i giorni passavano e io restavo lí.

Mi doleva il petto. Mi s'era impietrito il latte; le mammelle erano diventate dure, febbricitanti. Allora chiamo l'infermiera e con calma, con chiarezza, le spiego che io ho partorito da poco, che a casa ho lasciato un lattante. Dice: ah, è cosí? va bene, domani ci penseremo.

L'indomani arriva una donna con la pompetta e mi leva il latte. Anche se non volevo piangere mi cascavano le lagrime da sole, per il gran dolore. Eh, lo so, lo so che fa male, diceva questa signora che mi levava il latte, ma il pupo dove ce l'ha? Dico: che ne so! me l'hanno levato e non ho saputo piú niente; me l'hanno nascosto perché vogliono tenere lui e sbarazzarsi di me, il suocero mio vuole che mio marito mi lasci per prendere un'altra donna che dice lui, una coi soldi; mio suocero a lui poco gli vado giú perché non ho portato niente in dote e mi dice sempre: non m'hai portato manco la camicia!

Insomma le ho raccontato tutto a questa signora infermiera. E lei alla fine mi dice: racconta queste cose al professore, vedrai che capirà. Dico: ma quando viene questo professore? Dice: presto.

Invece questo professore non veniva. E la signora infermiera con la pompetta saliva su tutti i giorni a levarmi il latte con dolore. Allora un giorno mi dice: ma non ce li hai dei fratelli, una madre, qualcuno? Dico: mia madre è morta, mio padre mi ha cacciata di casa. Dice: e i fratelli? Dico: ne ho nove di fratelli. Dice: e allora fai una cosa, scrivi a uno dei tuoi fratelli e digli che ti venga a prendere. Dico: ma io non ho neanche la carta per scrivere; qui non ho niente e le infermiere non mi danno retta. Dice: domani ti porto io qualcosa.

L'indomani viene questa con una cartolina. C'era il timbro dell'ospedale, il posto per l'indirizzo, tutto. Prima mi leva il latte, poi dice: scrivi su questa cartolina che poi io te la imbuco; ma non dire niente al professore perché è proibito e non si può fare. Dico: tanto il professore non l'ho mai visto! chissà quando verrà! Dice: scrivi a tuo fratello di venire subito a Roma, di parlare col professore. Poi lui mette la firma per te e puoi uscire.

La signora mi ha dato questo consiglio perché aveva capito che io non ero pazza. Allora io scrivo a mio fratello Nello. Ma non so se era la posta che non funzionava o che altro, passa un giorno, passa una settimana, questo fratello mio non si faceva vedere. Ero preoccupata. La notte, per non farmi sentire piangere, sempre con la paura che m'aveva detto il militare, mi mettevo sotto le lenzuola per sfogarmi e poi la mattina mi sciacquavo gli occhi, mi asciugavo, facevo finta di niente.

Intanto mi gustavo tutte queste pazze che parlavano da sole, che cantavano, che litigavano. Guardavo tutte queste scatenate e mi dicevo: a forza di stare qui non vorrei che mi venisse la pazzia pure a me! ma quando uscirò? ma quando verrà questo professore?

Vedevo che camminavano parlando da sole, andavano nude, giocavano con la loro merda, strillavano come bambine. Una mi viene vicina una sera, si credeva che ero il suo fidanzato, mi stringe forte forte, a momenti mi strozza. Allora viene l'infermiera, me la stacca e se la porta via.

Un'altra dice: canta con me! e voleva che cantavo con lei; ma io non avevo voglia di cantare e allora mi comincia a mordere una mano. Ho dovuto mandarla via a calci. Un'altra voleva darmi la carne che aveva masticato lei. Tutto quello che masticava se lo levava dalla bocca e voleva che lo prendevo io.

Insomma ci sono rimasta quasi un mese là dentro. E mi sono subíta tutte queste cose. Ero accorata e pensavo al pupo. Mi divertivo pure a guardare le pazze che certe volte facevano come le attrici sul palcoscenico, tutte allegre, a ballare e cantare. C'era allegria.

Finalmente una mattina arriva Nello e gli racconto tutto. Dico: m'hanno levato il pupo, m'hanno mandato qua all'ospedale con queste matte e non m'hanno fatto neanche la visita.

Mio fratello ha capito, si è reso conto. È andato a cercare il dottore all'ufficio, allo studio. Gli ha spiegato il caso mio. E il professore gli ha detto: se lei si prende la responsabilità, sua sorella può uscire; noi non possiamo fare il certificato né che è malata né che è sana perché sua sorella sta in osservazione.

E mio fratello: ma come, sta qui da un mese e ancora non sapete se è pazza o è savia? comunque la responsabilità me la prendo senz'altro. Il professore allora gli dice: metta la firma qui e se la porti via. Mio fratello gli risponde: io per mia sorella metto pure cento firme, signor professore!

E infatti Nello ha messo la firma e con la sua motoretta ce ne siamo andati a Campo di Carne, alla stazione.

Quando i parenti di mio marito m'hanno vista arrivare, gli ha preso un colpo. Perché loro pensavano: quella di là dentro non la toglie nessuno. Dice: ma come avrà fatto a farlo sapere al fratello? Non se l'aspettavano e perciò erano verdi. Dice: là dentro non si può scrivere, non si può niente, come avrà fatto?

Mio fratello dice: sicché mia sorella l'avete mandata al manicomio, in mezzo ai pazzi, per liberarvi di lei! Le avete tolto il figlio e l'avete mandata sola là in mezzo all'inferno; cosa credete, che mia sorella era sola al mondo? non è sola al mondo perché ci sono io e ora me la porto via con me, a casa mia; come c'è posto per i miei figli, c'è posto pure per lei. Ridateci subito il pupo!

Allora loro hanno trovato la furbizia. Dice: ma il certificato che dice che non è pazza dov'è? Se voi non ci portate il certificato che Teresa sta bene, che è guarita, il pupo non glielo possiamo dare. E ci hanno chiuso la porta in faccia.

Mio fratello dice: ora andiamo in questura e li accusiamo pubblicamente. E infatti ci siamo andati, io e lui. In questura però ci hanno detto uguale: se non avete il certificato, il bambino non potete pretenderlo. Mio fratello dice: allora il bambino lo prendo io in consegna, ne rispondo io. E loro: no, perché c'è il padre; se non c'era il padre, se lo prendeva lei, ma il padre c'è perciò il figlio tocca a lui.

Ma io li accuso pubblicamente di avere portato mia sorella in manicomio, senza visita medica, con un certificato falso, dice Nello. Il questore se lo guarda e gli fa: lasci perdere le denunce, portano guai e basta, fanno perdere un mucchio di soldi e di tempo; poi lei non ha prove né niente; da una parte c'è il certificato del medico di Campo di Carne, dall'altra la parola di sua sorella; non le conviene mettersi a lottare. Dice: vada a farsi fare il certificato all'ospedale psichiatrico e poi tutto è risolto.

Dopo due o tre giorni Nello torna a Roma e va a chiedere il certificato di sanità mentale. Quelli dell'ospedale gli rispondono che non potevano dire né che ero savia né che ero pazza perché ero stata in osservazione e perciò non m'avevano potuto controllare. E cosí il certificato non glie-l'hanno dato e lui è tornato a mani vuote.

La sera, a cena, Nello mi fa: ora lo sai che faccio? vado e gli metto paura a quei figli di mignotta; perché non c'è altro sistema.

La sera stessa infatti va da loro e gli dice: se dentro ventiquattro ore non mi date il ragazzino, io vengo con una rivoltella e vi sparo! me ne vado in galera, ma voglio mio nipote! e poi faccio uno scandalo dentro la stazione, racconto tutto; non la trovate sola mia sorella, ci sono io! E stai attento a come cammini, dice rivolto a mio marito, perché per te è diventato pericoloso!

Mio marito si deve essere spaventato, perché si è su-bito addolcito. Ha cominciato a dire: ma Teresa è troppo nervosa, ma perché è tanto nervosa? bisogna che si cal-mi; io le voglio bene, qui tutti le vogliamo bene; se vuole tornare a casa, la casa è aperta. Parlava cosí per paura. E Nello dice: non ha bisogno di questa casa, Teresa sta da me e ci sta benissimo.

Infatti sono rimasta ad abitare da mio fratello. Ma senza il pupo. Ogni tanto andavo da mio marito a vedere il fi-glio. E quando vedevo il bambino vedevo pure lui, Sisto, che mi guardava, mi guardava, non la finiva piú di guar-darmi.

Si vede che m'ero affezionata a lui in questo frattempo del matrimonio perché mi sono accorta che lo volevo an-cora come marito. E anche lui mi voleva. Ma aveva paura del padre e delle sorelle. Allora un giorno mi dice: aspet-tami laggiú in fondo alla strada, dietro la stalla. E cosí ci siamo messi a fare l'amore di nascosto, come due ragazzini.

Un giorno mio marito lo mandano via dalle ferrovie perché aveva fatto un ammanco alla cassa. Allora viene da me e mi dice: io mi trasferisco a Roma, vieni con me; mettiamo su casa col pupo e tutto.

Cosí prendiamo casa a Roma; affittiamo un appartamento a via Santa Maria Maggiore. Mio marito non lavorava, non faceva niente. Aveva però un sacco di amici, passava il giorno con questi amici.

Da principio ci ha aiutato il padre capostazione, ci mandava dei soldi, della roba da mangiare. Poi si è stufato e non ha mandato piú niente. Allora mi sono dovuta trovare un lavoro io.

C'era un negozio di carte da parati vicino a Campo di Carne e io mi sono impiegata lí perché conoscevo il padrone, il sor Alfio. Ogni mattina prendevo la corriera e andavo a Campo di Carne, la sera ne prendevo un'altra per tornare a Roma. Il sor Alfio mi dava cinquecento lire al mese e io dovevo servire i clienti.

Io allora avevo sui vent'anni, ero piena, robusta. E questo sor Alfio mi ha messo gli occhi addosso. Io però lo fuggivo perché era brutto e unto e puzzava di medicinale. Sentivo che mi guardava, quando mi chinavo, quando salivo le scale, quando stavo seduta, quando muovevo le mani, non mi lasciava mai con gli occhi.

Un giorno poi mi viene vicino e mi fa: Teresa, tieni, questi sono per te. E mi mette in mano un pacchetto di soldi. E perché mai? dico io, lo stipendio l'ho già avuto questo mese! Allora lui mi viene vicino, mi acchiappa per la vita, mi comincia a tastare. Io gli do una spinta cosí forte che lo mando a sbattere per terra. Lui era grosso, ma io ero giovane e forte.

La sera torno a casa e dico a Sisto: lo sai che il sor Alfio m'è saltato addosso? mi ha pure messo dei soldi in mano, ma io gliel'ho ridati; io non ci torno piú da quel lurido!

Pensavo che subito mio marito diceva: ora vado e lo meno! Invece mi guarda con la bocca aperta e poi mi fa: e tu abbozza! Dico: come abbozzo? devo accettare che quello mi mette le mani addosso? Dice: tu abbozza finché io non rientro nella ferrovia! Dico: io non abbozzo per niente; non mi va! Dice: devi sopportare, se no come viviamo? E con questo si alza e se ne va.

Allora io mi confido con l'amica mia, Egle. Le dico: sai che m'ha detto Sisto? m'ha detto abbozza fino a che rientro nelle ferrovie. Dico: allora come devo fare? L'amica mia dice: mica ti vuole bene sai questo marito, non ti vuole bene per niente, mi sembra un magnaccia a me questo tuo marito!

Egle me l'aveva fatta conoscere proprio lui, mio marito. Quando eravamo venuti ad abitare a Roma mi aveva detto: ho un sacco di amici qui, te li farò conoscere. Invece poi non mi ha fatto conoscere nessuno; solo questa Egle che era una donna piccola, carina, molto furba. Quando Sisto usciva con gli amici, mi diceva: vai da Egle! E io andavo da Egle. Con lei mi spassionavo, le raccontavo tutto.

Questa Egle aveva una particolarità, che le piaceva guardare la gente che si spoglia. La prima volta me ne sono accorta perché l'ho sorpresa col binocolo che guardava dentro la casa dirimpetto dove c'era una che si svestiva.

Lí per lí si è vergognata, ha detto che stava guardando un gatto. Poi però si è fatta piú sfacciata e una sera m'ha chiesto a me di spogliarmi davanti a lei.

L'ho accontentata perché mi sembrava una cosa da poco e non mi costava niente. Mi sono levata il maglione, mi sono levata la gonna. Dico: continuo? Dice: continua, tanto siamo fra donne no?

Da allora l'ho fatto molte volte, però devo dire che non mi ha mai toccata con un dito. Si accontentava di guardarmi e basta. E io la lasciavo guardare. Quando mi toglievo le mutande inghiottiva in fretta due o tre volte e quello era tutto. Poi mi infilavo nel letto e buonanotte.

È lei che mi ha rivelato che a Sisto gli piacevano le donne equivoche. Io ero una sempliciona, non capivo niente. Non avevo neanche capito che questa Egle affittava le stanze a ore. Conosceva tutti ladri e prostitute e anche Sisto li conosceva. Allora io queste cose non le sapevo. Ero una stupida, una svanita.

Questa Egle comincia a portarmi nei bar, nelle trattorie. Io non c'ero mai stata nei bar, nelle trattorie e mi sentivo contenta, incuriosita di tutto, allibíta.

Mio marito frequentava tutti questi ladri, queste prostitute e a me mi diceva: resta con Egle, dormi con Egle, io ho da fare. Dico: ma che hai da fare che non lavori mai? Dice: sono affari miei.

Comunque al lavoro non ci sono piú andata. Il sor Alfio l'ho piantato e non ho neanche chiesto la liquidazione. Subito con Sisto è cominciata la discordia. Se non lavori, non ti posso mantenere, diceva. E tu come fai? gli dicevo.

Io per me trovo, diceva lui, ho amici dappertutto, non rimango senza mangiare, ma a te non ti posso dare niente; vattene da Egle, vattene dove vuoi, ma in casa mia senza lavoro non ci stai!

E io me ne sono andata da questa Egle, che mi dava da mangiare e da dormire. Però in cambio mi faceva lavare per terra, mi faceva pulire i vetri, sciacquare i panni; era una maniaca della pulizia, a momenti mi faceva pulire pure sotto le mattonelle. I letti, i piatti, tutto mi faceva pulire, ero una schiava sua. Mi dava da mangiare, ma quel mangiare mi costava caro.

Io le dicevo: quanto mi piacerebbe tenere una casa e stare sola con mio marito! Io non desideravo lussi, pervertimenti. Lui invece era tutto vizioso e io non lo sapevo. Era troppo vizioso: gli piacevano le donne equivoche. Prima di me aveva avuto una francese, la notte dormivano nello stesso letto, come marito e moglie; di giorno la mandava a battere. Tutte queste cose le ho sapute dopo, anni dopo.

Intanto il figlio, siccome a Roma non lo potevamo mantenere, se l'erano ripreso le sorelle di Sisto. Quando potevo, andavo a trovarlo. Loro mi guardavano male perché dicevano che io ero imperfetta e che loro erano perfette, perché loro sapevano stirare i colletti e i polsini senza le pieghe, e io no.

In verità queste cose non le sapevo fare. Lavoravo alla buona, spicciavo, lavavo, cucinavo, non ero una raffinata come loro. E le due sorelle ne approfittavano per dire che ero una buzzurra, una zotica nullafacente.

Ma il fatto è che non mi potevano vedere perché non avevo portato la roba. Poi perché non sapevo neanche parlare bene, ero rimasta arretrata, paesana, ignorante.

Qualche mese piú tardi mio marito è rientrato alla ferrovia, l'hanno ripreso dopo il perdono. Perché suo padre capostazione ha restituito i soldi per lui. E subito Sisto è venuto da me e mi ha detto: vieni, andiamo a Ciampino, alla stazione di Ciampino; prendi il pupo e andiamo.

E cosí siamo andati a Ciampino, anzi a Isernia, poco dopo Ciampino. Al casello della stazione vivevamo in quattro: Sisto, io, Maceo nostro figlio e Rita. Questa Rita l'avevo conosciuta in casa di Egle. Era una magrona, molto simpatica, con gli occhi celesti e le mani lunghe lunghe. Avevo fatto subito amicizia con lei. Me la portavo appresso perché mi faceva pena; a casa sua non ci poteva stare, aveva la matrigna che la maltrattava. E io, considerando il significato della matrigna, me la tenevo sempre con me.

Rita era di Rieti, non era sposata, viveva sola con la matrigna. Ma questa matrigna la odiava e lei odiava la matrigna. Io che avevo ripreso il pupo, mi dicevo: va bene, io la ospito, ma lei mi aiuterà col pupo. Ero contenta. La consideravo un'amica.

Me ne uscivo la mattina a fare la spesa. Stavo tre ore per le strade a guardare le vetrine, la roba da mangiare, andavo all'Upim. Mi piaceva guardare. Non compravo niente perché non avevo soldi, ma mi piaceva guardare. E intanto Rita mi teneva Maceo. Tornavo a casa, trovavo la tavola apparecchiata. Mettevo la pasta sul fuoco, preparavo la salsa e appena rientrava Sisto ci mettevamo a mangiare. Era una vita calma e io ero soddisfatta.

Una notte per caso mi sveglio perché avevo freddo. Dico: adesso mi alzo e vado a prendere un'altra coperta. Guardo dalla parte di mio marito, non c'era. Dico: chissà che non è andato pure lui a prendere la coperta, per il gran freddo che fa.

Vado e li trovo, lui e Rita, dentro la cucina che fanno l'amore sopra il tavolo. La gelosia mi ha fatto l'effetto che subito li ho presi a botte tutti e due. Afferro una seggiola e gliela butto addosso, poi afferro le forbici e faccio l'atto di sfregiarli. C'erano delle forbici lunghe e appuntite dentro la cassetta dei medicinali della ferrovia. Io le prendo, e mi dico: adesso gli metto paura veramente. E infatti mio marito si è spaventato tanto che da quella notte non ha piú dormito tranquillo.

Rita se n'è andata. L'ho cacciata. Ma poi ho saputo che continuavano a vedersi, fuori, a Roma. Lui diceva che andava al Ministero, per delle cose della ferrovia, mi raccontava un sacco di balle. E invece andava da lei. E io stupida, gli credevo. Aspettavo che tornava da questi affari delle ferrovie per stare un po' con lui.

Dopo qualche anno l'hanno ricacciato dalle ferrovie. Dice: questa volta ti cacciamo per sempre perché hai fatto troppi impicci. Allora gli ho chiesto: ma mi vuoi raccontare che hai fatto? E lui dice: niente. Dico: ma io sono tua moglie, a me mi puoi dire tutto.

Allora mi ha raccontato questo fatto: che lui si era lasciato convincere da un suo amico a caricare dei fili di rame. Si era fatto trasportare da questo amico, per debolezza, e questo amico gli aveva rivelato che c'erano dei rotoli di filo di rame in un posto incustodito e pensava di rubarli e poi venderli che il rame costa caro. Cosí sono andati col camioncino di notte e mentre che stavano a caricare questo filo di rame è arrivata la polizia.

Dice: che fate? questo filo non è vostro! Mio marito ha lasciato tutto ed è scappato. L'altro invece si è fatto prendere, e poi ha parlato, ha detto che è stato Sisto a convincerlo a rubare il rame. E cosí hanno arrestato pure lui. Mio marito si è discolpato, ha detto che lui non c'entrava, ma non c'è stato niente da fare. Erano due quintali di filo di rame che appartenevano alla ferrovia. E in questo modo ha perso il posto.

Allora io dico: ora che facciamo? Era l'anno trentanove mi pare. Tutti parlavano di guerra. Sisto diceva: venisse la guerra! mi tolgo i debiti, mi tolgo i fastidi! saltassero in aria tutte le ferrovie d'Italia! Per fortuna dopo qualche mese ha trovato un posto all'INAM. Il figlio intanto se l'erano preso le sorelle. Quando non c'erano soldi tornava nelle loro mani.

Poi, non so come, dopo qualche tempo l'hanno ripreso alle ferrovie. L'hanno mandato a Prima Porta, alla Roma-

Nord. Cosí ha ricominciato a guadagnare. E ci siamo presi una casa da quelle parti. Io ero contenta. Stavo con lui, avevo la casa, il bambino, tutto andava bene.

Una sera Sisto mi dice: mettiti il vestito buono perché stasera andiamo a cena in casa di una mia amica, c'è una festa. E come mai questa festa? dico. Vestiti e andiamo, mi fa. Era affettuoso e allegro.

Alla festa c'era pure lei, Rita. Anzi poi ho saputo che era la festa del loro fidanzamento. Però io sapevo che si erano lasciati, perché lui mi aveva dètto cosí, me l'aveva giurato. Avevo qualche sospetto, ma mi dicevo: può darsi che sbaglio, me l'ha giurato e deve essere vero.

In questa casa c'era molta allegria. Ci siamo messi a tavola, mi hanno dato da mangiare, da bere. Ho mangiato un sacco, perché avevo fame. Ho bevuto molto vino. Piú bevevo e piú mi versavano da bere. Ero mezza ubriaca. Tutti ridevano, sbevazzavano, cantavano, era una festa bellissima.

Tutto a un tratto mi volto e non vedo piú Sisto. Dico: mio marito dov'è? È andato al gabinetto, mi rispondono. Bevi, bevi, dicono. E io continuo a bere. Poi guardo meglio e vedo che pure Rita è sparita. Dico: dov'è Rita? Al gabinetto mi rispondono. Allora mi alzo, tutta ubriaca com'ero e vado al gabinetto.

Al gabinetto non c'erano né lui né lei. Se n'erano andati. M'avevano lasciata sola. Da quella sera Sisto s'è messo a vivere con lei. Mi ha abbandonata.

Ho dovuto sgombrare la casa perché non sapevo come pagarla. Me ne sono andata per qualche tempo ad Anzio da mio fratello Nello. La roba me la sono dovuta vendere. Per pagarmi il viaggio mi sono dovuta impegnare pure le scarpe.

Da Nello non ci stavo tanto bene perché la casa era piccola, c'erano i figli, e la moglie che non simpatizzava con me. Era tempo di guerra; c'era fame per tutti. Ogni giorno suonavano le sirene e tutti dovevano correre al rifugio. C'era una sirena lí ad Anzio che sembrava un gatto; non aveva voce; piangeva. Noi però al rifugio non ci andavamo. Chi veniva a bombardare lí sul mare?

Ho passato tre anni di guerra senza mai vedere una bomba, sul mare, col figlio, i nipoti, la cognata che mi guardava storto. Aiutavo Nello a vendere il pesce, andavo al mercato con lui. Mi davo da fare in modo che mia cognata non protestava per l'ospitalità.

Il mio compito era pulire i pesci per i clienti. Veniva una signora: mi dà due chili di alicette? E io pulivo, sciacquavo, pesavo. Veniva un'altra: mi dà un cefalo, due ombrine, uno scorfano? E io lavavo, raschiavo via le scaglie con quattro colpi di coltello, ero diventata bravissima, poi aprivo la pancia con la punta della lama, tiravo via le interiora, lavavo e incartavo.

Quando rimaneva il pesce, mangiavamo quello, quando non rimaneva niente, ci cuocevamo le interiora. Buttavamo queste viscere in una pentola con un po' di olio e friggevamo. Erano buone anche se un poco indigeste.

Da principio andava tutto bene. Poi è venuta la penuria. Gli uomini partivano per la guerra. Le donne non avevano soldi. La gente non comprava piú il pesce. Nello si disperava. Faceva un sacco di fatica per un poco di guadagno. Si vendevano solo i pesci da poco prezzo, le sardelle, le aguglie, i calamari, i lattarini. Ma su quelli c'era poco da scialare. E mia cognata mi guardava sempre piú brutto e Nello diventava sempre piú nervoso.

Io dormivo in un lettuccio sgangherato, con la bottiglia d'acqua calda fra i piedi. Quando non riuscivo a prendere sonno, facevo il gioco della mamma, mi carezzavo da me. Avevo venticinque anni, ero piena di salute, sentivo la mancanza dell'uomo. Avevo qualcuno che mi stava intorno, ma non mi convinceva per la troppa bruttezza e la troppa prepotenza.

Sisto era partito militare. Stava a Cefalú, in Sicilia. Poi l'hanno mandato a Termini Imerese. Mandava delle lettere allegre, dicendo che stava bene, che prendeva il sole, che si arrangiava coi militari. Si era fatto trasferire alle cucine e pizzicava sul rancio dei soldati; aveva pure messo da parte dei soldi.

Un giorno mi scrive e dice se voglio andare a trovarlo. Dice: "vieni, ti fai due bagni, prendi il sole, qui si sta bene". Io non sapevo se andarci o non andarci. Avevo il bambino piccolo, non sapevo dove lasciarlo. Mi seccava di ridarlo alle sue zie, ma avevo pure voglia di andare in Sicilia a trovare Sisto. Scriveva che aveva litigato con Rita, che si erano lasciati per sempre.

La verità, l'ho saputo poi, è che Rita era scappata con un siciliano. Se n'era andata e poi è tornata. Ma allora lui diceva che non la voleva piú vedere, che era tutto finito. E io avevo il desiderio di tornare con lui. Pensavo: ora questo s'è pentito, fa il militare, ha messo da parte dei soldi. Mi ci ero attaccata a questo marito. Innamorata non proprio, ma affezionata sí.

Dico: lascio il bambino a Ines e me ne vado in Sicilia a fare quattro bagni. Però c'era il problema che io con mia cognata non ci parlavo piú. Allora ho chiamato una vecchia che conoscevo, una certa Baldina e le ho detto di andare da Ines e di dirle se mi teneva il bambino per un po'. Baldina è andata, è tornata. Dice: Ines è contentissima di ospitare Maceo, dice di mandarlo subito che ci pensa lei a dargli da mangiare e pure l'istruzione; anzi ha detto che sei una madre incapace e che piú sta lontano da te questo figlio e meglio è. E tu Baldina, dico, mi vieni a raccontare queste scemenze? Prendi il figlio, portalo da Ines e se lei ti parla di me, turati le orecchie, è una vipera quella donna e sempre lo resterà.

Cosí Baldina ha portato Maceo da Ines e io sono partita per la Sicilia. Arrivo a Catania, candida candida, scendo dal treno con una bella valigia rossa e per poco non vengo trapassata da una scheggia rovente. Per fortuna che m'ero chinata per posare la valigia. Alzo la testa, vedo tutta la gente che scappa, che si acquatta sotto i treni. Dico: ma che succede! Io la guerra non l'avevo mai vista.

Sento uno che mi dice: scappa scappa! arrivano altri aerei! Ma io non sapevo dove scappare, fra tutti quei treni, quei binari, quella polvere. Prendo la valigia e faccio per attraversare la stazione. In quel momento sento un botto e poi la terra si mette a tremare. Io ferma, impalata in mezzo alla stazione vuota, non potevo andare né avanti né indietro. Ero paralizzata.

Aspettavo che finiva quel terremoto. E invece non finiva. Anzi, ad un certo momento, ho girato la testa e ho visto che il tetto della stazione stava venendo giú, mi stava crollando addosso. Allora ho ritrovato il coraggio, ho acchiappato la valigia e mi sono messa a correre a perdifiato.

Ho raggiunto una folla di gente che stava rannicchiata per terra in mezzo a una piazza. Dico: ma perché ve ne state qui in mezzo? Dice: qui siamo al salvo dalle case che crollano. E infatti le strade erano ingombrate da muri, tetti, balconi, calcinacci. Al centro della piazza era sgombro.

Dopo un minuto però hanno cominciato a scappare pure dalla piazza perché c'erano certe schegge infuocate che schizzavano da tutte le parti. Gli alberi bruciavano, l'asfalto si spaccava. Ho visto due uomini cadere feriti da queste schegge. Uno è stato preso in piena faccia che la testa quasi gli si è staccata dal corpo e un altro alle gambe. Il primo è morto, l'altro è rimasto lí per terra, con le gambe ferite, a gridare.

Io andavo appresso alla folla. Loro scappavano, io scappavo con loro. Ad un certo punto vedo che siamo vicini al porto. La gente si arrampicava sulle rocce, si buttava in mare. Io mi ficcavo sempre con la testa dentro a qualche buco perché avevo paura che mi colpivano la testa. Il corpo poteva pure stare fuori, ma la testa doveva stare al coperto; e cosí facevo come gli struzzi, fra quelle rocce, in mezzo alla confusione e ai lamenti dei feriti.

Oh Dio, Dio mio! dicevo, chissà se lo rivedo mio figlio!

Andavo avanti e indietro, secondo il rumore degli squadroni bombardieri. È durato non so quanto quel bombardamento di Catania, una mattinata intera. Poi è finito e la gente ha ricominciato a camminare in mezzo alle macerie.

Mio marito stava vicino a Palermo e io dovevo proseguire col treno. Allora mi sono messa dietro a una famiglia che era composta di madre, padre e quattro figli, tutti grandi e grossi. Si portavano appresso i materassi, il comò e le sedie.

Dico: signora, io devo andare a Marsala perché mio marito si trova là; come devo fare perché io non sono pratica e neanche so piú dov'è la stazione. La signora che camminava a piedi scalzi, con una cassettiera sulla testa, mi dice: non ti preoccupare che ti accompagniamo noi; anche noi dobbiamo riprendere il treno. E cosí mi sono messa appresso a questa famiglia. M'hanno subito dato un rotolo di tappeti da portare e via verso la stazione.

Non so come, in mezzo a quella confusione, la stazione crollata, le pensiline bruciate, i binari sconvolti, c'era un treno che partiva per Siracusa. La madre monta su, montano il padre, i figli con tutta la roba casalinga. E io monto dietro di loro. La gente era tanta che non c'era posto neanche in piedi. Io mi sono trovata dentro il gabinetto, assieme a uno dei grassoni che teneva un materasso sulla testa. Nel lavandino c'era un neonato che strillava e un altro bambino stava in piedi sulla tazza del cesso.

Il treno camminava piano, io mi sentivo dolere le gambe, il rotolo di tappeti mi pesava sulla testa. Dico: adesso lo butto fuori dal finestrino. Ma non potevo farlo perché c'era quel gigante che mi teneva gli occhi addosso e ogni volta che mi spostavo un poco, diceva: attenta ai tappeti, sono preziosi!

Finalmente arriviamo a Siracusa. Il grassone scende e con lui scendono la madre, il padre e gli altri figli. Dal finestrino gli passo il rotolo dei tappeti e li saluto. Dice: ciao Teresa, noi qui siamo arrivati, ciao e buon proseguimento! Dico: ma come faccio per andare a Marsala? Dice: chiedi al bigliettaio, noi non lo sappiamo.

Ma non c'erano bigliettai. Poi vedo che tutti scendono. Il treno non si muoveva. Rimango sola nel vagone e mi seggo un po' per riposare. In quel momento sento uno scossone. Dico: meno male, si parte! Invece stavano staccando la locomotiva.

Dopo un'ora che stavo cosí, vedo che il treno proprio non si muove; allora scendo e comincio a chiedere a destra e a sinistra: scusi, come si fa per andare a Marsala? Uno mi dice: non ci sono piú treni per oggi. Un altro mi fa: fra poco c'è un treno per Palermo, prenda quello. Insomma alla fine monto su un treno su cui c'era scritto DIRETTISSIMO PER PALERMO. Dico: ma va a Palermo questo treno? Dice: sí, sí, parte fra due minuti. Per fortuna trovo un posto a sedere su una panca. Mi seggo e mi addormento tanto ero stanca e appesantita. Il treno parte.

Dopo tre ore mi sveglio che era notte e vedo che il treno è fermo. Si sentivano i grilli e un abbaiare di cani. Dico: ma dove siamo? Dice: in campagna. Dico: ma perché siamo fermi? Dice: per un guasto. E cosí siamo rimasti fino alla mattina dopo.

La mattina ripartiamo e dopo qualche ora arriviamo a una stazione. Dico meno male, sono a Palermo. Invece era Caltanissetta. Dico: e òra come faccio per raggiungere Palermo? Dice: prenda subito quell'altro treno che sta partendo proprio adesso. E infatti prendo questo treno e il giorno dopo sono arrivata a Palermo.

A Palermo non c'erano treni per Marsala. Dico: ma come si fa ad arrivare a Marsala? Dice: aspetti. Io mi metto nella stazione e aspetto. Dice: la linea è danneggiata, un treno è saltato in aria; stanno riparando.

Aspetto, aspetto, il treno non arrivava mai. In quella stazione fumosa ho fatto amicizia con altri passeggeri e siccome sono compagnona, allegra, tutti mi volevano, mi davano da mangiare, pane e salame, arance, supplí. Ero nutrita bene. Aspettavo il treno.

Finalmente, dopo tre giorni di aspettativa, dicono che si è riaperta la strada per Marsala e partiamo. Il treno andava cosí piano che se uno scendeva, si faceva una pisciata e poi tornava, faceva in tempo a prendere il vagone appresso al suo.

A Marsala smonto. Comincio a cercare questa pensione Stella Alpina dove abitava mio marito ma nessuno sapeva dov'era. Io con la mia valigia sulla testa, i vestiti sporchi, laceri, sembravo una sfollata. Si avvicina un cocchiere. Dice: vuole una carrozzella? Dico: quanto costa? Dice: niente. Cosí salgo e questo mi porta alla pensione Stella Alpina. Scendo e faccio per andarmene. Il vetturino dice: sono trenta lire signora. Dico: ma se m'aveva detto che non pagavo niente! E lui si arrabbia. Quel niente era tanto per dire, come un complimento, perché non gli sembrava onorato parlare di soldi, ma i soldi poi glieli dovevo dare. E non c'è stato verso.

Trovo mio marito dimagrito, piú bello. Mi abbraccia, mi bacia. Dice: con Rita è proprio finita per sempre; io voglio te che sei mia moglie; come sta mio figlio Maceo? Insomma era gentile, affettuoso, tutto caldo e io mi sono allargata il cuore.

Però lí stavamo male. Non c'era da mangiare, quattro o cinque volte al giorno ci toccava scappare per i bombardamenti, le case cadevano, tutto bruciava. Ma muoverci non potevamo perché per andare al nord ci voleva il lasciapassare e noi non ce l'avevamo. A Messina c'erano i tedeschi che bloccavano tutti.

Un giorno poi entriamo in un ristorante, una specie di bettola arrangiata sotto una tettoia di lamiera, e incontriamo Rita con un siciliano, baffuto, biondiccio. Lei fa finta di niente. Sisto invece diventa pallido. Dico: siediti, mangiamo! Che ti importa di lei? non hai detto che era tutto finito? Lui invece non mangiava. Stava seduto rigido e la guardava fisso.

Allora Rita, per rabbia o paura, non lo so, si alza ed esce. Io penso: meno male che se n'è andata! Ma non faccio in tempo a voltarmi che Sisto è già corso appresso a lei. Mi lascia sola dentro a quella bettola come una scema.

Io subito esco fuori e li vedo che discutono faccia a faccia. Allora mi butto addosso a loro e li prendo a botte. Lei, appena ha visto come si mettevano le cose, è scappata. Lui era bianco, tremava. Gli ho detto: vattene via, infedele! vattene da lei! Dice: no, io voglio stare con te. Dico: ma se sei geloso di lei e te ne muori! Dice: non è vero. Ma io avevo visto che era geloso e quando uno è geloso vuol dire che è innamorato.

Proprio in quel momento arriva un bombardamento terribile. E tutti cominciano a correre. Sisto m'afferra per un braccio e mi porta in un rifugio. Dico: oh Dio, questa volta muoio sul serio. Addio figlio mio! Perché vedevo la terra che saltava, si spaccava, il fuoco che si infilava dappertutto. Sisto mi faceva coraggio, mi abbracciava. A Rita non ci pensavo neanche piú. Avevo paura di morire lí sotto terra come un sorcio.

In quel bombardamento è crollata pure la Stella Alpina. E Sisto ed io ci siamo trovati senza tetto. Allora mio marito aveva un amico, un certo capitano Cacato. Questo capitano si era portato appresso l'amante da Roma, una bella donna con una treccia grossa e nera e lunghissima che le sbatteva sul sedere.

Il capitano aveva trovato un casale fuori Marsala. E dice a mio marito; vieni pure dentro a questo casale tu e tua moglie, lí ci sono dei letti. E infatti ci siamo trasferiti in questo casale in mezzo ai campi. C'erano altri cinque militari; e questa signora con il suo capitano. Loro avevano una camera e noi un'altra. Il resto dei militari dormivano sotto, in uno stanzone dove stava ammucchiato il fieno.

Di giorno i militari uscivano e noi due donne ci tenevamo compagnia. Pure lei era venuta dal centro Italia per trovare il suo uomo e mi compativa. Diceva: sei stata attratta dall'amore come me, ma siamo stupide perché qui finiamo morte sotto le bombe e quando uno è morto chi lo rivive piú?

Intanto girava la voce che avevano acchiappato Mussolini. Prima dice che l'avevano acchiappato per fucilarlo, poi che era scappato. Alla fine è venuta la notizia che un tedesco eveva ammazzato Mussolini a colpi di coltello per gelosia di donne, e che il re era fuggito con i soldi del trono. Allora i militari si sono sciolti; chi partiva da una parte, chi dall'altra. Dice che non c'era piú esercito, non c'era piú re, non si sapeva se c'era la guerra oppure no e non si sapeva contro chi si doveva combattere. Sisto dice: andiamocene da qui, torniamo a Roma, mi sono stufato di questa guerra. Dico: andiamo! Però non avevamo il lasciapassare per lo stretto di Messina.

Comunque abbandoniamo il casale, salutiamo questo capitano e la signora che per lo spavento la treccia le si era intorcinata e rattrappita come un cordino. Prendiamo una strada, e poi un'altra. Ma su tutte le strade bombardavano. E noi sempre a scappare.

Dormivamo nascosti nei campi, perché mio marito era fuggitivo. Era molto impensierito e mi diceva: se mi prendono i tedeschi mi fucilano per diserzione, se mi prendono gli americani mi fucilano per guerra nemica, e io che faccio?

La notte passavano i tedeschi, coi fucili, le mitragliatrici. Noi stavamo distesi fra l'erba, senza fiatare. Oppure dentro una grotta, in silenzio. La paura non mi faceva neanche sentire fame. Ma avevo sempre brividi di freddo. E piú mi coprivo e piú stavo infreddata. Avevo la febbre. Dice: ma questa è febbre di malaria! Infatti era cosí. Però non c'erano medicine. E poi dovevamo camminare sempre, non ci potevamo fermare. Un po' m'appoggiavo a Sisto, un po' dormivo per terra. Ma ero sempre in viaggio verso il nord.

Per la strada una sera si ferma un camion di soldati americani. Sisto dice: oh, Dio, siamo perduti! Invece quelli erano buoni, ci sorridevano. Dice: dove andare? dove andare? Sisto gli fa: giú verso Messina. E loro: montare, montare! però a Messina scendere perché lí tedeschi, lucche lucche, non possiamo. E noi montiamo.

A Messina era tutto macerie, una sporcizia, un puzzo; la gente dormiva sotto le tende, dentro le barche. C'erano morti, feriti. I piú erano scappati. La città era mezza svuotata. Arriviamo al porto e chiediamo se c'è un modo per passare lo stretto. Ma non c'era niente. Il mare lo bombardavano come la terra, ribolliva di bombe, una zompava e un'altra subito appresso. Perciò le navi non passavano, non passava una mosca in quello stretto.

Dopo qualche giorno che dormivamo accampati e mangiavamo fichi secchi, arriva uno e ci dice che con un po' di soldi si può passare lo stretto. E come? fa Sisto. E quello dice: mettetevi in mezzo a queste casse, su questo traghetto e potete passare. Va bene, diciamo e facciamo cosí. Abbiamo pure pagato caro. Per fortuna che mio marito aveva dei soldi da parte e un orologio d'oro che ha dovuto dare pure quello.

Insomma saliamo su questo traghetto. Era tutto carico di casse. Sopra le casse c'erano stese delle frasche, tante frasche. E noi ci sistemiamo in mezzo a queste casse, stretti stretti e partiamo.

Quando siamo in mezzo al canale, cominciano le bombe: bum, burubum! cadevano proprio vicine. L'acqua schizzava da tutte le parti. Ma non ci colpivano mai.

Finalmente arriviamo dall'altra parte. Scendiamo tutti fradici, rattrappiti; ringraziamo e ce ne andiamo. Mentre camminiamo mio marito mi fa: lo sai che c'era in quelle casse? Dico: no, che c'era? Dice: erano tutte munizioni, tutte bombe, tutte armi. Dico: ora me lo dici incosciente! Dice: se te lo dicevo prima che facevi? Dico: io non ci salivo su quella trappola con tutte le munizioni! E invece è andata bene, dice, perciò ringrazia il padreterno. E io dico: mi hai fatto rischiare la vita per la fretta tua!

Sulla barca c'erano pure dei soldati tedeschi che scappavano verso il nord. Mi dicevano: signora no, te non alza la testa perché capitano arrabbia. E io stavo bella nascosta, avevo le frasche sulla testa. Sentivo bum, bum! pensavo: quando mi acchiappano qui sotto? E invece bastava una scheggetta che diventavo cenere.

Sbarchiamo in Calabria, a Radicona. E lí non c'erano treni. Erano saltati tutti per aria, tutti bruciati, le ferrovie erano spaccate. Proprio come volevi tu, dico, guarda che guaio!

C'erano morti per terra che nessuno li raccoglieva. Come camminavi vedevi morti senza testa, senza braccia, con le budella di fuori e li scavalcavi. La gente ormai ci aveva fatto l'abitudine, non li guardava neanche piú. Dice: andiamo verso il nord. Dico: a piedi? Dice: a piedi. E infatti ci avviamo, cosí camminando, verso Roma.

Ad un certo punto, sulla strada, arriva un bombardamento con una bomba dietro l'altra che non lasciavano neanche il tempo di raccapezzarsi. La gente scappava, urlava, cadeva. Io mi trovo da una parte con delle donne. Sisto non lo vedo piú. Dico: va bene, vuol dire che lo ritroverò dopo. Mi acquatto in un fossatello. Passa uno squadrone e poi un altro squadrone. Ogni squadrone buttava giú una ventina di bombe.

Finalmente sembra che è finito. Mi alzo. Cerco Sisto. Non c'era; era sparito. Lo cerco dappertutto; torno indietro un pezzo, guardo fra i morti. Penso: sarà morto questo marito mio. Ma fra i morti non c'era. Dico: sarà morto in tanti pezzetti che neanche riesco piú a riconoscerlo. E ora che faccio? Non potevo restare lí a piangerlo e allora mi metto appresso alla folla che veniva su verso Roma.

Questa gente aveva scatolette, pane secco. Si sedeva per terra e mangiava. Io mi ero accodata. Qualche cosa toccava pure a me. Era gente buona. Dice: e tu non mangi niente? Dico: non ho soldi. E sempre mi davano qualcosa.

Facevamo tanti chilometri per trovare la ferrovia. Prendevamo il treno. Poi la ferrovia si interrompeva. Scendevamo e rifacevamo altri chilometri a piedi, fino a che trovavamo un altro pezzo di ferrovia. Dormivamo sotto gli alberi, avvolti nei giornali. Per fortuna era estate.

In Calabria mi sono sentita male. Mi ha ripreso la febbre alta. Tanto alta che non potevo stare in piedi. Tremavo come una tarantolata. Allora m'hanno portata dentro una casa di contadini, m'hanno dato una coperta, e m'hanno lasciata lí. Gli ho detto che venivo dalla Sicilia, che avevo preso la malaria, che mi era morto il marito. E loro m'hanno tenuta finché la febbre non è scesa.

Stavo in quel letto che poi non era un letto ma un materasso per terra e pensavo: chissà che fine ha fatto quel marito mio sciagurato! E immaginavo le cose piú brutte, com'era morto, com'era scoppiato sotto le bombe, chissà se ha sofferto o è morto tutto d'un colpo! pensavo. Mi dispiaceva che era morto.

Questi contadini non si vedevano mai perché stavano al lavoro tutto il giorno e anche parte della notte. Della famiglia erano rimasti solo il padre, due figlie e un bambino di nove anni. Gli altri figli, uno era morto da pochi giorni, un altro era in montagna sopra Cuneo, partigiano, e un terzo era disperso in Russia. La madre era morta di parto dell'ultimo figlio.

Questo padre con l'artrite che lo piegava in due e le figlie e il bambino zappavano la terra tutto il giorno. La sera rientravano, mangiavano un boccone e poi riuscivano per portare le bestie al pascolo. Di giorno le tenevano nascoste per paura che se le portavano via i tedeschi.

Dopo una settimana finalmente mi libero dalla febbre. Saluto, ringrazio e me ne vado. Riprendo a camminare. C'era sempre gente che andava verso Roma. Mi aggruppo con loro e marcio. Ogni tanto scendeva un aereo a picchio e mitragliava sulla folla. Tutti si buttavano per terra, nei fossi, per i campi.

Una di queste volte, sento l'aereo che cala, mi butto al lato della strada, rotolo giú da una scarpata e vado a finire dentro una buca piena d'acqua. Sono sprofondata fino al collo. Il fango mi è arrivato alle sopracciglia. Avevo la bocca piena di terra.

Dopo m'hanno tirata fuori in quattro. Il vestito me lo

sono asciugato al sole, ed è diventato una crosta grigia. Le scarpe le ho lasciate in fondo alla buca nella melma. Ero ridotta proprio male. Sputavo, tossivo. I piedi mi si sono induriti a forza di camminare scalza, mi si era formata come una suola di scarpa.

Arrivo a Roma cosí, scalza, infangata, zozza. Mi dicevano: ma com'è, scalza? Dico: ho fatto il voto alla madonna. Mi vergognavo a dire che non avevo i soldi per comprarmi un paio di scarpe. Nella buca avevo perduto pure la valigia con tutte le fotografie di mia madre, dei miei fratelli, le camicie di Sisto, i miei due vestiti di ricambio, tutto perduto.

Per prima cosa vado da mia cognata Ines per rivedere il pupo. Questa Ines non voleva neanche aprire la porta. E io mi sono messa lí fuori, seduta sui gradini e ho detto: io di qui non mi muovo finché non mi fai vedere il figlio mio.

Alla fine me l'ha fatto vedere: biondo, bello, era cresciuto, pareva un altro. Me lo sono abbracciato che ero proprio contenta. Dicevo: povero figlio senza padre che è morto nella guerra assassina! E m'è venuto pure da piangere.

Dopo due mesi improvvisamente torna mio marito. Dico: ma come? io t'avevo dato per morto! Dice: sono stato per morire veramente, sono rimasto all'ospedale per un mese. Invece poi scopro che era andato a Catanzaro con una siciliana che aveva incontrato sotto le bombe e avevano preso pure una casa in affitto insieme.

Questa siciliana poi è arrivata qualche mese dopo. Era incinta di lui, me l'ha detto. Mi pare che si chiamava Irma, non mi ricordo bene. Ma Sisto non l'ha voluta e lei se n'è andata con un altro, un amico di Sisto chiamato Barbarossa. Era una bella ragazza questa Irma. Aveva una faccia un po' equivoca. Aveva un gran sedere, un pettone, due piedi piccolissimi che uno si chiedeva come faceva a reggersi in equilibrio.

Io credevo che Sisto l'aveva mandata via per me, invece lui era sempre con l'idea di Rita. E dopo qualche mese che eravamo tornati insieme, hanno ricominciato a vedersi di nascosto con questa Rita infame.

A me intanto m'aveva ripreso la febbre malarica. Allora vado all'ospedale. Dice: chinino non ce n'è piú, quindi è meglio che torni a casa. Io però non ce la facevo neanche a camminare. Dice: devi andare perché non ci sono letti. E mi buttano fuori.

Lí fuori, sulla porta incontro l'infermiera dello psichiatrico, quella che mi toglieva il latte con la pompetta. Ci abbracciamo, ci baciamo. Poi lei mi dice: ci penso io a farti passare la febbre. Dico: grazie! e cosa devo fare? Dice: tu dammi qualche dollaro e io ti procuro del chinino al mercato nero. Dico: e chi ce l'ha i dollari? Dice: ma come, tutti hanno dollari, c'è un gran giro di dollari a Roma. Dico: io non ho né dollari né lire. Dice: che mi puoi dare? Non avevo niente, giusto la fede. Dico: ti do la fede. Era bella, grossa, d'oro. E lei dice: va bene, dammi la fede.

Mi porta a casa sua, mi fa stendere, mi fa una iniezione nera che sembrava inchiostro. Appena me la fa, svengo. In vita mia ero svenuta solo una volta. Quella è stata la seconda volta.

L'infermiera mi dà degli schiaffi, un sacco di schiaffi. Finalmente mi sveglio. Sento che grida: Teresa! Teresa! Si era spaventata. Apro gli occhi e vedo che s'affannava tutta rossa, mi dava pizzichi, schiaffi, mi metteva le dita in bocca. Dico: basta, basta, sto bene. E infatti da quella volta la febbre mi è passata e non mi è tornata piú.

Abitavo con Sisto ma non poteva durare, perché lui si vedeva con Rita e ogni giorno diventava piú scostante. Una mattina poi li ho visti tutti e due che camminavano a braccetto sotto casa. Allora mi sono arrabbiata. Non ho detto niente. Sono rientrata, ho messo un po' di roba in una valigia e sono andata via.

Vado da Egle e le racconto tutto. Lei mi fa: va bene, va bene, adesso ti aiuto io. E mi fa conoscere delle sue amiche, una certa Lilia e un'altra che si chiama Gemma.

Queste due donne erano già state in galera. Io non lo sapevo. Ero una carlona, una ingenua. La prima andava per borseggio, l'altra per appartamenti. S'arrangiavano, erano ladre insomma.

Io non capivo niente; mi sembravano brave. Le vedevo che erano generose, mi offrivano il caffè, le sigarette. Ho imparato a fumare; fino a quel momento non sapevo come si fa. Me le guardavo bene e tenevo la sigaretta come loro, fra l'indice e il medio, come se niente fosse. Queste erano gentili, premurose. Dice: hai mangiato? Dico: no, mi mangerei una pagnottella però volentieri. Dice: ora ce ne andiamo a mangiare un bel piatto di spaghetti. Vieni con noi!

E mi portano a una trattoria tutta bella, grande, fornita. E pagano loro. Ogni cosa che mangiavo, pagavano loro. Allora io, dopo questa cosa, mi ci sono attaccata. Ho visto che erano buone, non le lasciavo piú. E loro m'hanno portato a rubare.

Gemma viveva con la madre. Lilia viveva assieme con Gemma perché la madre e il padre non ce li aveva. Allora m'hanno portata a dormire da loro. Dice: vieni anche tu, un letto si rimedia. E mi davano da mangiare e da dormire. Andavamo al cinema, al varietà, pagavano sempre loro.

Un giorno Gemma dice: senti, mia madre fa la guardiana a una villa ai Parioli; fa la custode a questa villa. Ogni tanto va ad aprire le finestre e spazzola, scopa, ripulisce un po'. Ha le chiavi.

Dice: io rubo le chiavi a mia madre, apriamo, poi rompiamo la serratura e facciamo finta che sono stati i ladri. Dice: lí ci sono milioni, c'è l'oro, i marenghi, l'argenteria; i padroni sono in villeggiatura in Svizzera. Era luglio, agosto. Dice: ci sono tre milioni là dentro, noi li rubiamo e poi dividiamo, facciamo un milione per uno.

Io ero una semplicIona. Ero amante della macchina. Dice: sai, dopo ti fai la macchina, ci facciamo le macchine e poi andiamo di qua, di là. Allora mi sono lasciata infatuare, mi sono lasciata prendere come una ragazzetta. Dico: ah, ci facciamo la macchina! e che macchina ci facciamo?

Avevo ventotto anni, ma ancora non capivo tanto. Non avevo vissuto. Allora queste qua m'hanno svegliato proprio bene. Prima tutto miele, poi la galera.

Con noi doveva venire pure un certo Luigi, detto Tango. Era un amico loro, che aveva il camioncino. Io quando vedo questo Tango, mi sono un po' sconcertata. Aveva la faccia brutta, equivoca. E Gemma subito: ma che fai, ti tiri indietro? pensa alla macchina che ti farai dopo, ti farai i vestiti, il brillante, giú e su. E io, tutta infiammata, dico: va bene, andiamo pure a questa villa!

Tango mi fa: tu vai dentro l'appartamento. Verso le cinque, le sei, noi veniamo, ti fischiamo e tu ci scendi la roba dalla finestra. Quando senti questo fischio vuol dire che siamo noi e apri. Dico: ma perché proprio io devo entrare là dentro? Dice: perché tu sei la piú agile, la piú mingherlina. Dico: va bene.

Vado in questo appartamento. Apro la porta con le chiavi. Entro, e comincio a girare. Era una casa grande, piena di armadi. Frugo, cerco, guardo; non trovo né milioni né marenghi d'oro. C'era l'argenteria, questo sí, e degli animali di pietra trasparente, ma non sapevo se erano preziosi o no. C'erano alcuni bicchieri smaltati. Prendo tutta questa roba e la metto dentro un sacco. Appoggio il sacco vicino alla finestra che dà sulla strada. E aspetto.

Aspetto, aspetto, quelli non venivano mai. Nella stanza c'era un bel letto principesco, allora prendo e mi ci sdraio sopra per riposare un po'. E subito mi addormento. Credo che ho dormito due, tre ore, non lo so. Mi sveglia improvvisamente lo squillo del telefono. Faccio per rispondere ma poi mi trattengo. M'avevano detto di non rispondere a nessuno, di non fiatare.

E cosí ho fatto. Non ho risposto. E suonava, e risuonava. Poi ho saputo che erano loro che mi avvertivano del ritardo. Dico: forse sono loro, che faccio, rispondo? Ma per non sbagliare non ho risposto. E ho seguitato a stare lí. Aspettavo.

Tutto a un tratto mi viene la voglia di andare al gabinetto. Allora esco dalla camera da letto. Vado al bagno. Era una stanza con tutti i vetri, questo gabinetto, tutti vetri arancione. Questi vetri davano sulla tromba delle scale.

Mentre che sto per sedermi sul cesso, vedo un'ombra dietro questi vetri. Era qualcuno che saliva le scale. Mi rialzo subito. Dico: qui è meglio che non ci sto. E me ne ritorno nella camera da letto.

Ma mi scappava di andare al gabinetto. M'avevano preso i dolori di pancia. Allora ho cercato dappertutto se trovavo un vaso da notte; ho scovato una brocca di cristallo e l'ho fatta lí dentro. Poi ho appoggiato questa brocca sulla tavola e mi sono messa a ridere da sola pensando alla faccia dei padroni davanti alla brocca piena di piscio.

Si erano fatte le undici di sera e questi ancora non venivano. Io cominciavo a stufarmi. Dico: ora me ne vado, qui non passa nessuno, si vede che mi hanno dimenticata.

Apro piano piano la serranda. Vedo che la strada è vuota. Prendo il sacco con la roba trafugata e delicatamente, senza fare rumore, mi calo dalla finestra.

Un momento dopo che io ero uscita, sono arrivati loro. Dice che hanno fischiato, fischiato. Ma io dico: come, dalle cinque che dovevate venive vi presentate alle undici! e io come facevo a sapere che arrivavate cosí tardi?

Mentre questo Tango stava a fischiare, sono arrivati i carabinieri. Perché il guardiano aveva visto la serranda mezza aperta e aveva pensato: qui c'è dentro qualcuno. E aveva chiamato la polizia. Cosí sono arrivati i poliziotti, hanno fermato Tango e l'hanno portato dentro. Lui ha detto che stava facendo la caccia a una serva, e che fischiava a questa serva, ma non ha attaccato.

Le due donne le hanno arrestate due giorni dopo. A me non mi hanno preso perché ero fuggitiva. Però poi hanno acchiappata pure me, perché Rina, la sorella di Tango ha fatto la spia. Dice: guardate che Teresa sta nascosta laggiú, cercatela che sta inquattata per di là.

Io stavo al magazzino dell'UNRRA a Monte Sacro. Stavo nascosta lí da un'amica mia che faceva la guardiana a questo magazzino di viveri. Era una che avevo conosciuto nei bar, con Egle.

Stavo nascosta da qualche giorno. Una mattina esco per andare a prendere un caffè, e m'accorgo che c'è un poliziotto fermo davanti alla porta che mi guarda. Io non lo sapevo ma avevano dato i connotati. Avevano detto: cercate una rossa cosí e cosí. Io infatti m'ero tinta i capelli da poco. M'ero fatta tutta rame, parevo un peperone.

Allora vedono una rossa e mi danno l'alt. Io mi metto a correre. E loro dietro. Dicevano: eccola, prendetela! prendetela! Per farmi acciuffare una donna s'è messa a inseguirmi gridando: m'ha rubato la borsa con i gioielli! E invece non era vero. Lo diceva per farmi acchiappare dai passanti.

Scappo a piú non posso; mi vado a infilare dentro un cancello. Lí alla Batteria Nomentana ci sta un albergo molto grande. Io apro il cancello di questo albergo e imbuco una discesa che porta alla cantina. Questa cantina era uno stanzone gigantesco dove mettevano tutti gli impicci dell'albergo. Vedo un armadiozzo tutto sporco ma grande, tutto sgangherato e mi vado a cacciare dentro a questo armadio.

Attraverso gli sportelli chiusi sentivo le serve, i servi che baccagliavano. Poi sento durudum, durudum, i piedi di qualcuno che entra. Dice: avete visto una donna qui? una ragazza scappata, un po' rossa di capelli? Noi non abbiamo visto nessuno, dice una veneta che aveva la voce strillante. No, no, qui non è venuto nessuno, dice un altro con la voce bassa. Noi siamo noi, dice, qui lavoriamo, non abbiamo visto entrare nessuno.

Io, da dentro l'armadio sento tutto. Sento che i carabinieri sostano un po', poi se ne vanno; sento che i servi ricominciano a litigare, a pulire, a pettegolare; sento la strada, tutto.

Quando ho capito che se n'erano andati, ho dato una botta allo sportello e sono uscita. Non ce la facevo piú, mi stava a mancare l'aria.

Esco, torno al cancello, zompo su un muro, vado a finire di sotto, in un prato là di Monte Sacro, un prato grande dove giocavano al pallone. Guardo indietro per vedere se mi seguono, vedo un carabiniere che fa dei segni, mi metto a correre. Mi fermo un momento per riprendere fiato e ricomincio a scappare.

Cammino, cammino, mi sono trovata su una strada dove c'era un autobus che stava partendo. Ho preso questo autobus e sono scesa alla stazione. Da lí mi sono incamminata verso piazza Vittorio.

A piazza Vittorio m'hanno presa. Mentre stavo a entrare in una pizzicheria perché avevo fame e mi volevo fare un panino con la mortadella, sento una che fa: eccola, eccola! Io mi rimetto a correre. E m'acchiappano mentre sto per svoltare l'angolo della piazza.

Le amiche mie stavano già dentro. Avevano detto che ero complice, avevano raccontato tutto. E cosí le ho raggiunte.

Prima di tutto mi fanno la fotografia, col lampo, due, tre, di profilo, di fronte, mi sembrava di essere un'attrice. Dice: voltati! Poi: rivoltati! Io, con tutti quei capelli rossi mi sentivo una bellezza!

Dopo le fotografie, dice: dammi la mano. Io dico: che vorrà dalla mano? me la vorrà leggere come uno zingaro, mi vorrà leggere se ho un destino di ladra. Gli do la mano. Lui me la prende e mi schiaccia il pollice e me lo intinge nell'inchiostro. Poi dice: pigia qua! Era l'impronta digitale.

Quando finisce questo strazio? dico, perché cominciavo a stufarmi. Volevo andarmene. Dice: no, dammi pure le altre dita. E cosí ho pigiato con tutte e dieci le dita. Poi dico: dove mi pulisco signor capitano? perché ero tutta sporca di inchiostro. Dice: non ce l'hai il fazzoletto? Dico: m'hanno levato tutto, ho solo il vestito che porto. Dice: puliscti sul vestito, tanto non ti serve piú.

Infatti mi hanno dato un grembiule sformato, grigio, che puzzava di varechina e mi hanno chiusa in una cella bassa bassa. Le prime ore stavo zitta, passeggiavo. Dicevo: va bene, pazienza, è finita cosí.

Ma poi, quando è venuta la notte mi sono sentita persa.

Era la prima volta che stavo dentro. Mi mancava l'aria. Io volevo essere libera, ero sempre stata libera come un uccello di bosco, all'aria aperta, magari a mangiare pane e pomodoro, ma libera. Lí dentro, al chiuso, non ci resistevo.

Mi hanno dato un anno e nove mesi. Mentre Gemma e Lilia hanno preso quattro anni perché erano recidive.

Ero chiusa dentro da mesi e nessuno mi veniva a trovare, nessuno mi portava niente. Mai nessuno. I fratelli, il marito, le amiche, niente. Sisto stava con quella Rita e di me se ne disinteressava. Orlando mio fratello stava dentro pure lui perché era comunista, aveva rubato due quintali di farina e una damigiana di olio a danno dei tedeschi dell'Osservatorio. Era riuscito a scappare ma poi qualcuno di Anzio lo aveva denunciato per l'uccisione di un maresciallo tedesco e insomma questi tedeschi l'avevano riempito di botte e lo tenevano chiuso a doppia mandata.

Anzi poi è successo che mentre ero dentro sono entrati gli americani a Roma, me l'hanno fatto sapere. E Orlando è stato liberato da questi americani a cui subito ha rubato un mitra, una pistola e un paio di scarpe. Ma non l'hanno messo dentro perché era benemerito di resistenza.

In quel periodo è successo che mia sorella Iride si è fidanzata con un ufficiale americano e il giorno del loro matrimonio Orlando ha sistemato diciotto bombe anticarro intorno alla chiesa Sant'Antonio di Anzio. Ma nell'atto di farle scoppiare è stato visto da un certo De Lellis, carabiniere, e queste bombe sono state subito disinnescate.

Poi, sempre me l'ha scritto Orlando in carcere, si è messo a trafficare con gli americani in sigarette, caffè, cioccolata. E tutto andava bene. Finché un giorno non ha incontrato un negro che, col fucile spianato, ha cercato di violentare la moglie sua, Celestina. Allora Orlando ha fatto finta di cedere, gli ha detto a questo americano: fai pure, tanto di questa Celestina a me non me ne importa niente. Il negro si è tranquillizzato; ha posato il fucile e proprio in quel momento Orlando si è appropriato del fucile stesso e l'ha ammazzato con due colpi secchi in testa.

Ma neanche quella volta è stato preso perché è scappato con questa Celestina a Frosinone, imboscato. Ma poi a Frosinone, la moglie è diventata l'amante di un Commissario di Pubblica Sicurezza e appena si è messa nel letto con questo, ha trovato il modo di denunciare Orlando per un furto di biancheria. E cosí mio fratello è finito al carcere di Regina Coeli. E su di lui non potevo contare per niente.

Il solo fratello che mi poteva aiutare, Nello, stava in guerra. Con Nello sono sempre andata d'accordo. Mi ospitava, mi aiutava, mi dava i soldi. Aveva le barche questo mio fratello, era commerciante di pesce. Cantava. Aveva una voce bellissima; sapeva cantare da tenore, gli volevano tutti bene. Era l'unico bravo della famiglia che mi voleva veramente bene. La moglie sua però non mi poteva soffrire.

Sono stati tutti messi su dalle mogli questi fratelli. Si sono sposati tutte queste serve che ora sono diventate signore, s'atteggiano, parlano pulito. Mi odiano. Dice: eh, tua sorella ti fa mettere la maschera! Sono commercianti, stanno nei negozi, si danno aria di signore del mondo. Si sono ripulite queste serve, pettegole, avare, perfide!

Ho scritto a mio marito se mi veniva a soccorrere. Niente. Non mi ha neanche risposto. Quella lettera l'avrà pure strappata, non lo so. Comunque io stavo buttata là dentro, al freddo. Soffrivo la fame. Era ancora il carcere delle Mantellate che poi l'hanno trasformato in Rebibbia, anni dopo.

Allora, era verso il quarantaquattro, non c'era niente, le celle cadevano a pezzi, si moriva di freddo, non c'erano docce, non c'erano cessi, era un inferno. Avevo sempre fame. Le monache mi guardavano brutto perché protestavo.

Le monache di allora sono ancora lí la maggior parte. Suor Carmine che la chiamavano Santa Carmine dalle mani dure. Tutti la conoscono per com'è cattiva. Con quelle mani di ferro stava sempre a picchiare. Adesso ci sta piú attenta perché le cose sono cambiate dentro al carcere, e le detenute sono meno sopportatrici.

Poi c'era suor Amalia. Era brava, piangeva sempre. Era vecchia, non so se ora è morta. Ti dava uno schiaffo e poi piangeva. Era buona. Un'altra, suor Isabellona la spagnola, era un tipo forte, con le braccia forti, zappava la terra come un uomo. Quella sta bene solo con le assassine, è brutale, manesca. Quando ti acchiappa, ti dà un cazzotto in testa e sei a posto per una settimana. Prima picchiava forte, adesso, visto l'aria che tira diversamente, si raccomanda.

C'era anche suor Biancospino. È sempre stata brava, gentile d'animo. Sapeva scrivere bene, aiutava le detenute a compilare le lettere, leggeva molti libri. Con noi non alzava mai la voce. Purtroppo l'hanno mandata via per attriti con le altre suore. Non la volevano, dicevano che era troppo accondiscendente.

Poi c'è suor Michelina la furba; suor Quinta che ti fa il sorriso e sotto sotto cova veleno; suor Innocenza che basta che le porti i regali e va tutto bene; suor Lella degli Angeli che è una comandona, decide, punisce, fa tutto lei. Altre sono morte, altre sono state trasferite. Ma la maggior parte sono ancora lí e comandano forte, anche se ora sono costrette a dominare le mani, comandano sempre loro in tutto.

La santa Carmine, una volta che ho protestato lí alle Mantellate, nel '45, mi ha fatta legare al letto, ha ordinato di mettermi il giubbetto, m'ha fatto prendere a botte dalle guardie.

Per la conseguenza ho perduto un dente, un incisivo. Allora ci stavano le reti nelle celle, le reti di ferro che si piegano in due e hanno nel centro un ferro che sporge a uncino. Io, nel colluttarmi con le guardie che mi volevano acchiappare per forza e mettermi il giubbetto, ho sbattuto lí con la faccia.

Il giubbetto non ci sono riusciti a mettermelo, perché ero una belva; mi giravo a destra a sinistra come un'anguilla, gli sgusciavo di mano. Allora per rabbia uno di quelli m'ha sbattuto la faccia contro il ferro sporgente. Ho sentito un crac. La bocca mi si è riempita di sangue. Poi questo dente mi si era riappiccicato, cosí sembrava. Invece, col tempo, a mangiare forte l'osso di pesce, la scorza di pane duro, s'è messo a ballare nella gengiva e alla fine è scivolato via da solo.

Alle Mantellate allora il trattamento era terribile. Davano poco da mangiare, i muri erano come spugne piene d'acqua, non c'erano coperte, non c'erano gabinetti. Dovevi farla nel vaso e poi andarla a buttare nel pozzo comune. Per il freddo e l'umido molte diventavano tubercolotiche.

Si ammalavano di petto per le sofferenze della fame. Parecchie prendevano la pleurite. Chi non era aiutato da fuori stava male. Io, non so come non sono diventata tubercolotica perché a me nessuno mi ha mai mandato pacchi e vivevo di quello che passava il carcere. Forse perché ho i polmoni forti. Però ho sofferto la fame, una fame nera, avvelenata.

Improvvisamente, dopo alcuni mesi, m'hanno trasferito a Frosinone perché ho litigato con quelle mie amiche, Lilia e Gemma. Le quali, stando lí dentro, ho scoperto che si volevano bene come marito e moglie.

Ecco, dico, perché stavano sempre insieme; sempre insieme queste due! Ecco, dico, perché certe volte che discorrevano fra loro mi mandavano via e io ci rimanevo male! Volevo stare assieme a loro e non capivo perché mi cacciavano. Avevo visto che spesso si appartavano. E m'andavo a ficcare sempre in mezzo, volevo sentire, partecipare perché mi consideravo amica, e invece dipendeva dal fatto che fra di loro c'era l'amore e io ero tagliata fuori da questo amore.

Ma a parte ciò, ci siamo litigate per via che io le accusavo di avere parlato. Dico: mi siete venute a promettere: ci facciamo la macchina, ci dividiamo i soldi. Mi avete portato a rubare, mi avete fatto queste proposte e poi, appena prese, mi condannate e mi accusate!

Io, dico, ho negato tutto. Io non so niente. L'ho dichiarato subito al giudice, ai carabinieri, a tutti. A voi non vi conosco e non so niente. Avete fatto male a parlare; dovevate negare anche voi, dico, come me.

No, dice, noi i fatti li abbiamo raccontati come stanno, perché la galera come la pigliamo noi la devono prendere anche gli altri partecipanti al furto.

Ma come? dico io, prima mi insegnate, mi insegnate, e poi non sapete che la regola è negare?

Allora interviene una certa Pierina Lanza, una vecchia del carcere che aveva pratica di furti di appartamenti. Dice: allora voi siete andate a chiamarla, l'avete portata a rubare, le avete fatto la promessa della macchina perché avevate le chiavi di questo appartamento che conoscevate; l'avete sedotta perché prima lei non aveva mai rubato e poi ve la prendete con lei! Se è cosí dovevate lasciarla perdere questa Teresa, per i cavoli suoi. Perché l'avete portata a rubare e ora l'accusate? Cercate di pigliarvi la colpa una sola di voi e vi prendete meno anni tutti e tre. Ora che viene il processo ritrattate tutto, addossate la colpa a una sola e cosí le altre sono libere.

Questi sono affari miei, dice Gemma, tu non ti impicciare! Allora Pierina mi viene vicina e mi fa: bada che è cattiva, egoista, questa sardegnola è pessima, ti accuserà sempre perché è testarda e non ha sentimento.

Io però tanto nego sempre, dico io. E fai bene, dice Pierina! nega sempre che ti troverai bene.

Infatti in Tribunale io ho negato tutto. Dice il giudice: chi era che stava dentro l'appartamento? Gemma fa: quella, e indica me. Io dico: no, signor giudice, io non c'ero proprio. Allora il giudice chiede a Tango: insomma chi c'era dentro? Tango, che odiava Lilia, indica lei. E il giudice si è arrabbiato, ha mandato tutti al diavolo. Io ho preso un anno e nove mesi e dieci giorni. Lilia, Gemma e Tango hanno preso quattro anni.

Io li ho fatti tutti, l'anno, i nove mesi e pure i dieci giorni. Sono durati un'eternità. Ogni giorno mi sembrava un mese, ogni mese un anno.

La mattina mi alzavo, mi toccava rifarmi il letto. Tutto di corsa. Ma guai se non rincalzavi bene la coperta. Rimanevi senza cena. Poi andavamo giú al refettorio dove passavano un po' di surrogato che lasciava la bocca nera e cattiva.

Stavo lí a fare niente fino a mezzogiorno. A mezzogiorno mi davano una pagnottella uso militare e una gavetta di fagioli e pasta, tutto misto. Appena ne mettevo in bocca una cucchiaiata mi veniva da sputarlo. Ma mandavo giú tutto, per la fame che avevo che mi bucava lo stomaco.

Ingollavo ogni cosa e dopo mi doleva il fegato, ma non c'era niente da fare. Tante volte ci mettevano un pezzo di lardo rancido in mezzo a quella pasta, lo sentivo dall'odore di carogna. Allora questa pasta la mandavo giú per rabbia di fame, per non cascare per terra. Mi otturavo il naso e inghiottivo senza masticare.

La sera poi davano una gavetta piena di acqua calda. Questa acqua calda era chiamata brodo ma a tutto assomigliava fuorché al brodo. Dentro c'era un po' di patate, qualche pezzo di cipolla, un rimasuglio di fagioli spiaccicati, tutto misto, un'acquarellone, un acquazzone che disgustava il palato.

Era molto aspettato questo brodo della sera, per via che era bollente e scaldava le budella. Ma la fame non la toglieva, anzi faceva venire appetito e poi tutta la notte mi rigiravo nel letto pensando a quello che avrei fatto per una bistecca. Una volta alla settimana davano un pezzo di bollito fatto in umido. Era agro, perché non so che sugo ci mettevano, di conserva, era aspro, legava i denti.

Ce ne stavano parecchie che ricevevano i pacchi dalla famiglia. Qualche volta, una di queste mi regalava una mela. Se però se ne accorgevano le altre povere, dicevano: pure a me, pure a me! E allora la donatrice, per non scontentare nessuna, finiva per non darmi piú niente. Cosí mi dovevo contentare di stare a guardare le fortunate mentre aprivano i pacchi e scartavano la roba: bei tocchi di formaggio, pagnotte bianche come il latte, grosse pere succose, pesce secco, uva, tutta roba buonissima. Stavo a sospirare, a desiderare, con due occhi grandi aperti dalla voglia.

Io insomma con questa Gemma e con questa Lilia mi sono litigata brutto. Gli ho gridato: stregacce maledette, mi avete rovinata! Tu, soprattutto, dicevo rivolta a Gemma, che sei la piú fetente, e m'hai incantata con le chiacchiere, che poi nell'appartamento non c'erano né milioni né marenghi d'oro!

Me la prendevo con Gemma perché era lei che comandava e decideva. Era la piú forte. E rispondeva infatti, alzava pure la mani. Allora l'ho acchiappata per i capelli e l'ho presa a calci. Per punizione mi hanno mandata a Frosinone.

Stare a Frosinone era peggio che andare di notte. L'aria di montagna mi faceva venire fame, mi metteva un appetito formidabile. Avevo sempre fame, una fame nera. E lí si mangiava meno che alle Mantellate.

Una notte mi sveglio con i crampi allo stomaco e non riesco piú a dormire. Allora mi alzo, e comincio a cercare intorno se trovo qualcosa da mangiare. Non c'era niente.

In fondo alla sala vedo due sacchetti dell'immondizia appesi a un chiodo. Stavano appesi cosí perché non c'erano credenze, né cassetti né niente. In quello stanzone si vedevano solo i letti, e in fondo verso la porta un buco per terra che faceva da cesso e basta. Poi hanno messo la tazza, hanno messo i lavandini, ma dopo, verso il cinquanta.

Allora infilo le mani in queste sacchette e smucino un po' per vedere se c'era rimasto qualcosa da mangiare. Magari una mollica di pane, dura, muffita, magari una lisca di pesce, per fermarmi lo stomaco.

Mi avevano preso i crampi perché io sono una d'appetito, mangio molto. Anche adesso sono d'appetito, quando mi metto a mangiare, mangio abbondante. Mi piace mangiare. È una gioia per me mangiare.

Frugo frugo e alla fine trovo quattro bucce di patate. Erano secche, incartocciate. Le ho prese, le ho ammorbidite con l'acqua e me le sono mangiate.

Per questa fame livida che mi opprimeva me ne stavo sempre mesta, sempre ferma a non fare niente. Allora qualche volta le mie compagne si prendevano pietà e mi soccorrevano con una sigaretta, un pezzo di pane intinto nell'olio, una testa di pesce secco.

Appena io mi saziavo un po', mi rinvigorivo subito, tornavo a essere allegra, compagnona. E mi mettevo a ballare, a cantare. Ci mettevamo a giocare allo schiaffo. Passavamo il tempo cosí.

Lí a Frosinone non si lavorava. C'era poco lavoro, solo per tre o quattro detenute: fare la cucina, tenere il libro delle spese, fare le pulizie. Per me il lavoro non c'era. Me ne stavo con le mani in mano. Mi muovevo poco per non farmi venire piú fame.

Chi sapeva ricamare andava con la suora Santa Croce e lei ti dava ago, filo e ditale. Ma io non so ricamare. So mettere solo i punti e pure quei punti vengono male, tutti storti, non so cucire.

Finalmente un giorno mi arriva un pacco pure a me. Me lo mandava mio fratello Orlando dal carcere di Regina Coeli. Non so come ha fatto, mi ha spedito una scatola con dentro della roba che aveva rimediato: una saponetta, della pasta, della farina di piselli americana, delle gallette piemontesi, roba cosí alla meglio, perché pure lui stava abbandonato. Ci aveva messo anche un pacchetto di nazionali, mi ricordo.

Mi danno questo pacco, abbastanza piccolo. Vado a scartare e dico: beh sarà piccolo, ma intanto mangio qualcosa! Mi sentivo la febbre per la gioia di quel pacco. E scartando, un po' ero delusa perché m'aspettavo di piú, un po' ero felice, ridevo. Le sigarette le ho finite subito. Le gallette invece me le sono fatte durare piú di un mese, ne mangiavo mezza per volta.

Lí a Frosinone conoscevano solo i fagioli come cibo. Ogni giorno davano fagioli, pasta e fagioli, pane e fagioli. Mai niente altro. Dico: ma non si cambia mai minestra in questo convento?

Teresa, tu sempre a criticare! dice la guardiana e per punizione mi serve mezzo mestolo di fagioli invece che uno intero, la fetente!

Le guardiane erano due. Una era la padrona, comandava su tutti. Era zitella, aveva trent'anni, era cattiva, era alta, pareva un boia. Forte, con due braccia come un lottatore. L'altra era piccolina, magra, sembrava un topo.

Noi eravamo in trenta, trentacinque. Stavamo in dodici per camerata. Le camerate erano tre. Loro, in due, dovevano badare a tutte noi. Una andava e una veniva. Sembrava che non ce la facevano, invece erano furbissime e veloci, te le trovavi sempre davanti, non gli sfuggiva niente.

Sotto, nella parte inferiore del convento, c'erano gli uomini. Stavano tutti inzeppati, perché erano molto piú numerosi di noi e passavano il tempo a litigare, a brontolare.

Fra questi il piú famoso era un certo Giglioli che aveva ammazzato la moglie a picconate. Quando veniva la festa dei carcerati, questo Giglioli si metteva all'armonium, tutto vestito di nero, e suonava. Era un bravo suonatore.

Anche noi ci dovevamo vestire di nero, le calze nere, il grembiule nero, il velo nero in testa. Dico: ma chi è morto? Dice: è la festa dei carcerati, ci vuole molta cerimonia.

Ci portano tutti al cortile davanti alla chiesa del carcere. Era luglio, agostó, faceva un caldo da morire. Dico: a me non me ne importa un fico secco della festa dei carcerati, al sole non ci sto. Ma non c'era niente da fare. Eravamo obbligate, costrette, con tutta quella roba nera addosso.

Mentre suonavano l'Avemaria, questo Giglioli, chissà a cosa pensava, gli sono uscite due lagrime dagli occhi, poi altre due, era tutto lagrimante. E pure le carcerate piangevano. Io dicevo: madonna, mi pare di stare proprio a un funerale! Tutte piangenti, tutte vestite di nero, sotto quel sole.

Avevo la testa che mi scoppiava. Dico: ma quando finisce questa messa! Loro, le guardie, il direttore, i preti, se ne stavano sotto il baldacchino, al fresco. Noi lí in piedi sotto il sole, sudavamo, sudavamo. Era un macello!

A questo Frosinone sono stata proprio male. Per fortuna c'era gente buona, generosa. C'erano le zingare, ostiche, indipendenti, però buone. Quando avevano qualcosa da mangiare, mi chiamavano, mi dicevano: tié Teresa, eccoti un pezzo di pane, eccoti un'alice, eccoti una sigaretta. E io per ringraziamento le facevo ridere, mi mettevo a fare i balli, quando mi girava la vena buona, mi mettevo a cantare e loro ridevano, si rallegravano.

Poi, a furia di mangiare fagioli, sempre fagioli, un giorno mi viene una colica. Perché poi i fagioli io li mangiavo con quella fame disperata non avendo altro, e dato che i fagioli non li ho mai potuti vedere, li inghiottivo con rabbia, senza gusto. E là dentro a questo Frosinone non si mangiava altro, sempre fagioli, sempre fagioli. Dico: ma questi fagioli non si seccano mai! ma quanti sacchi di fagioli ci stanno? Dice: questo c'è e questo si mangia.

E cosí mi viene questa colica tremenda. Per un po' di giorni sono stata allettata, chiusa dentro la camerata. Ci stavano i letti quelli di legno, uno sopra e uno sotto, a castello, il baldacchino all'americana con una tenda bianca per la decenza.

Allora viene il dottore e dice: che ti senti? Dico: mi duole qui. Avevo la diarrea, ributtavo. Era una colica seria, venutami per la monotonia di quei fagioli.

Dice il medico: mettetela in bianco! Dico: meno male, finalmente mangio in bianco, senza fagioli! Una cosa nuova, diversa. E difatti a mezzogiorno mi danno una minestrina all'olio che era piú acqua che pastina. Dico: e dopo che c'è? Dice: questo è tutto. Infatti quello era il pranzo in bianco, era tutto lí.

Dopo qualche giorno comincio a sentirmi meglio, la colica era passata. Ma stavo ancora a letto. Non riuscivo a spicciarmi da quelle pezze, non avevo il coraggio di alzarmi, per il freddo. Le altre andavano all'aria, io rimanevo chiusa là dentro, avvolta nelle pezze.

Me ne stavo in mezzo a quegli stracci, al caldo e canticchiavo piano piano, da sola. Cantavo: "sotto la gronda della torre antica... rondinella pellegrina..."

Tutto d'un botto si apre la porta, entra la guardiana e mi fa: Numa Teresa, chi ti ha dato il permesso di cantare! Pareva un Cristo, era alta, secca secca, con la voce rauca. Numa, dice, se non stai zitta ti levo il vitto in bianco! Era una burina, del Molise, un'acida. Dico: va bene levami pure il vitto in bianco, che me ne importa a me? Per quello che mi date!

M'ha fatto alzare per forza questa zotica. E subito giú una botta in testa. Poi mi ha mandato a tavola a mangiare pasta e fagioli con le altre. M'ha levato il vitto in bianco. Io dico: ma che c'entra col cantare il vitto in bianco?

Non c'è stato niente da fare. Ho ricominciato un'altra volta fagioli in umido, fagioli in brodo, fagioli in purea, che poi a me i fagioli era assodato che mi facevano male.

Li mangiavo contro voglia e dopo l'aria dentro la pancia faceva come dei tuoni e lo stomaco brontolava, brontolava. Per due giorni mi sono rifiutata di mangiare. Dico: basta, io i fagioli non li mangio piú, mi potete pure fare morire, non ne mangio piú!

E invece, dopo due giorni di digiuno, loro se ne frega-

vano e io la fame mia era diventata un gigante e la mia
volontà una pulce. Mi sono dovuta accomodare e ho mandato giú il piatto di fagioli freddi che m'avevano lasciato
da parte.

In quei giorni è successa una cosa spassosa. Questo Giglioli che tutti i carcerieri tenevano in palmo di mano, che
era buono e sapeva suonare e piangeva pure durante la messa, è scappato, come un detenuto qualsiasi, mettendo nei
guai il direttore e tutti i secondini.

Allora ne hanno parlato perfino i giornali. E io, una mattina, in mezzo al cortile, mi metto in piedi su una panca e
grido: ha fatto bene Giglioli a scappare! ha fatto bene, bravo! gli darei la medaglia d'oro. Dobbiamo scappare tutti da
questa galera maledetta dove ci trattano peggio dei maiali!

Non finisco di dire cosí che due guardiane m'acchiappano,
mi buttano giú dentro la cella d'isolamento, sulla pancac-
cia. Mi chiudono e se ne vanno dopo avermi dato un sacco
di botte.

Era una cella piccola piccola, con una panca stretta e
storta, senza coperte senza niente. Per mangiare mi davano
pane e acqua, una volta sola al giorno.

Io per non dargli soddisfazione, cantavo. Cantavo male
perché non avevo neanche il fiato per parlare. Ma cantavo,
perché sapessero che non me ne importava niente di loro
e di quella cella schifosa.

Dopo qualche giorno però non cantavo piú. Mi girava la
testa, avevo una debolezza grandissima, ero diventata magra, smunta. Con sei giorni di pane e acqua mi sono ridotta la metà.

Finalmente mi liberano e quando sento l'aria fresca e
vedo tutta quella luce, mi sento male, mi si piegano le
gambe e casco per terra. Allora mi hanno rimesso a fare
la cura a base di fagioli e con quella mi sono rinforzata.

Dopo qualche tempo, una mattina mi dicono: Numa Teresa, preparati che devi uscire! Io, sicura che mi mandano a casa, mi lavo tutta, butto via quella robaccia che faceva schifo, saluto le amiche, baci, abbracci. Dico: ora vado
a casa e per prima cosa mi mangio una bistecca grande
come una pagina di giornale! E tutte mi dicevano: beata te
Teresa. Auguri!

Invece, esco da Frosinone e mi mandano a Ceccano, che
era un carcere mandamentale. A questo Ceccano ci chiudono

le detenute a cui sono rimasti pochi mesi, le quasi ultimate.

Lí mi sembrava di stare in paradiso: si mangiava la minestra condita con l'olio, di fagioli non se ne vedeva neanche mezzo, la domenica davano un bel pezzo di carne morbida. Insomma era bello e io mi sono subito ingrassata. Stavo bene. Mi sono passati pure i dolori reumatici.

A Ceccano c'era una guardiana sola, donna Rosaria, col marito. Non c'erano suore né marescialli. Questi due, marito e moglie erano gente buona, accomodante.

Poi li hanno accusati sul giornale, è venuto fuori uno scandalo, anni dopo, perché pare che facevano entrare le mogli ai mariti dentro le celle. Si facevano pagare qualche soldo e li lasciavano insieme, a fare gli affari loro. Per me quei soldi erano spesi bene. Hanno fatto male a condannarli! Avessi avuto un uomo io allora, avrei pagato pure mille lire per farci l'amore. Ma non avevo l'uomo e non avevo neanche i soldi.

Dopo avere fatto un anno, nove mesi e dieci giorni, finalmente esco. Mi trovo fuori, sola, sperduta che non sapevo dove andare. Senza una lira ero entrata e senza una lira uscivo.

Dico: e ora dove vado? Prendo e mi incammino a piedi verso Roma. A metà strada sento il rumore di un autobus che si ferma proprio dietro di me. Mi volto. Il guidatore si sporge, dice: vuole salire? Dico: non ho soldi. Dice: non importa. E cosí arrivo a Roma.

Scendo dall'autobus a Porta Maggiore. E m'incammino verso piazza Vittorio. Dico: ora vado a vedere se ritrovo gli amici miei. Andavo cosí a piedi e vedo uno che mi segue. Ero carina, avevo ventinove anni, ero una burinella con un bel petto. Rallento un po' il passo e vedo che anche lui rallenta.

Mi sentivo un po' intontita. Questo mi dice: è sola? posso accompagnarla? Io me lo guardo bene: non era né giovane né vecchio, sui quarant'anni, belloccio, pelato, con due baffoni. Era un po' ridicolo. Dico: ora a questo lo mando a quel paese, m'ha scocciato, e poi non mi piace neanche.

Stavo cosí a pensare e lui mi fa: vuole un caffè? E allora mi è venuta una improvvisa voglia di bere un buon caffè bollente.

Dico: beh, un caffè lo accetto, tanto per farla contento, grazie! Io invece il caffè lo esigevo perché non avevo i soldi per pargarmelo e m'era venuta una voglia subitanea, acuta.

Allora ci avviamo verso un bar. Mentre camminiamo mi fa: lei viene da fuori? mi sembra forestiera. Dico: sí vengo da Anzio. Invece venivo da Ceccano. E dice: dove se ne va di bello? Dico: vado a trovare una parente mia. Dice: possiamo vederci questa sera?

Penso: ma guarda quante cose vuole per un caffè! Poi, tanto per farlo stare tranquillo, dico: sí va bene, stasera va bene. Dice: dove ci vediamo? Dico: dove vuole lei. Dice: bene, allora ci vediamo alle nove alla stazione.

Finalmente arriviamo a questo bar. Ordina due caffè e mentre mi bevo questo caffè che era una delizia, lui chiacchiera, chiacchiera, mi frastorna la testa di parole. Io gli facevo sí sí, però nella mente mia pensavo ad altro. Pensavo a come fare per dormire quella notte, senza soldi. Volevo andare ad Anzio, ma senza biglietto come facevo?

Intanto l'occhio mio cade su un piatto di briosce belle gonfie, abbronzate. Penso: speriamo che mi offre una brioscia! Ma quello niente, chiacchierava, rideva, non si accorgeva del mio desiderio. Allora prendo il coraggio in mano e dico: posso mangiare una brioscia? Dice: eh, no, mi dispiace, ma non ho piú soldi. Cosí ho dovuto rinunciare alla brioscia.

Penso: ormai da questo non ci cavo piú niente, meglio che me ne vado. Però non riuscivo a liberarmi. Quello chiacchierava, mi tratteneva, mi rideva. Dico: speriamo che almeno mi offre una sigaretta, questo baffone! Ero morta per una sigaretta.

A un certo punto, ecco, tira fuori una sigaretta, l'accende, e se la fuma. Dico: una a lui e una a me; mi offrirà una sigaretta! E stavo lí ad aspettare. Invece no, perché era l'ultima, cosí mi ha detto buttando via il pacchetto vuoto.

A questo punto taglio e dico: beh, ciao, io me ne vado. Dice: allora a stasera eh? Dico: sí, a stasera! Aspetterai un bel po' brutto pelato, dico fra me, baffone avaro chiacchierone di merda!

L'ho lasciato e mi sono incamminata verso l'Acquario da dove partivano le corriere per Anzio. Dico: ora mi rifugio da mio fratello Nello, quello è il solo della famiglia che mi vuole bene.

Vado al capolinea degli autobus e chiedo se possono portarmi ad Anzio a credito, che poi lí avrei pagato. Mi dicono: forse, vedremo. Sono stata due ore a cercare di convincere questo zuccone di un autista e poi mi dice di no e mi manda via a male parole. Allora m'incammino a piedi. Dico: prima o poi arriverò.

Per strada si ferma un camion e mi fa salire dietro, con le pecore. Faceva freddo; mi accuccio fra le pecore e mi addormento. Dopo qualche ora sono ad Anzio. Dico: grazie! Scendo e vado a casa di mio fratello Nello.

La casa è grande, sta sulla spiaggia. Tutta finestroni, sembra una pensione. Io arrivo che era quasi notte. C'erano le luci accese. Dico: chissà che fa Nello in questo momento!

Mio fratello quando m'ha visto, m'ha buttato le braccia al collo. Era contento. L'ho trovato sciupato, imbruttito. Dico: che hai? non stai bene?

E lui mi fa vedere la moglie allettata. Poi mi dice che erano già quattro mesi che stava a letto. Dico: ma che ha? Dice: conseguenza di un aborto, che ne so, una cosa di famiglia, di razza, è ammalata di TBC, l'ho portata all'ospedale, ho pagato un sacco di soldi per farla curare, ora lei è voluta tornare a casa, e io devo pensare a lei, ai bambini, al pesce, a tutto. Non ho avuto neanche il tempo di venirti a trovare sorella mia che mi facevi pena là dentro.

Dico: guarda che io voglio riprendere il pupo mio. Dice: vai pure a prenderlo che ce l'ha tuo suocero. Cosí ho preso il pupo e mi sono sistemata con lui nella casa di mio fratello Nello e della moglie.

Questa moglie aveva ventisei anni. Era ridotta un osso, sputava sangue. E il marito non ci poteva fare niente, non riusciva a guarirla. Per curare questa donna Nello si era svuotato, non aveva piú una lira. La cassa mutua non ce l'aveva, niente. Lui la notte andava a pescare, la mattina si metteva a vendere il pesce, poi doveva occuparsi dei bambini. Insomma non ce la faceva piú.

Per fortuna la casa era grande. C'era un letto e pure una camera tutta per me. Però ci stava questa cognata tutta allettata, questi bambini per terra che giocavano con la loro cacca, abbandonati, sporchi.

Allora prendo un chilo di soda e comincio a pulire dappertutto. Ho strofinato tanto che mi sono rovinata tutte le dita. Ho disinfettato ogni cosa col sale, con la varechina, con l'aceto.

Poi mi sono messa a cucinare della roba a parte per i bambini, perché in quella casa si usava che i resti della madre se li mangiavano i figli. Questa madre era tubercolotica, si era trascurata, aveva avuto un aborto, aveva buttato tanto sangue, poi per lavorare sempre si era indebolita ed era diventata tisica. Cosí diceva lei. Invece poi ho sentito dire che sono di razza cosí, si passano la tubercolosi di padre in figlio, da secoli.

Dopo avere pulito e disinfettato bene la casa, che era diventata bella, profumata, dopo che avevo lavati i panni ai bambini, avevo rimesso a posto il bagno, avevo ricucito i vestiti, rimesso a posto le pentole e tutto, questa cognata improvvisamente muore.

Proprio in quei giorni avevo incontrato in piazza un'amica, una napoletana di nome Lina. E subito le avevo detto: che fai? Dice: m'hanno cacciato proprio ieri dal servizio, sono a spasso. Dico: vieni ad aiutarmi a pulire casa. Imbianchiamo le pareti, mettiamo un po' di carta colorata, voglio fare un salotto.

E questa m'è venuta ad aiutare. Poi quando la cognata è morta, m'ha pure aiutato a lavarla, a vestirla, a disinfettare la casa, a custodire i ragazzini. Insomma m'ha assistita e io mi ci sono affezionata. Non m'ero accorta che aveva messo gli occhi su mio fratello.

Nello, dopo la morte della moglie, ha sofferto molto. Piangeva; non mangiava. Era diventato pallido. Ma dopo due o tre mesi ha cominciato a risvegliarsi.

La napoletana ed io dormivamo dentro la stessa camera. C'erano due letti, uno da una parte per me e uno dall'altra per lei, due lettini gemelli stretti e bassi.

Una notte mi sveglio e vedo che il letto della napoletana è vuoto. Dico: questa dove sarà? starà al bagno. Allora mi alzo e vado al bagno. Ma al bagno non c'era. In cucina nemmeno.

Guardo sotto la porta di mio fratello e vedo che c'è la luce accesa. Dico: eccola qui l'ingrata! non porta rispetto neanche ai morti! tutta l'amicizia che mostrava per me era finta allora!

Insomma questa Lina con mio fratello stavano chiusi là dentro. Quello che facevano non lo so. Me ne sono tornata a letto. Ma non ci ho dormito per i nervi.

La mattina, quando Lina è tornata in camera, la prendo di petto e le dico: ma ti pare bello quello che fai? non ci sono altri uomini che ti metti proprio con mio fratello?

Dice: ma tu sei matta! io a tuo fratello non l'ho mai toccato! stavo al bagno. Dico: matta sei tu, perché io sono venuta al bagno e non ci stavi. Ho visto la luce accesa sotto la porta di mio fratello; tu stavi là dentro con lui.

Dice: tu eri rimbambita dal sonno, io stavo proprio al bagno! Dico: ah stupida! io ero sveglia, piú sveglia di te e ormai so tutto come ti comporti in casa d'altri. Mi voleva fare passare pure per cretina questa Lina.

Alla fine dico: qui tu non ci puoi piú stare. Io ti tenevo come una sorella, perché mi piace la compagnia, ma adesso tu fai l'amore con mio fratello e qui non ci puoi piú stare.

Dice: ma a te che te ne importa? sei gelosa di tuo fratello? Dico: non sono gelosa di mio fratello, non sono mica sua moglie! però vedere che mio fratello fa nascostamente l'amore con una mia amica mentre la moglie è ancora calda non mi va.

Ho capito, dice lei, allora tuo fratello tu lo vuoi vedere infelice! eppure è ancora giovane, è forte, non puoi privarlo di una moglie! e anche se prendesse una moglie, vorrei vedere se comanderesti tu che sei la sorella!

Io le dico: se tu pensi di fare l'amore qui dentro con mio fratello mentre ci sto io, ti sbagli di brutto. Io ti butto di sotto a te e lui, perché qui ci sono le creature, e non voglio che vedono niente, perché la madre loro è ancora fresca!

Lei si era annegata, piangeva. Ma non se n'è andata. Erá di Potenza, non proprio di Napoli; tutti però la chiamavano la napoletana. Questa napoletana è rimasta lí, in casa di Nello. L'ha convinto, gli ha raccontato che la picchiavo, che facevo la padrona, che maltrattavo i bambini e un sacco di panzane, e l'ha convinto. Questi uomini, si sa, sono di paese, quando vedono una donna cominciano a montarsi la testa.

Mio fratello m'ha detto: io a te di casa non ti caccio, però la napoletana non posso mandarla via, perché non ha dove andare e poi perché le voglio bene e penso di sposarmi con lei.

Allora io col mio orgoglio, col nervoso e la rabbia, ho acchiappato una valigetta e me ne sono andata. Quattro e quattro otto sono uscita da quella casa. E non ci sono tornata piú.

Il figlio l'ho riportato dalle cognate. Gli ho detto: tenetemelo finché sto a Roma. Appena trovo lavoro me lo riprendo.

Ho preso l'autobus e sono venuta a Roma. A Roma ho cominciato a fantasticare col cervello. Ora dove vado? mi dicevo, mi tocca andare da qualcuno, se no dove dormo stanotte? Di soldi avevo tremila lire che m'aveva dato mio fratello e basta.

Allora vado a piazza Vittorio dove stavano tutti i ladri amici miei. Mentre cammino mi prende di petto un burino. Ce n'erano tanti di questi burini da quelle parti che giravano, cercavano la donna.

Mi dice: allora stasera vieni con me? ti do questo, ti do quello! Io dico: sí, va bene; però prima andiamo a cenare; devo ancora cenare.

Come no, subito! dice lui per fare vedere che era generoso. Andiamo in una trattoria e mi faccio una gran mangiata: antipasto di olive e prosciutto, spaghetti al ragú, una bistecca alta quattro dita, spinaci al burro, insalata, dolce di cioccolata, frutta e caffè.

Quando ho finito di mangiare, dico: permetti un momento, vado a vedere qui fuori se è arrivata una mia amica; ci siamo date appuntamento proprio davanti a questo ristorante.

Lui fa: va bene, ti aspetto, ma sbrigati! ho una gran voglia di fottere e non mi posso piú tenere. Io dico: sí, sí, fra un po'. Mi sono alzata, sono uscita lenta lenta, come se niente fosse, poi mi sono messa a correre.

Ho mangiato, ho bevuto e me la sono squagliata. Con quel burino non mi andava di farci l'amore. Era brutto, rozzo. Però aveva i soldi. Perché ordinava i piatti al cameriere come un gran riccone. Appena si svuotava il mio bicchiere, gridava: ancora vino, brutti zozzi! se non mi portate subito il vino qui spacco tutto! Vuoi vino? vuoi liquore, che vuoi ancora? mi diceva e mentre ordinava voleva che attorno al nostro tavolo ci stava il padrone e per lo meno due camerieri. Doveva essere un cavallaro. Sta ancora aspettando me quel tanghero!

Insomma per via di Nello mi è toccato ricominciare la via crucis, girando di qua e di là, perché questo mio fratello si è andato a innamorare della napoletana e a me non m'ha piú voluta. Il mio destino è di scontrarmi sempre con queste donne incattivite.

Mi sono trovata una camera all'Acquario, da una vecchia affittacamere. Pagavo centocinquanta lire al giorno, mi ricordo. Mi parevano tante! Era verso il 1946-47.

Ancora conoscevo poca gente a Roma. C'era Egle, ma Egle aveva cambiato casa. Con l'affitto delle camere aveva fatto soldi e ora si era presa un appartamento piú grande, piú comodo. E io andavo in giro, facendo amicizie nuove.

Un giorno incontro un'amica di mio marito, una bella ragazza mora. Dice: vieni con me, ti presento agli amici. E mi porta al bar Bengasi, in via Gioberti. Lí c'era il ritrovo di tutte queste donne che si vendono.

Mi metto a sedere in mezzo a loro. Questa amica parlava con me. Mi raccontava che aveva rivisto Sisto, che era cambiato, era diventato casalingo, non ci andava piú con le puttane.

Mentre parlavamo, sentivo che le altre dicevano: chi è questa? che fa? Volevano sapere chi ero, da dove venivo. Io dico: sono di Anzio; ho fatto un anno di galera per furto. E subito facciamo amicizia.. mi offrono da bere, mi offrono da fumare.

Ognuna di queste aveva l'uomo. Erano vestite bene, avevano l'orologio d'oro, l'anello d'oro. Portavano il cappotto col bavero di pelliccia, le scarpe col tacco alto, i capelli tutti aggeggiati. Mi sembravano delle regine. La piú poveraccia ero io: avevo un vestituccio nero, le scarpe vecchie risolate trenta volte. Mi sentito inferiore.

L'amico di una di queste donne mi dice: Ah, tu sei di Anzio? ti chiami Numa? io ho conosciuto tuo fratello. Stava dentro, abbiamo fatto tanti anni insieme. Quello, tuo fratello il comunista col fazzoletto rosso al collo, là dentro cantava sempre, un macello! Ah, dice, tu sei la sorella di

Orlando Numa! bene, vieni che ti faccio conoscere delle amiche mie.

Mi fa conoscere delle donne. Dice: queste non sono ragazze di vita, con queste andiamo per borseggio. Dice: se vuoi venire, tu ci aspetti alla fermata del dodici, ti diamo qualcosa, basta che ci porti via i portafogli quando te li passiamo. Se però uno ti va appresso, tu devi cambiare strada e correre. Poi ci ritroviamo a questo bar, la sera.

Io dicevo: sí, sí. Ma avevo paura. Dicevo sempre di sí; andavo tutti i giorni a questo bar Bengasi, mi prendevo un caffè, mi fumavo una sigaretta e parlavo con queste del borseggio. Mi facevo vedere che ero tranquilla, che non avevo paura di niente, che ero pronta all'azione. Invece rimandavo perché avevo paura. Dicevo: domani vengo anch'io. Ma poi non ci andavo e inventavo una scusa, che ero stata male o che avevo avuto da fare. Non mi andava di ritornare in galera.

Queste m'hanno trovato una pensione dove pagavo di meno e c'era pure l'acqua calda. Ci dormivano le ragazze di vita in questa pensione. Dormivano di giorno, perché di notte lavoravano. E quando loro non c'erano, di notte, sentivo un gran passaggio di coppie. La padrona affittava i letti a ore.

Queste vitaiole mi dicevano: ma perché non ti dai da fare? ma come, noi guadagniamo soldi, ci diamo da fare, e tu te ne stai cosí, senza fare niente? sei ancora giovane, sei fatta bene, puoi guadagnare pure tu come noi no?

Dico: senti, a me mi piace rubare, correre, saltare, fare sparire le cose con le mani, svelta svelta; ma con gli uomini non ce la faccio. Sono troppo nervosa. Se uno mi piace, va tutto bene, ma se poco poco non mi va a genio, sono capace di menarlo. Dice: ma quanto la fai lunga! questi uomini pagano, tu chiudi gli occhi, stringi i denti, e poi prendi i soldi. È questione di pochi minuti. Che ti frega?

Dico: se si tratta di andare a grattare qualcosa, andiamo, ma di mettermi lí a fare le moine a uno che non conosco, non mi va, è piú forte di me. Io vado solo con chi mi piace e basta.

Infatti mi sono messa in mezzo a questi grattarelli, ho conosciuto tutti i gratta della zona e insieme andavamo a rubare, bravi, svelti, non ci prendevano mai.

Mi sono dovuta decidere perché mi erano finiti i soldi e

già da due settimane vivevo a credito. Dico: domani vengo senz'altro con voi. E infatti l'indomani ci sono andata.

La prima volta mi portano a una villa, sotto Castelgandolfo. Dico: che dobbiamo fare? Dice: dobbiamo rubare una macchina. Ma, dico, non c'è nessuno in questa villa? Dice: sí, c'è gente ma noi facciamo piano, non se ne devono accorgere.

Abbiamo rubato la macchina, una macchina piccola e mezza scassata, ma che correva ancora molto bene. Con questa macchina siamo andati a rubare a Frascati, in una trattoria. Dopo il furto, abbiamo abbandonato la macchina per la strada e ce ne siamo tornati ognuno per conto proprio in tram.

La sera ci siamo rivisti al bar Bengasi. Dico: allora, che mi tocca? Dice: tu prenderai meno di tutti perché sei novizia e poco ci sai fare. E cosí è stato. Loro, erano in tre, si sono divisi tutto uguale e io ho preso la metà.

Beccavamo dentro i cassetti delle osterie. Io dovevo fare quello che diceva il capo. Stavo sotto gli ordini di lui, di questo Amedeo. Diceva: tu e lui entrate dentro come due clienti, mettetevi a sedere a un tavolo, ordinate, mangiate due pagnottelle, una birra; nel mentre io faccio finta che sto per conto mio; mi metto seduto a un altro tavolo. Voi fate finta che siete marito e moglie, fidanzati, vi tenete la mano. Io sto per conto mio, non mi conoscete.

Cosí infatti facevamo. Andavamo nelle trattorie, tutte trattorie buone, di buon mangiare, verso le tre, le due e mezzo, quando c'era poca gente. Noi mangiavamo, pagavamo e aspettavamo il momento buono.

Quando vedevamo che il padrone andava in cucina, io facevo un segno al capo e lui si muoveva in conseguenza. Gli facevo segno di no se il padrone ritornava subito, con un dito gli facevo segno di aspettare.

Quando vedevo che il padrone si era proprio bene infrattato in cucina, che stava a litigare con la cuoca o stava a riempire i piatti, gli facevo segno di sí. Lui si alzava senza fare rumore e in punta di piedi andava al cassetto dietro il banco, beccava i soldi e scappava via.

Dopo due minuti uscivamo noi. Tanto avevamo già pagato in anticipo. Dicevamo: arrivederci! E via di corsa correndo. Dietro l'angolo ci aspettava Amedeo con la macchina e partivamo di volata.

Delle volte beccavamo tanto, delle volte poco. Tutto quello che prendevamo lo dividevamo in tre. A me mi toccava sempre la metà di un terzo perché ero principiante. Ma ero contenta uguale perché vedevo un po' di soldi.

Ne facevamo due, tre al giorno di queste trattorie. Andavamo a Ciampino, a Tivoli, ai Castelli. Ci eravamo affiatati, lavoravamo bene.

Come rimediavo qualche soldo andavo al bar Bengasi, con queste ragazze di vita e ripagavo i caffè che mi avevano offerto loro quando ero povera. Facevo la spaccona; pagavo caffè, paste, sigarette. Poi rimanevo in bianco un'altra volta. E per due o tre giorni non mi facevo vedere.

Una mattina vado all'appuntamento con Amedeo, e questo mi dice: abbiamo pensato di fare un altro lavoro; le trattorie ormai le abbiamo spremute tutte nei dintorni. Dico: che lavoro?

Dice: un lavoro a un magazzino di stoffe. Dobbiamo scardinare una saracinesca, ma è facile perché è vecchia e mezza marcia, poi ci carichiamo le pezze su un camioncino e ce le portiamo a vendere.

Dico: dove sta questo negozio? Dice: però c'è il pericolo della guardia notturna. Se vedi la guardia notturna, tu devi fare finta che stai facendo l'amore con Giovanni, il tuo compagno di lavoro. Dovete stare abbracciati stretti addossati al muro.

Dico: va bene, ho capito; quando andiamo? Facevo la sicura, ma il cuore mi girava in petto come una trottola.

L'amica sua Clara lo stava a sentire. Gli voleva bene a questo Amedeo però non veniva con noi a rubare. Lei andava per marciapiedi. A me mi guardava storto perché stavo sempre accosto a lui, era sospettosa di me, un po' gelosa e sempre controllava con l'occhio.

Amedeo dice: mi raccomando, se dovesse fermarti la polizia, tu comunque non sai niente, a me non mi conosci, Giovanni non sai nemmeno come si chiama, hai capito?

Ma, dico, se ci trovano abbracciati a me e Giovanni? Dice: se vi trovano abbracciati, tu devi dire che l'hai incontrato per strada, che ti è piaciuto e che stavi amoreggiando.

Così mi faceva la scuola di come dovevo comportarmi. E se non fai come ti dico, ti ammazzo, diceva. Era minaccioso e caratteroso, ma non era cattivo. Io mi ci trovavo bene con lui. Era un capo abbastanza giusto.

Allora andiamo per stoffe quel giorno che era un lune-dí. Avevamo rubato un camioncino la sera prima, tutto blu, nuovo nuovo. Ci fermiamo davanti al negozio. Amedeo prova a fare saltare il lucchetto, ma non ci riesce. Allora con una trancia e un martello fa un buco nella saracinesca. Giovanni entra e passa le pezze ad Amedeo che le carica sul camioncino. Tutto veloce, tutto per bene, in silenzio. La strada era vuota, non passava nessuno. Io facevo il palo all'angolo.

Mentre che stanno caricando le ultime due pezze, il camion era già in moto pronto a partire, arriva la polizia. Passava per caso di lí questa pantera nera e ci ha visti. Dice: tu che fai qua? Dico: ho incontrato uno, mi voleva portare a letto con lui, stavamo parlando, ma io non mi sono decisa; non ci sono andata.

Dice: come si chiama questo? Dico: non lo so, non lo conosco, l'ho incontrato per la strada, cosí. Dice: ma possibile? tu non dici la verità. Dico: signor poliziotto, guardi che è vero, glielo giuro.

Intanto Giovanni e Amedeo sono scappati. E mi hanno lasciato nelle mani di queste sanguisughe, le quali vedendo il buco nella saracinesca, constatando il furto, e non trovando i ladri, m'hanno portato dentro come sospetta complice.

Mi ritrovo lí al commissariato, alle due di notte. Dice: lo sai che loro stanno chiusi di là? li abbiamo presi, hanno parlato, hanno fatto il tuo nome, Teresa. Dico: va bene, mi chiamo Teresa, gliel'ho detto io a quello lí appena l'ho incontrato, ma io non so chi sono, non li conosco. Dice: guarda, noi sappiamo che tu li conosci e ci devi dire come si chiamano.

Dico: se li avete acchiappati, perché mi chiedete il nome? Allora si sono arrabbiati. Il vicecommissario, un tipo pelaticcio con gli occhi abbottati di sonno, si è messo a urlare. Poi mi ha detto: adesso da qui non esci piú, parola di vicecommissario!

Insomma, prima con le buone poi con le cattive mi stavano a torturare per sapere i nomi. Dico: non so niente. Dice: bugiarda! dicci i nomi che ti lasciamo subito andare. Ma io non parlavo.

Allora m'hanno acchiappata e m'hanno dato una spinta e m'hanno sbattuta per terra. Té brutta troia! mi fa uno tirandomi su per il collo e mi sbatte contro il muro. Té, puttana della malora!

Era grosso, alto, aveva due mani come due pale. M'ha ridotta uno straccio. Io però non dicevo niente. E a un certo punto si sono stufati. Mi hanno presa e chiusa dentro uno sgabuzzino tutto nero, senza finestra.

C'erano dei topi grossi e pelosi che mi zompavano addosso. E io per scansarli mi agitavo di qua di là. Era il carcere delle Sette Sale, al Colle Oppio.

La mattina mi sono venuti a prendere. Dice: allora, ci hai pensato? li conosci? Dico: no, non li conosco. Dice: se non dici i nomi vai dentro per un anno!

Allora mi invento due nomi. Dico: si chiamano Franco e Nicola mi pare. Dice: i cognomi! Dico: non li so. E mi hanno risbattuta dentro a quello sgabuzzino senz'aria.

Mi hanno lasciato lí per quattro giorni, sempre con quel buio in mezzo ai topi. Quando mi portavano da mangiare era una lotta perché queste bestie mi volevano togliere la roba dalle mani. Me li trovavo sotto il braccio, sul petto.

Allora mi mettevo in piedi sul tavolaccio, con il corpo staccato dal muro e mangiavo di corsa sbattendo i piedi, bum, bum, sul legno per mettergli paura.

Ogni tanto mi tiravano fuori e mi chiedevano sempre la stessa cosa. Io niente. Tanto, dico, prove non ne hanno, di qui mi devono rilasciare. Ma erano testoni e piú io negavo e piú loro insistevano.

Dopo quattro giorni però si sono stufati. E mi hanno mandata via, tutta sderenata, morta di sonno, di fame, piena di pulci. Ero infreddolita, zozza. Ero diventata nera, nera di sporco, puzzavo peggio di una bestia. Per fortuna mi hanno restituito la borsa con i soldi dentro: erano le ultime cinquecento lire.

Appena esco, mi guardo intorno. La luce mi faceva male per tutto quel buio che avevo penato. Mi bruciavano gli occhi, non li potevo tenere aperti. Allora mi sono seduta un po' sulla spalletta del ponte che dà sui giardinetti e lí ho aspettato.

La gente pensava che ero cieca perché guardavo e non vedevo. Ho aspettato un'oretta cosí, poi mi sono detta: e ora dove vado? vado al Diurno, dico, se no dal puzzo mi svengo.

E infatti me ne sono andata al Diurno della stazione.

Camminavo come ubriaca. Entro. Trovo tutto bello, profumato. Pago. Mi danno una bella stanza da bagno che mi sembrava di essere in paradiso. Mattonelle bianche, acqua calda, vapore, asciugamani puliti, saponetta al garofano, tutto.

Mi levo il vestito, le mutande, il reggipetto. Mi lavo il corpo, la testa. Con quella saponetta che mi avevano dato, mi faccio una lavata solenne. Lavo pure le mutande, il reggipetto; li strizzo e me li rimetto addosso bagnati.

In tutto quel lavaggio non mi ero accorta che erano passate due ore e piú. Ad un certo punto sento una voce: sta male signorina? Dico: no, grazie, sto benissimo, mi sto a lavare! Dice: faccia presto perché c'è gente che aspetta! Ma io non le ho dato retta. Ho ripulito la vasca, l'ho riempita di nuovo e mi sono rificcata dentro un'altra volta.

Ci stavo cosí bene dentro quell'acqua che ho pensato: ora passo la notte qua dentro; mi metto a dormire e chi s'è visto s'è visto! Ma quella inserviente insisteva, insisteva. E alla fine sono dovuta uscire, tutta bagnata coi vestiti fradici addosso e mi sono messa a camminare in fretta sotto il sole per asciugarmi.

Torno al bar Bengasi. Dico: dove stanno Amedeo e Giovanni? Dice: non si sa. Dico: devo avere dei soldi da loro, i soldi delle pezze. Dice: eh, ma quelli se ne sono andati chissà dove! i soldi te li puoi scordare.

Dico: ma come, io ho sofferto tutti questi giorni sotto le interrogazioni, in mezzo ai topi, per loro e non mi danno nemmeno una lira? le pezze dove le hanno vendute?

Nessuno ne sapeva niente. Insomma questi due se l'erano squagliata coi soldi e di me s'erano serviti come palo. Gratis.

In quei giorni non sapevo dove andare a sbattere. Non avevo una lira e alla pensione non mi volevano piú tenere. Dice: se non paghi ti buttiamo fuori. Dico: pago, pago. Ma come? Andavo cercando qualcuno per un furto ma non trovavo nessuno.

Una mattina mentre cammino incontro Edera, una che avevo conosciuto qualche anno prima e vendeva le sigarette a borsa nera. Era abruzzese, ma stava a Roma da tanti anni. Allora mi dice: vieni con me a Perugia! andiamo a fare un carico di sigarette. E vado.

Invece delle sigarette troviamo l'olio. Allora ci mettiamo a vendere l'olio. Io facevo la schiavetta con questa. Mi dava da mangiare, da dormire, ma soldi niente.

Andavamo in giro con l'autobus. Prendevamo l'olio in una stalla da qualche parte; lo portavamo a Roma. Lo vendevamo per le case. Andavamo su e giú con la corriera e poi certe camminate a piedi! Solo di scarpe, e ne consumavo due al mese.

Certe volte, invece dell'olio, erano le sigarette. Questa

Edera mi accompagnava in un magazzino dove si incontravano i contrabbandieri. Poi, con le borse di paglia, trasferivamo a Roma queste sigarette. Io portavo due borse, lei una.

Quando vendeva bene, mi dava qualcosa. Soldi se ne vedevano pochi. Mi imbrogliava sempre; diceva che ci aveva rimesso, che la vita costava cara, che cosí non si poteva andare avanti. E io abbozzavo.

M'ero stufata però. E aspettavo l'occasione di lasciarla. Questa poi era comandona. Mi diceva: fai questo, fai quello! Ordinava come una signora e io dovevo ubbidire, se no mi lasciava senza mangiare.

Un giorno che stavo a fare la spesa a piazza Vittorio, incontro una che faceva la vita. Però faceva la vita per modo di dire, perché fingeva di andare con gli uomini, ma in verità gli portava via i portafogli.

Questa si chiama Dina, è di Civitavecchia. È intelligente, furba. Una biondina, carina, snella. Dice: che fai? Dico: sto con una brutta vecchia che mi porta a vendere l'olio; mi tratta male, non mi dà una lira.

Dice: sei buona a rubare portafogli? Dico: no. Dice: vieni con me, ti insegno io. Sai come devi fare? aggancia un uomo, fai finta che te lo vuoi fare, poi lo abbracci, lo sbaciucchi un po' e al momento opportuno gli sfili il portafoglio.

Dico: ma io non sono buona a farlo. Dice: tu guarda come faccio io, poi fai cosí pure tu; io gli becco il portafoglio e poi lo passo a te. Dico: va bene; tanto io imparo subito, sono svelta. Ero contenta di lasciare quella befana e mi sono subito affiancata a questa Dina.

Lascio Edera e vado con Dina. La prima sera questa mi dice: lo sai che ti dico? di andare a grattare per adesso lasciamo perdere perché proprio ieri hanno arrestato una amica mia e mi cercano pure a me.

Allora io mi metto paura. Dico: no, no, io sono appena uscita fuori, non ci voglio tornare in galera. Dice: lo sai che facciamo? mi hanno chiesto di andare a fare una comparsa ai balletti; vieni con me. Dico: va bene, andiamo!

Dina era piccolina, aveva un petto un po' grosso. Aveva i capelli biondi, corti, color platino. Era carina, molto. Allora, dice: a me m'hanno scelto già, però so che cercano altre donne per questa compagnia.

Dico: ma che andiamo a fare? Dice: le ballerine. Dico: come si chiama questa compagnia? Dice: la Compagnia del Gran Bazar. Dico: e che è questa Compagnia del Gran Bazar? Dice: si chiama cosí, fanno la rivista. E andiamo.

Mi porta in una casa dove facevano le prove, in via del Tritone, al terzo piano, dentro uno stanzone. C'era un pianoforte nero tutto spalancato e una specie di nano arrampicato su uno sgabello, coi piedi penzolanti, che suonava. Faceva: ta ta ta tanta! ta ta ta tanta! Batteva con una mano sul leggío e noi tutte in fila, dovevamo ballare.

Dina era la subrette. Le altre, come me, erano randage, prese di quà e di là. Una la conoscevo, era una francese che vedevo sempre per piazza Vittorio, una di vita, povera, ridotta peggio di me, con due gambe come due colonne.

Questo impresario si chiamava Emilio Ciabatta e ci faceva da maestro a noi fameliche prese per la strada. Ta ta, un passo, ta ta, un altro passo, tatan alzare la gamba destra, tatan alzare la gamba sinistra.

Però non ci dava una lira. Ma quando ci paga? chiedevamo. E lui: dobbiamo lavorare no? senza lavoro niente paga; presto andremo a Caserta, al villaggio degli americani; lí ci daranno i dollari e cosí sarete pagate.

Questo Ciabatta suonava il pianoforte e noi tutte, mentre alzavamo le gambe, dovevamo cantare in coro: "la compagnia del gran Bazar, le bambole piú belle d'oltremar!" Tutte in fila, a ritmo: "la compagniaaaaaaaaaa del Gran Baaaa-zaaaaaaaaa..."

Dina invece doveva cantare un'altra canzone, una canzone napoletana. Lei era la subrette, era la piú in vista. Prima entrava con noi, le gambe nude, le scarpe a spillo, poi doveva mettersi davanti al microfono da sola e cantare.

Un giorno questo Ciabatta, questo impresario, e l'altro suo amico, un certo Cicci, che si diceva amministratore, ci chiamano e ci dicono che per ballare occorre la tessera di ballerina. Dice: ci vuole cinquecento lire per tessera; e altre cinquecento ce ne vogliono per la fotografia.

Noi prima protestiamo; poi cacciamo questi soldi perché l'avevamo capito che tanto quelli non ce li avevano. Dina era eccitata, dice: dopo con queste tessere siamo artiste; facciamo le artiste!

I vestiti ce li hanno comperati all'antiquariato. Erano vestiti con gli spacchi, i bottoni luccicanti, gli strazi, le piume. Le fotografie ce le siamo fatte con questi abiti, in posa, languide languide.

Ciabatta mi fa vedere come fare: devo acchiappare un pizzo del vestito con le mani, devo mettere un piede avanti, fare un sorriso. E tracche, è fatta la fotografia.

Poi ne facciamo una in gruppo, tutte insieme, vestite d'oro, di verde, di rosso, sembravamo chissà chi. Stavamo bene. Eravamo contente.

Due giorni dopo ci danno delle tesserine rosse col nome stampato sopra, la fotografia da un lato, l'indirizzo, tutto a posto. Eravamo orgogliose. La facevamo vedere a tutti questa tessera. Dina diceva: faccio la subrette e si vantava. Tutte le amiche del bar Bengasi ci guardavano con invidia.

Questi due vecchi, questo Ciabatta e questo Cicci, alla fine un giorno ci dicono: domani si parte per Caserta. Lí il lavoro c'è. Però per andare a Caserta occorrono ventimila lire.

E noi come delle allocche tiriamo fuori chi duemila, chi tremila lire, le ultime che avevamo. Ormai volevamo partire e pensavamo di fare un sacco di soldi a Caserta con gli americani.

Ciabatta con queste ventimila lire affitta un camioncino di quelli che stanno fermi a San Giovanni, mezzi sgangherati. Si mette d'accordo sul prezzo e partiamo. I sedili erano tutti rotti. A ogni buca andavamo per aria.

Arriviamo a Caserta di sera, col sedere coperto di bozzi, la bocca piena di polvere, tutte stanche, affamate. Ci portano in una caserma con tanti letti, lettini, sembrava un ospedale.

C'era una donna che affittava questi lettini. Dice: accomodatevi ragazze, il cesso sta lí fuori. Dico: madonna mia! ma dove ci hanno portate? Dice Ciabatta: ora andate a dormire, domani se ne parla.

Eravamo sudate, stanche. Io mi volevo lavare. Dice: no, no, domani. E ci cacciano dentro questi lettini a dormire. Per lavarsi c'era solo un lavandino fuori nel cortile. E da mangiare niente.

La mattina dopo andiamo a questo famoso villaggio degli americani. Era molto nominato questo villaggio, ci stavano i soldati americani con tanti soldi e spesso facevano venire il teatro, le riviste con le ballerine e tutto per la truppa.

Allora Ciabatta ci porta dentro e ci presenta. Noi ci sentivamo molto eleganti, fatali. Dina aveva un bel taier di gabardina marrone. Lei biondina, con questo marrone, stava molto bene.

Un'altra, Marina, aveva la pelliccia di agnellino, anzi di agnellone, come usava allora. Era una cosa alla moda. E anche se faceva caldo, un gran caldo, perché era fine maggio, l'agnellone questa non se lo toglieva.

Insomma ci presentiamo lí a questi americani, gentilissimi. Subito: si accomodi, si accomodi. Avete fame? Noi diciamo di no, perché ci vergognavamo di dire che non mangiavamo dalla mattina prima.

Ciabatta dice: hanno mangiato poco, il disturbo del viaggio certamente; gli farà bene un po' di qualche cosa di americano per la salute. E quelli subito ci portano alla mensa. Venite, venite, dice, sedetevi, mangiate!

Ci danno carne arrosto, patate fritte, puré di cavoli, tutta roba americana in scatola, buonissima. Io avevo fame, mi sono mangiata il mio e pure quello di Dina che faceva la schizzinosa. Eravamo dodici. Abbiamo mangiato per ventiquattro.

Questo soldato era gentile, biondo, grassoccio. Ci guardava mangiare; diceva: adesso arriva il capitano, il capitano nostro. E sorrideva. Era alto, abbronzato. Mangiate, mangiate, diceva. E noi piano piano ci siamo ripulito tutto quello che c'era sulla tavola.

Poi ci ha dato da fumare, sigarette americane, dolci, fortissime che stordivano. Ci ha dato liquori, caffè in polvere. Stavamo proprio bene. Dice: adesso che avete mangiato e bevuto, mettetevi pure in giardino a riposare, fino a che arriva il capitano. E noi ce ne siamo andate fuori.

Alle cinque arriva il capitano. Ci dà una guardata. Io e altre due eravamo sdraiate sotto l'ombrellone per sfuggire al sole che era forte. Una si era allungata per terra. Un'altra dormiva raggomitolata su un muretto. Tutte stupidite dal caldo, stanche dal viaggio, attrippate, chi sognava, chi si puliva i denti, chi s'era slacciata la veste per stare piú comoda.

C'era la francese che s'era sbracata proprio comoda, con le gambe distese, il cappello largo largo che le faceva da ombrello e la pelliccia tutta spelacchiata spiegata come coperta sul prato. Sembrava un campo di concentramento.

Il capitano spalanca gli occhi e dice: no, no, noi aspettiamo un'altra compagnia; noi aspettiamo la Wanda Osiris, Wanda Osiris, ce lo ripete come a dire: ma voi chi siete? Dice: no, no, andare via, andare via!

Ciabatta si fa avanti tutto ingrillito. Dice: noi siamo una compagnia nostra, non la Wanda Osiris. E gli fa vedere le nostre fotografie. Dice: ci faccia provare, vedrà come sono brave, simpatiche queste ragazze!

Il capitano era duro, severo. Faceva no con la testa. Ciabatta insiste. Dice: fateci lavorare una sera sola, capitano! rimarrete contento. No, no, dice il capitano, per carità, andate, andate; noi aspettiamo la compagnia della Wanda Osiris, non voi.

Insomma ci ha viste tutte sderenate e randagie e ci ha cacciate via. Meno male che abbiamo mangiato! dico. Ciabatta dice: andiamo, và! qui non c'è niente da fare; questi hanno già il contratto e non c'è niente da fare.

E dove andiamo? Dice: per stasera torniamo lí, ai lettini; domani ci penso io a trovarvi un lavoro; qui sono tutti americani, gente danarosa; ve lo procuro io il lavoro.

Torniamo a quei lettini, piú che un ospedale sembrava un carcere. Tutti in una stanza, c'era corrente d'aria, puzza di muffa. Un pianto! Dico a Dina: andiamo a darci una rinfrescata, io sono tutta sudata. Dice: dove andiamo? Dico: vediamo qui se c'è una doccia.

Giriamo un po', andiamo su, giú, non c'erano docce. Chiediamo del gabinetto, ci portano in uno sgabuzzino sporco, macchiato di merda, coperto di mosche. Allora dico: i bisogni lasciamoli stare, andiamo a fare il bagno. E dove? dice Dina. Al bagno pubblico, rispondo io.

Entriamo al bagno pubblico di Caserta, una specie di Cobianchi, tutte mattonelle candide, luccicanti, era un piacere. Paghiamo qualche centinaio di lire e ci danno una stanza abbastanza pulita con la vasca piena d'acqua.

Facciamo un bel bagno ridendo e scherzando, ci laviamo pure la testa, io a lei e lei a me. Era bello. Per me l'acqua è la gioia mia e io nell'acqua ci sto sempre bene. Insomma abbiamo fatto un bagno che non finiva piú; poi siamo uscite tutte belle pulite e fresche.

Mentre paghiamo vediamo sulla porta uno che ci guarda. Era vestito di blu e aveva gli occhi gialli, appiccicosi, indagatori. Dico: questo è un poliziotto. E infatti non mi sono sbagliata. Ci guarda, ci guarda, poi si avvicina e dice: ce li avete i documenti? Dico: perché? Dice: siete forestiere, si vede; dove sono i documenti?

Dina dice: guardi che noi siamo due artiste, lavoriamo nel balletto, ecco la tessera. E gli presentiamo le nostre tessere rosse con il nome stampato sopra. Erano grandi quanto una patente queste tessere, di cartone duro col filetto d'oro.

Quello le prende in mano, le guarda. Poi dice: queste tessere non sono bollate; io vi denuncio perché voi lavorate con tessere false.

Era un tipo insistente, puntiglioso, tutto vestito di blu con cravatta nera, l'avevo capito alla prima occhiata che era un poliziotto.

Dico: va bene, adesso ci lasci andare, lo diremo al padrone che vada a bollare le tessere; tanto ancora non abbiamo lavorato. Dice: il padrone non ve l'ha bollate perché i bolli bisogna pagarli. Dico: sí infatti noi dovevamo trovare lavoro ma ci è andata male.

Questo ci guarda ancora, torbido. Noi stavamo sulle spine. Finalmente ci restituisce le tessere e dice: guarda, cercate di tornarvene a Roma, via di qua, perché se no vi faccio mandare a casa col foglio di via, vi faccio rimpatriare! Dice: via, via, non fatevi piú vedere! E noi subito corriamo via con tutti i capelli bagnati appicciati in testa.

Dico a Dina: hai visto questo porco di Ciabatta! ci porta qua, senza contratto, ci fa pagare pure il viaggio, per poco ci manda in galera. E il lavoro d'artiste non c'è. Dal villaggio americano ci hanno cacciate via. E ora che facciamo?

Dina dice: ma ci stanno altri villaggi americani da queste parti. Qua è pieno di americani. Possiamo andare a lavorare in qualche altro villaggio. Dico: sí, cosí andiamo a finire in galera!

Dina dice: sai che facciamo? ci freghiamo tutti quei vestiti d'artista e ce ne torniamo a Roma, sono vestiti da sera, costosi, magari ce li pagano bene; che stiamo a fare qui? Dico: facciamo cosí, qui non è piú posto da stare.

Intanto torniamo ai lettini, lí alla caserma. Non c'era luce, acqua, niente. Per cena ci avevano preparato un uovo sodo a testa e una fettina di salame trasparente.

Ciabatta dice: domani andiamo di qua, andiamo di là,

vedrete che lo rimedio il lavoro. Ma chi ci credeva piú?

La notte, mentre che tutte dormono, Dina e io ci alziamo, raccogliamo tutti quei vestiti d'artista e ce ne andiamo. Abbiamo riempito una valigia e ce la siamo portata via, zitte zitte, per quelle scale al buio che per poco non cadevamo di sotto.

Arriviamo alla stazione con questa valigia carica. Il treno non era ancora arrivato. Aspettiamo. C'era un ragazzo col ciuffo nero che ci ha offerto il caffè. Prendiamo questo caffè. Il ragazzo ci racconta che viene dalla Germania, da un posto chiamato Dacau dove la gente la mettevano dentro il forno come il pane.

Prima di infilarli nel forno però gli tagliavano i capelli per farne delle coperte. Era un tipo allegro e raccontava queste cose impressionanti con simpatia. Era un perseguitato di razza perché era nato ebreo. Ci offriva caramelle, caffè, era molto gentile.

Finalmente arriva il treno e noi montiamo. Con il carico di questi vestiti, antichi, dorati, che erano tutta la nostra ricchezza. Il viaggio è stato veloce perché il treno correva, c'era poca gente e noi abbiamo pure dormito distese sui sedili.

I soldi per il biglietto Dina se li era fatti prestare da una ragazza del balletto. Dina era molto brava a convincere la gente, aveva un fare garbato, dolce. Poi, biondina, piccola, con quegli occhi innocenti, nessuno pensava male.

Arriviamo a Roma. Andiamo subito da un amico nostro, un certo Saro. Dico: senti Saro, qui abbiamo dei vestiti bellissimi, tutti lustrini, strazi luccicanti, dove li possiamo vendere?

Dice: fatemi vedere! Apre la valigia, dà una guardata e poi dice: questi giusto al casino potete venderli; chi la vuole questa robaccia zozza! Dico: ma sono vestiti da gran sera! vestiti di lusso! Dice: è roba da casino e pure da casino di poco prezzo. Dico: senti, noi abbiamo bisogno di soldi. Dice: va bene, me li porto e fra due giorni vi so dire qualcosa.

Dopo due giorni torna. Dico: beh? Dice: li ho portati a una casa di tolleranza, non li hanno voluti, dice che sono antichi. Insomma ho girato quattro o cinque posti, li ho venduti a un robavecchiaro, ma per poco, non valeva neanche la pena di portarli. Ci mette in mano cinquemila lire e se ne va. Cosí ci siamo levate il pensiero di questi vestiti.

A Roma c'era poco da fare e poi Dina era ricercata. Allora dice: vogliamo andare a Genova? lí ci sta molto da fare con i portafogli.

Dico: ma quando hai rimorchiati questi uomini e dopo vogliono venire con te, come fai poi a sganciarli? Dice: tu non ti preoccupare, io lavoro, tu basta che stai appresso a me, poi facciamo metà. Dico: va bene, io mi fido. Infatti mi fidavo perché era furba questa Dina, molto intelligente, scaltra.

Prendiamo il treno e andiamo a Genova. I soldi per il biglietto ancora una volta erano presi in prestito da un'amica di Dina. Scendiamo, ci guardiamo intorno.

Era una bella città, io non la conoscevo. Era piena di gente ricca che camminava a piedi, andava di fretta, con dei bei cappotti di lana. Era giusto quello che ci voleva per noi.

Allora ci mettiamo a passeggiare sulla strada principale, lei bionda io rossa, ci facevamo notare, Avevamo tutte e due il cappotto rosa, i tacchi alti. Insomma ci venivano dietro.

Dina aveva l'occhio esperto. Quelli senza soldi li scartava subito. Quelli coi soldi li capiva da un chilometro e allora rallentava, si faceva raggiungere, oppure gli andava incontro senza parere di niente. Quando questo abboccava, lei gli sorrideva allettante, era proprio carina, non si poteva resistere, dolce dolce e timida.

Dopo un po' che camminiamo, troviamo il tipo giusto: un uomo di mezza età, un nasone, col bavero di velluto. Dina si ferma a guardare una vetrina. Quello ci raggiunge, si volta, Dina gli lancia uno sguardo clandestino. Quello si ferma. Torna indietro. Dina fa finta di niente; si rimette a camminare. Io sempre dietro, facevo quello che faceva lei. Imparavo.

Andiamo avanti un duecento passi cosí, a tira e molla. Poi finalmente Dina si decide; si ferma, lo aspetta e gli si mette a braccetto. Quello era un po' seccato che mi vedeva appiccicata a loro. Dice: non potremmo restare soli? E Dina: per carità, se lo sa mia madre che esco da sola senza mia cugina, mi ammazza. E quello si rassegna. Poi dice: ma dove andiamo? vorrei fare qualcosa, un bacio magari. E lei subito: andiamo al cinema.

Al cinema ci mettiamo seduti cosí: Dina in mezzo, lui da una parte e io dall'altra. Poi lei comincia a maneggiarlo. Lo stringe, lo abbraccia, e nel mentre con la mano gli sfila il portafoglio. Appena acchiappato il portafoglio lo porge a me nascostamente in silenzio. Intanto gli parlava a questo nasone, gli diceva: dammi un bacetto, come sei carino! ci vediamo stasera? però non ti fare vedere da mia cugina, non mi fare fare brutta figura!

Io, col portafoglio in mano, anzi dentro il maglione perché me lo infilavo subito fra la pelle e il golf, mi alzo, dico: scusate, vado un momento al gabinetto. Ed esco.

L'aspetto fuori dal cinema, friggendo. Dopo due minuti arriva lei. Appena mi raggiunge, cominciamo a scappare. Le gambe ci arrivano in testa. Corriamo, cambiamo strada, pigliamo un tram, scompariamo.

Finalmente, in una strada tranquilla, sole, sicure, apriamo il portafoglio. C'erano venti mila lire. Dina mi fa: hai visto? lo sapevo che quello aveva i soldi.

Dico: come facevi a saperlo? Dice: cosí, a naso; è difficile che sbaglio. Dico: ma che gli hai detto a quel nasone al cinema? Dice: appena te ne sei andata, dopo un momento, gli ho fatto: devo andare a vedere che fa la mia amica, forse si sente male; aspetta qui che torno subito. Mi sono alzata come se niente fosse e sono uscita.

Dice: ora andiamo in un buon ristorante, poi ci cerchiamo un posto per dormire. E per qualche giorno siamo a posto.

Infatti ci siamo infilate nel primo ristorante sfarzoso che abbiamo trovato, ci siamo ordinate una cena capricciosa, con risotto, funghi, gelato, panna. Abbiamo bevuto birra e caffè. Ci siamo satollate.

Poi andavamo cercando una pensione, ma non si trovava. O erano occupate o avevano l'aria cosí misera che il cuore ci diceva di andare via. Alla fine siamo finite in un albergo carissimo, su verso la collina. Eravamo stanche, non ce la facevamo piú.

Ci danno una bella stanza col balcone. Mi affaccio, si vedeva tutta la città sotto illuminata. Dico: guarda Dina che bellezza questa Genova! Ma lei era troppo assonnata. Dice: chiudi cretina, che fa freddo! E cosí è finita la prima giornata genovese.

Per due o tre giorni non ci siamo piú esposte. Poi, appena finiti i soldi, abbiamo ricominciato. Alle volte non c'era niente in questi portafogli degli uomini, oppure c'erano duecento lire, trecento lire. Allora ricominciavamo.

Dina era brava, aveva le mani che non si sentivano. M'ha insegnato pure a me, m'ha fatto una bella scuola. Però non sono mai diventata brava come lei. Aveva il sangue freddo lei. Io invece quando ero al momento di sfilare il portafoglio il cuore mi batteva come un tamburo.

Lei mi prendeva in giro, con quella parlata di Civitavecchia, tutta strascicata. Dice: che ti fai venire il magoooone? mamma miiia! A te ti viene il mal di cuore, come treeeemi! e vaaattene! mi pare che ti sta a uscire il core daaalla bocca, e vaaattene!

Lei era tutta indifferente. Giovane, piú giovane di me, era un tipo impassibile. Non tremava mai, era ferma, accorta, sicura. Vedendola cosí decisa, cercavo di essere calma pure io, cercavo di essere di marmo. Ma non raggiungevo mai il sangue freddo di lei e le mie mani erano pesanti in confronto alle sue che erano proprio due ragni.

Avevamo trovato una pensione in questa Genova, dove le stanze costavano poco ed erano abbastanza pulite. C'era il lavandino e pure un bidé di ferro con le rotelle che si poteva trasportare in giro per la stanza. Alle finestre c'erano delle tendine a fiori gialli.

Ogni quattro giorni la padrona ci fermava, diceva: allora, paghiamo o no? Era una brutta strega curiosa che andava sempre a frugare nella roba nostra. E poi gli asciugamani ce li lesinava, la roba da mangiare ce la dava fredda. Era maligna, si divertiva a malignare.

Il primo giorno avevamo preso quel portafoglio ricco, poi per una decina di giorni ci è andata sempre male. Non riuscivamo a pagare la pensione. E siccome non eravamo "brave solventi" come diceva la padrona, lo zucchero non ce lo dava piú, l'acqua calda la risparmiava. Era diventata acida, insolente.

Allora dico a Dina: cambiamo pensione? mica ci sarà solo questa pensione a Genova! La pensione Strauss, si chiamava cosí. Dice: e per il pagamento come facciamo? Dico: ce ne andiamo senza pagare.

Infatti, la mattina dopo, pigliamo una valigetta di quelle di cartone che costano poche lire, la riempiamo di mattoni rubati in un cantiere vicino. Mettiamo questa valigia per terra, davanti alla porta. Poi prendiamo la roba nostra, facciamo un fagotto e lo buttiamo giú dalla finestra.

Dina esce per prima, raccatta il fagotto e se ne va. Dopo un po' scendo io, con le mani vuote, dico: buongiorno signora! e raggiungo Dina dietro l'angolo. Tutte e due ce la squagliamo di corsa e cosí abbiamo risparmiato una settimana di pigione e abbiamo lasciato un mucchio di mattoni alla signora Strauss di Genova.

Da lí la stessa sera ci siamo trasferiti a un'altra pensione, la Portofiorito. Io mi volevo mettere a dormire, avevo sonno. Dina dice: facciamo un giretto, vediamo se riusciamo a rimediare qualcosa. Dico: fa freddo. E poi ho sonno. Dice: usciamo, sento che stasera andrà bene. E usciamo.

Fuori faceva un freddo tremendo. Il cappotto mio era troppo leggero. Morivo dal freddo. Dico: rientriamo! Dice: aspetta, vediamo se stasera facciamo qualche colpetto un po' meglio. E giriamo, giriamo, sempre a piedi, con quel freddo che mi tagliava la faccia.

Si avvicina uno, un bel ragazzo bruno. Signorine! siete sole? posso accompagnarvi? Dina se lo guarda bene, accigliata, indagatrice, poi passa dritta.

Dico: magari questo aveva i soldi! certe volte questi ragazzi che hanno l'aria trasandata sono ricchi. Dice: no, tu stai zitta che non capisci niente; quello è uno spiantato.

E andiamo avanti. Mi si erano congelati i piedi e le mani. Il naso non me lo sentivo piú. Dico: ma guarda quanto devo penare per un portafoglio!

Ci avviamo verso il centro, camminando moge moge. Ci

fermiamo vicino a un ristorante di lusso. Passavano tutti uomini accoppiati, con le loro donne. Niente da fare.

Finalmente vediamo avanzare uno tutto vestito bene, con un cappotto di cammello, una gran cintura, un tipo fine, garbato. Non dice una parola. Ci guarda fisso e sorride.

Dina mi dà una gomitata. Mi dice: ci siamo! Io mi metto appresso a lei per fare quello che mi dice. Vedo che cammina piú svelto, poi piú piano. Io le stavo sempre appiccicata. Ogni tre passi Dina si voltava per controllare che quel cammello ci seguiva.

Dopo un lungo giro, alla fine Dina si lascia raggiungere e gli parla. Siamo di Roma, dice, siamo due studentesse qui a Genova per vacanza; non conosciamo nessuno, siamo un po' sperdute.

Questo cammello fa un inchino, tutto compíto. Infila il braccio dentro quello di Dina e ci mettiamo a camminare insieme. A me mi sembrava strano che non parlava. Dico: ma sarà muto questo? beh, dico, meglio perché cosí non può chiamare la polizia.

Quello voleva fermarsi a un bar, ma Dina lo dirige verso un cinema. Finalmente sento la sua voce; era una voce da bambino. Dice: ma questo film l'ho già visto. Io dico: e adesso che facciamo? ci rimettiamo a camminare? Mi veniva da piangere per il freddo.

Ma Dina che è intraprendente piú di me, dice: non importa, il film non lo guardiamo neanche, andiamo dentro per stare vicini e al caldo.

Lui dice sí, che è contento. Va alla cassa, paga e ci infiliamo dentro a questo cinema dove davano un film western con tanti morti, sangue che schizzava da tutte le parti, teste rotolanti, cavalli sbuzzati, un macello.

Io guardavo e dicevo: meno male che sono qua al caldo! speriamo che Dina non si sbrighi troppo presto! non ho voglia di tornare fuori al freddo.

E invece, dopo qualche minuto che eravamo seduti, sento la sua mano che mi tocca il gomito. Afferro il portafoglio, me lo infilo sotto il cappotto; mi alzo, vado al gabinetto.

Non faccio in tempo ad aprire la porta che vedo Dina che mi viene appresso. Sbrigati, corri, che ho freddo! mi fa. Ma, dico, se n'è accorto del furto? Dice: no, no va tutto bene, corriamo perché fa freddo.

Ci mettiamo a correre, giú da una strada e poi dentro

un'altra e voltiamo e rivoltiamo finché arriviamo in un posto tranquillo, lontano. Sotto un lampione finalmente tiriamo fuori questo portafoglio.

Era pesante, gonfio. Dice: hai visto che roba? che ti dicevo? L'apriamo. C'erano cento lire e un pacco di fotografie di donne nude. Questo stronzo!

Buttiamo il portafogli e torniamo alla Portofiorito. Avevamo una gran fame arretrata. Eravamo stanche e sfiatate. Avevamo pregustato una bella cena di lusso e invece niente.

Entriamo nella stanza da pranzo di questo Portofiorito. Era tardi; i camerieri aveva già sbarazzato tutto. Dina protesta, dice: ma noi paghiamo la pensione completa, ci tocca la cena!

Mi dispiace, la cucina è chiusa, dice la padrona. E insomma, tira e molla, siamo riusciti ad avere un pezzo di arrosto freddo che sembrava di cartone e del pane duro. Abbiamo cenato cosí e ce ne siamo andate a dormire.

La mattina ci alziamo, belle ristorate, fresche. Usciamo. Vediamo che all'ingresso non c'era nessuno. Signora! signora! ci mettiamo a chiamare, ma la signora non viene. Lí sul banco c'erano i nostri documenti, belli aperti con una chiave posata sopra. Ce li prendiamo e ce ne andiamo via in fretta in fretta. Dice Dina: sai che ti dico, questa Genova mi è diventata antipatica!

Quella sera stessa prendiamo un treno per Milano. Scendiamo. C'era nebbia, freddo. Ci infiliamo subito in una pensione vicino alla stazione, la pensione Commercio.

Dico: c'è una camera? Allora viene fuori un padrone con una pancia che sembrava un cocomero. Dice: per due signorine cosí carine la camera c'è sicuro. E comincia subito a fare il cascamorto con Dina.

Lei gli civettava, faceva la graziosa. Era un'attrice questa Dina che chiunque ci cascava. Dice: ci dia una camera spaziosa, mi raccomando, e che non dia sulla strada! E quello si torceva per accontentarci.

Saliamo in questa stanza. Era un po' stretta per la verità, ma pulita. Se si aprivano gli sportelli dell'armadio non si poteva piú passare. Per arrivare alla finestra, bisognava montare sul letto. Ma andava bene lo stesso.

Insomma andiamo avanti con questa vitaccia, qualche volta acchiappando dei portafogli belli pieni, qualche volta vuoti; secondo la fortuna.

Quando andava bene, ci infilavamo in un ristorante: primo, secondo, terzo, dolce, caffè, ci rimpinzavamo come oche da fegato. Quando andava male, tornavamo alla pensione, mangiavamo quelle minestrine del Commercio che puzzavano di tegame sporco e quel pezzo di carne striminzita mezza bruciacchiata.

Un giorno Dina mi fa: sai che ti dico, mi sono stufata di fare sempre io; devi imparare pure tu a sfilare portafogli; oggi andiamo e il lavoro lo fai tu, io ti aspetto fuori.

Dico: va bene, ci provo, ma ho paura. Dice: non ti preoccupare; tu abbracciatelo bene, baciagli l'orecchio che gli uomini perdono la testa quando gli baci l'orecchio e intanto gli infili la mano in tasca; hai capito? Dico: sí ho capito.

Il pomeriggio usciamo sul tardi che era già buio. Faceva freddo, ma non c'era vento. Si stava abbastanza bene. Io andavo ancora in giro con quel cappotto leggero di Roma perché non avevo trovato i soldi per comprarmene uno nuovo.

Camminiamo per il centro, verso piazza del Duomo. Io mi guardavo quelle guglie di pietra, tutte merlettate, biancastre. Dico: hai visto che roba? Dice: invece di guardare in alto, guarda per terra, le chiese non hanno portafogli.

E io subito mi sono messa a scrutare i passanti che mi sembravano tutti gente ricca: cappotti col bavero di pelliccia, borse di coccodrillo, cappelli di castoro.

Dico: qui facciamo affari! Dice: non ti credere, è piú

apparenza che altro. Dina faceva la saputa, ma sbagliava pure lei. Da ultimo ne aveva sbagliati parecchi.

Gliel'ho detto. Si è arrabbiata. Dice: non è colpa mia se gli uomini si sono imparati ad andare in giro col portafoglio vuoto. La faccia da ricco io la riconosco, ma non posso indovinare se i soldi li porta appresso oppure no.

Mentre discutiamo passa uno che ci guarda con due occhi accesi e Dina mi dà un pizzicotto. Eccolo! mi fa, datti sotto!

Io non sono brava a fare il teatro come lei. Mi faccio coraggio, mi volto, sorrido un po' invitante. Anche lui si volta. Si ferma. Torna indietro. Dico: e ora che faccio? E Dina: fai la graziosa, fai la timida; vedrai che tutto va bene.

Faccio la graziosa, ma io non sono brava, si capisce che sono finta. Mi viene da ridere; mi viene da prenderlo a pugni perché mi è antipatico, ha la faccia storta, è giallo, porta un cappelletto in testa che gli copre appena la punta e basta.

Dina mi dava dei calci, degli spintoni. Finalmente quello apre bocca. Dice: siete sole? Dico: sí, non siamo di Milano, la città non la conosciamo. Dice: ve la faccio conoscere io; siete libere? Dico: sí sí.

E quello comincia a portarci in giro per Milano. Dina mi dava le gomitate. Dovevo proporgli di andare al cinema, ma non mi veniva. Continuavamo a camminare come tre scemi; lui che diceva: questo è il Duomo, lassú c'è la madonnina, bello eh? E io: bello, bello. Dina era furiosa.

Per fortuna ad un certo punto capitiamo proprio davanti a un cinema dove davano un film d'amore molto conosciuto. Dico: perché non andiamo a vedere questo film? mi piacerebbe. Dice: andiamo. Dico: però viene anche la mia amica, non la posso lasciare sola. Dice: come vuoi. Ci paga il biglietto a tutte e due, e anche caro perché era un cinema di prima visione.

Io mi volevo vedere il film. Pensavo: dopo, verso la fine glielo prendo il portafoglio. Invece non era possibile. Dina mi torceva la pelle del braccio. E quello poi voleva pomiciare. Dico: guarda, non ti agitare troppo perché la mia amica poi si scandalizza.

Non gli permettevo di toccarmi. Lo toccavo io. Gli carezzavo il collo, le spalle, un po' fra le gambe. Poi chiudo gli occhi e mi dico: ora gli bacio l'orecchio come m'ha detto Dina, è il momento buono.

Dina fremeva perché ero lenta, impacciata. Ma io avevo paura che quello si accorgeva che stavo rovistando nella sua tasca. Gli uomini poi non si sa perché portano tante tasche. Questo qui ne aveva due sulla giacca, fuori; due dentro, due nei pantaloni, era un pasticcio.

Dina lo capiva subito dove stava il portafoglio. Io no. Poi me l'ha detto che lei lo spiava mentre pagava il biglietto alla cassa. Io non ci avevo mai pensato.

Insomma stavo con le dita a tastare in queste tasche. E per la preoccupazione, sudavo, ero una fontana. Finalmente ho sentito qualcosa di duro sotto le dita. Era il portafoglio. Ho stretto i denti e per poco non gli porto via un orecchio. Per fortuna lui l'ha preso come un segno di passione. Sempre con questo orecchio fra i denti, gli sfilo il portafoglio e lo passo a Dina, sopra il bracciolo. Ero cosí contenta di esserci riuscita che me lo baciavo veramente, quel fesso, per la gioia.

Gli ho dato due schiocconi sulle guance e due sulla bocca e lui era tutto esaltato. Era bruttino, con le orecchie a sventola. Dico: mamma mia come sei scemo!

Dina si alza, va al gabinetto. Io rimango ancora un po' con lui, gli dico quattro cretinate, gli metto una mano fra le cosce. Poi, quando sono passati tre minuti, dico: vado a vedere che fa la mia amica, non vorrei che stesse male.

Mi alzo e vado. Come esco, comincio a correre che neanche Dina mi teneva dietro.

Ci fermiamo in una strada solitaria. Tiriamo fuori il portafoglio. C'erano duecentotrentamila lire. Abbiamo subito diviso; centoquindici a lei e centoquindici a me. Dico: hai visto che ce l'ho fatta pure io? Ero orgogliosa, mi pareva di avere fatto chissà che. Ma prima di impararmi ce n'era voluto.

Dina mi rimbeccava, mi diceva: ah stupida, rincoglionita, non sei buona a fare niente! E io, a forza di sentire queste umiliazioni, queste strillate, mi sono imparata la scaltrezza come lei.

Quella sera abbiamo festeggiato con una cena grandiosa. Abbiamo mangiato: trippa, stracotto, baccalà alla crema, aragosta, dolce di ricotta, caffè, vino e birra. Non riuscivamo ad alzarci dalle sedie tanto eravamo gonfie di cibo.

Torniamo al Commercio mezze ubriache; il padrone ci viene incontro, tutto sorridente, dice: siete allegre eh! vuol dire che la vita vi va bene! posso offrirvi qualche cosa? una grappa? un vermuth? ve lo porto su in camera; ci facciamo una bevutina alla vostra salute.

Io gli faccio un rutto in faccia. Dina che non perde mai la calma dice: come sei carino! grazie! però noi adesso dobbiamo dormire perché domattina ci alziamo presto. A domani! ciao! E lo pianta lí come un ciocco. È bravissima lei con gli uomini. Finge che ha paura di loro. Promette promette e poi non mantiene mai.

Un innamorato vero ce l'aveva; si chiamava Domenico. Lo chiamavano Mimí. Ma lo vedeva poco perché pure lui faceva il ladro ed era sempre in giro per affari. Avevano due giri diversi.

Il giorno dopo dormiamo tutta la mattina. Poi andiamo nei negozi a rifornirci. Dina si compera una borsa di pelle rossa, un paio di scarpe rosa col tacco. Io mi compro un cappotto foderato di pelliccia, bello caldo, color blu del cielo.

La pelliccia interna era di nailon, ma teneva caldo lo stesso. Anche questa pelliccia era blu, ma piú chiara. Poi compriamo guanti, biancheria, calze. Ci facciamo mettere a posto i capelli da un parrucchiere di lusso.

Il giorno dopo viviamo di rendita e il giorno appresso pure. Passiamo il tempo a letto a dormire, a leggere giornaletti, a rifarci le unghie, a chiacchierare, mangiucchiando dolci di mandorla.

Quando usciamo, ci mettiamo addosso la roba nuova e siamo proprio eleganti, tutti ci guardano entusiasti. Mangiamo, beviamo, siamo contente.

Dopo qualche giorno però sono finiti i soldi. Da stasera riprendiamo la caccia, dice Dina; tocca a te. Dico: no, ora tocca a te. Insomma ci battibecchiamo un po' e poi decidiamo che spetta a me.

Dice: tu ricordati che non ti chiami Teresa, ma Luisa. Dico: perché? Dice: perché cosí dopo non ti riconoscono; ci vuole sempre un nome di mestiere. Tu ti chiami Luisa, vieni da Frascati, Aprilia, decidi tu. L'indirizzo tuo e il nome tuo vero non li devi mai dire.

Quella sera abbiamo incastrato uno, un vecchio di campagna. Lo portiamo al cinema. Lui, questo scemo, si credeva che poteva fare il morbido con tutte e due.

Dina si scostava però non poteva trattarlo male perché era un pollo buono. Io, come ho fatto l'altra volta, gli dico di stare fermo con le mani. Gli dico: se mi tocchi urlo. E lui infatti non mi toccava. In compenso lo toccavo io. Gli davo delle tastate sul sedere per vedere dove aveva ficcato il portafoglio.

Poi sul petto, gli infilavo le mani dentro la giacca. Non riuscivo a trovarlo questo portafoglio. Eppure avevo visto alla cassa che lui l'aveva cacciato nella giacca. L'avrà cambiato di posto entrando, penso; magari quando ha tirato fuori la moneta per la mascherina.

Intanto lui allungava una mano verso le ginocchia di Dina. E lei si arrabbiava con me; e io con lui. Ad un certo punto gli ho detto: se non la smetti di toccare la mia amica, ti pianto e me ne vado. E lui per un po' ha smesso.

Mentre che gli bacio l'orecchio sporco che mi veniva da vomitare, finalmente scopro il portafoglio. Il vecchio si torceva nella sedia, voleva mettermi le mani sotto la gonna. Io lo trattenevo.

Mentre che gli dico qualche sciocchezza all'orecchio, comincio a tirare questo portafoglio. Ma un po' che lui era grasso e la tasca era tesa, un po' che il portafoglio era gonfio, non riuscivo a sfilarlo.

Insomma ad un certo punto questo se ne accorge e fa: ah mascalzona, mi volevi derubare! Dico: no, stavo scherzando! Adesso ti porto dritto in questura, dice. Io cerco di rabbonirlo coi baci. Intanto mi accorgo che Dina se n'è andata. Ha capito il pericolo e se l'è filata.

Non sapevo che fare. Lui comincia ad alzare la voce. La gente si volta. Io, tutta umiliata, dico: e ora che faccio? Poi mi vengono in mente le parole di Dina "tu attacca sempre". E infatti l'ho attaccato. Mi sono messa a gridare, piú forte di lui: brutto vecchio zozzo lurido bavoso, mi hai messo le mani addosso, hai cercato di approfittare di me!

La gente curiosava. Qualcuno ha preso le mie parti, ha cominciato a guardarlo brutto, si è avvicinata la maschera con la torcia in mano. Allora il vecchio ha avuto paura. Si è alzato e se n'è andato.

Da quella volta, per qualche giorno, ha fatto tutto Dina.

Aveva la mano leggera lei, non si faceva mai cogliere sul fatto. Ma era sfortunata. Le capitavano tutti portafogli vuoti.

Il proprietario del Commercio intanto insisteva che voleva essere pagato. Faceva capire a Dina che, o pagava o andava a letto con lui, ma cosí non poteva continuare. Era diventato noioso. Ci aspettava la notte, ci portava da bere in camera, allungava le mani.

Dico a Dina: che facciamo con questo rompiscatole? Lei dice: ormai dopo che gli ho promesso, se non ci vado a letto, ci caccia dalla pensione. Dobbiamo partire. E quando? Dico. Stanotte, dice.

Infatti la notte rientriamo al Commercio che era l'una. L'ultimo portafoglio era andato male. Eravamo senza una lira. Troviamo il solito proprietario sulla porta, sorridente, con la bottiglia pronta.

Allora Dina si avvicina e gli dice in un orecchio: vieni su piú tardi quando la mia amica dorme e facciamo l'amore. A che ora? chiede lui. Verso le tre, le quattro, fa lei. Ma se poi non si addormenta? Dice lui. E Dina: se non si addormenta la manderò a spasso; voglio stare sola con te. E lui contento, ci versa da bere, ci fa le moine, con quella pancia grassa e rumorosa che pareva piena di gatti arrabbiati.

Appena saliti, organizziamo il solito sistema. Dina si cala dalla finestra con la roba. Per fortuna eravamo al secondo piano. Io poi scendo le scale ed esco passando davanti al proprietario che aspettava sonnacchioso.

Dico: vado a fare una passeggiata perché non riesco a dormire. E lui: buona passeggiata, signorina! Adesso si precipita su, penso. Infatti, appena sono fuori, vedo che infila le scale. Allora faccio una corsa, raggiungo Dina, prendiamo la roba e scappiamo come il vento.

Il giorno dopo a mezzogiorno eravamo in giro per la strada come due disperate, col freddo, la fame, senza sapere dove andare. Avevamo provato in tre pensioni ma non c'era posto.

Passiamo accanto a un giardino pubblico. Dico: ci sediamo un momento? Dice: sí, sediamoci, ho i piedi che mi fanno male. E ci siamo buttate lí su quella panchina del giardino pubblico tutto nebbioso e ci siamo messe a parlare della sfortuna nostra e della città di Milano che è traditora perché tutti gli uomini vanno col portafoglio vuoto e tutti i soldi che ci sono chissà dove li tengono nascosti, questi figli di mignotta!

Nel mentre che parliamo cosí, passa un uomo sui quarant'anni, ben vestito, con un cappotto lungo lungo, uno scialle bianco e un cappello nero in testa. Dina lo saluta come se lo conoscesse. Quello rimane di stucco. Si ferma, torna indietro, si siede accanto a noi sulla panchina.

Dice: ci conosciamo? Dina fa sí con la testa. Era un'attrice sveltissima. Io me la guardavo e pensavo: ammazzala che faccia tosta questa Dina! L'ammiravo per la sua naturalezza.

Dice: non ti ricordi che ci siamo conosciuti una volta, stavamo a casa di quel tuo amico coi baffi, non ti ricordi? e tu portavi questa stessa sciarpa e io te la tiravo per scherzo, ti ricordi? c'era pure una donna con te, tua moglie mi pare, però era tanto noiosa, e io ti guardavo e tu mi guardavi, ti ricordi?

Tutto questo lo diceva con una tristezza, una tristezza nella voce che faceva venire le lagrime. Lui era preso fra il sí e il no. Si confondeva. Cercava di ricordare. Dice: ah, forse in casa di Fernando. Sí, fa Dina, proprio Fernando. Ma Fernando non ha i baffi, dice lui. Beh, cosa vuoi che mi ricordi; non mi interessavo mica di lui, di questo Fernando, io non avevo occhi che per te.

L'uomo è vanitoso, basta che gli dici che è affascinante, basta che lo lisci un po' e subito ci casca. Infatti dopo qualche minuto lui e Dina erano diventati amici intimi, e si tenevano la mano nella mano.

Dico: qui fa freddo, dove vogliamo andare? andiamo a prendere un caffè? Dina dice: beh, noi veramente abbiamo già mangiato, ma andiamo lo stesso.

Erano già le undici e mezzo. Dico: però a quest'ora sarebbe quasi meglio fare pranzo. Bene, dice lui, andiamo in un ristorante che conosco io dove si mangia l'ossobuco, ti piace l'ossobuco?

Dina fa: io veramente non ho fame, sono poco d'appetito, ma vengo lo stesso per tenerti compagnia. Sempre con la mano nella mano, gli occhi negli occhi. Lui era veramente commosso.

Cosí andiamo in una trattoria caratteristica e mangiamo l'ossobuco col risotto, due porzioni l'una. Quello ci guardava con tanto d'occhi. Dice: ma non avevi detto che eri poco d'appetito? E Dina: ora ho cambiato idea; questo ossobuco è talmente buono che non ci resisto. Poi beviamo vino rosso, ci facciamo due porzioni di dolce alla crema e finisce il pranzo.

A questo punto io dico: Dina, devo andare a telefonare a mia zia che sta male. Vai, vai, dice lei. E io me la squaglio. Subito dopo lei gli dice a questo quarantenne: mi aspetti un momento? voglio fare un saluto anch'io alla zia della mia amica. E mi viene dietro.

Questo stronzo però ha sgamato, perché invece di aspettare buono buono, ci è venuto dietro, malfidente e curioso. Esce fuori, ci vede correre via e ci insegue.

Correva, correva forte questo quarantenne. In un attimo ci raggiunge e ci acchiappa tutt'e due. Ah, dice: cosí mi volevate fregare eh? Avete mangiato, bevuto e ora volete scappare eh? Beh, adesso mi restituite i soldi del pranzo se no vi denuncio!

Io mi sentivo persa. Dina invece, sicura come al solito, gli dice: se non te ne vai subito milanese del cazzo ti faccio arrestare! Lui subito cambia tono. Dice: ma che t'ho fatto? E Dina: tu m'hai forzata a venire con te col ricatto, e io racconto tutto alla polizia sai; poi adesso chiamo mio marito e ti faccio dare un sacco di botte.

Lui brontola, ingiuria, ma a voce bassa. Non ci riusciva a tenerle testa. Io allora, visto il momento debole, ho cominciato a picchiarlo. Gli dicevo: toh scimunito! toh baccalà! e gli davo calci, pugni, schiaffi. Ad un certo punto si è scocciato e se n'è andato.

Quella sera stessa siamo ripartite per Roma con i proventi di un portafoglio di venti mila lire strappato da Dina a un cristone alto due metri dentro un cinema affollato.

A Roma conosco una certa Rinuccia, detta la Spagnola. Era una mora, una bella donna scura di pelle e con la voce grossa. La incontro in un negozio in via Nazionale, vicino alla stazione.

Stava comprando una giacca a tre quarti. Dice: m'ha parlato di te Carluccio. Dico: ah sí. Dice: sei sempre con Dina? Dico: sí. Dice: senti, vogliamo andare a Firenze insieme? ho saputo che a Firenze c'è un sacco di lavoro; i portafogli che si pigliano a Firenze non si pigliano da nessuna parte. Sono tutti gonfi di soldi e gli uomini li portano mezzi fuori dalle tasche e pare che dicono prendimi prendimi! Dico: va bene, ne parlo a Dina.

Infatti lo dico a Dina di questi portafogli di Firenze che pare che saltano fuori dai pantaloni come pesci volanti. Dina dice subito di sí. Dice: tanto a Roma non si combina niente e poi ci conoscono, è pericoloso. Cosí prendiamo un treno, assieme con questa Spagnola e partiamo per Firenze.

Appena arrivati a Firenze leggiamo su un giornale che c'è stata una rapina alla Banca Commerciale e che tutta la polizia sta slacciata per la città.

Prendiamo subito un altro treno che ci porta in Liguria. Andiamo a finire a Nervi, sul mare. Lí scendiamo e ci mettiamo alla ricerca di un albergo.

C'erano due alberghi a questo Nervi, uno chiamato Internazionale e uno Minerva. Erano belli tutti e due. Dina dice: quale scegliamo? La Spagnola dice: Minerva. E perché? Perché mi attira di piú, fa lei. Infatti andiamo a questo Minerva e consegniamo le nostre tessere.

Avevamo ancora le tessere di ballerine di quando eravamo artiste. Le abbiamo date e loro le hanno prese. I nomi su queste tessere erano falsi, erano nomi d'arte. Dina si chiamava Ofelia Belfiore e io Luisa Lori.

Sotto a questo albergo, nella cantina, ci stava un locale, chiamato La Marinella. Era un locale dove si balla, notturno, bello, con tutte conchiglie, reti appese alle pareti, luci verdoline, sembrava di stare in fondo al mare.

Allora Dina dice: oh, stasera voglio proprio andare a ballare. Adesso ci vestiamo eleganti, andiamo dal parrucchiere, ci facciamo fare le mani, e poi tutte profumate e truccate andiamo alla Marinella e vediamo che succede.

Infatti ci laviamo, ci vestiamo, ci trucchiamo e scendiamo al locale. Dina si era messa un vestito verde, io uno nero, la Spagnola si era fatta i capelli come una giapponese. È una bella donna, poco piú alta di me, mora mora. La chiamano la Spagnola ma non è spagnola per niente.

Allora scendiamo e ci mettiamo tutte e tre a un tavolo d'angolo. C'era una candela rossa in mezzo alla tovaglia e dei bicchieri scintillanti. Ordiniamo subito delle aranciate.

Dopo un po' il locale si riempie di avvocati, commercianti, gente di tutte le razze. Vengono questi signori, ci vedono sole e ci chiedono di ballare. Io non sapevo ballare, camminavo sempre.

Dico: non so ballare. Ma quelli insistevano. Dico: senta, balli con la mia amica perché a me mi fa male la testa. E loro ballavano con Dina, con la Spagnola.

Dina alla fine se ne porta uno al tavolo, lo fa sedere con noi, gli dà da bere. Faceva finta che era ubriaca pure lei. Ordinava: un altro vischi, cameriere! E io le dicevo: ma se poi quello non paga? se non ha soldi? Fidati, questo me lo cucino io come mi pare a me. Andate, salite su in camera che poi vi raggiungo, ci fa.

S'era beccata questo biondo, mezzo vecchio, con la faccia da stupido. Dice: andate, andate, che poi vengo. Lui ubriaco e lei finta ubriaca, ci salutano e si rimettono a ballare.

La Spagnola e io saliamo su in camera. Dormivamo tutti e tre dentro una stanza. C'era un letto grande e un lettino piccolo. Ci chiudiamo dentro, ci spogliamo. E aspettiamo.

Poi io dico: vado al gabinetto. Mi infilo il cappotto ed esco. Mentre passo per il corridoio, sento un russare forte. Guardo e vedo una porta socchiusa. C'era uno che dormiva e faceva brr brr. Spingo un po' la porta con la mano. Vedo un corpaccione grosso vestito solo con le mutande e la camicia, tutto allentato e gonfio che dorme stravaccato sul letto.

Sopra il comodino accanto al letto vedo che ci sta un orologio, una borsa di pelle di quelle grandi da medico e un paio di polsini d'oro.

Torno subito indietro, chiamo la Spagnola. Dico: vieni vieni, c'è da rubare. Lei mi viene appresso. Guarda quest'uomo che dorme con la porta aperta. Dice: entriamo. Dico: aspetta, qui all'albergo hanno le nostre tessere. Dice: ma i nomi sono falsi; la mia carta di identità è falsa pure quella; perciò diamoci sotto!

Entriamo. Afferriamo l'orologio d'oro, la borsa, i polsini e via. Torniamo nella nostra stanza, chiudiamo a chiave. Intanto rientra Dina. Dice: gli ho sfilato il portafoglio che neanche se n'è accorto; ci sono quarantamila lire. E di lui che nei hai fatto, di quel biondo? chiede la Spagnola. Dice: l'ho lasciato davanti a casa sua, con la faccia nel marciapiede, ubriaco fradicio. Tié, dividiamo.

Però, dico, anche noi abbiamo fatto un colpo: guarda qui! E le facciamo vedere il bottino. Dina dice: e brave! ma che aspettate ad aprire quella borsa: scommetto che è piena di lettere d'affari!

La borsa però era fermata con un lucchetto. Allora, con le forbici, col temperino, con il tacco della scarpa, insomma facciamo saltare questo lucchetto che per fortuna era delicato. Apriamo e dentro troviamo tutti biglietti di banca, nuovi nuovi, parevano usciti dalla Zecca.

Dico: accidenti, guarda qua! Eravamo allibite. Non ci era mai capitata una fortuna simile. Io acchiappo subito un mazzetto di questi biglietti e me li nascondo in petto.

Dina dice: no, lasciamoli là dentro; prima dobbiamo uscire da qui, dobbiamo andarcene subito da quest'albergo. E per le tessere, dico, come si fa? senza tessere non possiamo andare in giro, non abbiamo altri documenti. Dice: ci penso io, voi due portate fuori la borsa e aspettatemi all'angolo della strada.

È andata dal portiere, gli ha raccontato che ci aspettava la compagnia del Gran Bazar, che dovevamo partire subito, insomma gli ha inventato un mucchio di balle, si è fatta ridare le tessere, ha pagato con le quarantamila lire del portafoglio rubato al biondo e se n'è venuta via tranquilla, sorridente.

Dopo un minuto siamo alla stazione. Prendiamo il primo treno che ci capita e arriviamo a Voghera. Non sapendo dove andare, ci infiliamo in un ristorante per mangiare e riposare un poco, anche se erano appena le undici.

Lí mangiamo e beviamo, poi paghiamo con questi soldi della borsa. Dopo un po' arriva il cameriere e dice: senta signorina, questi soldi mi dispiace ma non sono buoni. Come, non sono buoni? dico, non sarà buono lei! questi sono soldi nuovi nuovi usciti dalla banca. Appunto, dice, sono nuovi perché sono falsi.

Infatti erano tutti falsi. Ma io non mi volevo convincere. Dico: come falsi, come falsi? falso sarà lei. Dico: beh, andiamo dal banchiere: lei non li conosce i soldi, non capisce niente, andiamo alla banca. Dina se la rideva, era contenta che il nostro furto si rivelava un fallimento. Io, piú lei rideva, piú mi arrabbiavo, insistevo con quello scemo del cameriere.

Insomma andiamo a finire in banca dal banchiere. Questo banchiere guarda controlla, palpa, poi dice: senta signorina io glieli debbo ritirare questi soldi. Dico: perché? Perché sono falsi, dice.

Poi dice: e ora dove va? Dico: a Roma. Dice: beh, se risulterà che non sono falsi, potrà ritirarli alla succursale di Roma. Dico: ma allora sono falsi pure questi? E gli faccio vedere quei due o tre biglietti che avevo in mano. Dice: temo di sí.

Ne avevo un altro mazzo nella borsa, ma quelli non glieli ho dati. Erano settecentomila lire in tutto. Pensavo: ora il cameriere ha detto che sono falsi, e pure il banchiere ha detto che sono falsi. Allora sono falsi davvero! M'era venuta una rabbia che li avrei stracciati tutti quei soldi.

Dina dice: torniamo a Roma; che restiamo a fare qui? i soldi sono falsi, non abbiamo una lira. Cercava di buttarci giú. Dice: a me queste cose non mi capitano, io non ho mai beccato un portafoglio con soldi falsi, mai. Dico: aspetta, può darsi che riusciamo a spenderli lo stesso.

Infatti andiamo in una oreficeria e compriamo della roba d'oro, orologi, catene, anelli, tanto per spendere. Paghiamo con questi soldi falsi e va tutto liscio.

Poi andiamo in una pelletteria; ci compriamo borse, cinture, valigie. I soldi passavano di mano in mano senza storie. Eravamo contente. Dico: hai visto? E Dina non protestava piú perché le faceva comodo pure a lei di spendere e comprare.

Il giorno dopo prendiamo tre biglietti e partiamo. Arriviamo a Roma tutte eleganti, sembravamo tre turiste. Valigie nuove, scarpe nuove, anelli, bracciali, tutti ci guardavano.

Dice: beh, come va? come va? Dice: ammazzala si sono fatte i soldi queste! Sempre al bar Bengasi, in via Gioberti. Tutti i ladri ci ossequiavano. E pure a via Cartagine ci ossequiavano.

A via Cartagine c'era un locale dove suonavano, ballavano. Da "Romanella" al Quadraro. Era un ambiente di ladri, ci conoscevamo tutti. Io mi trovavo bene perché erano di cuore questi ladri, se avevano un po' di soldi pagavano, facevano a gara a chi pagava. Se non ce li avevano, pazienza.

Appena arrivati a Roma, la Spagnola ci ha lasciate perché doveva partire con un amico. Si era innamorata di un aviatore, di uno dell'Aereonautica. Con lui faceva la persona perbene. E questo invece ci andava per i soldi.

Le levava i soldi. Questo, con tutta l'Aereonautica era un pappone. Era un sottufficiale elegante, attillato, affabile, ma badava solo ai soldi. Andavano al ristorante, all'albergo, pagava sempre lei.

Allora Dina dice: ma questo amico tuo, questo Bruno dell'Aereonautica mi sa che è un pappone; questo ti vuole levare i soldi e non te ne sei accorta.

No, diceva lei, non è vero! Bruno è un ragazzo serio, è dell'Aereonautica. E lui, con tutta l'Aereonautica ti fa il magnaccia, dice Diana. Insomma litigavano. Pappona sarai tu! E tu sei scema, innamorata e scema! Si prendevano a botte. Però non c'era niente da fare, la Spagnola era innamorata marcia di questo dell'Aereonautica e nessuno glielo levava dalla testa.

Quando sono finiti i soldi, siamo tornati a caccia di portafogli, Dina e io. C'era quando andava bene, due, tre portafogli con soldi. C'era quando non beccavamo una lira per due settimane di fila. Allora facevamo la fame.

Un giorno poi incontriamo uno a cui avevamo rubato il portafoglio qualche mese prima. Lo incontriamo fra via

Gioberti e via Manin. Era uno di campagna, che veniva a Roma per il commercio dei maiali.

Questo ci vede per la strada, una bionda e una rossa, ormai ci aveva fotografati nella testa. Ci acchiappa e dice: ora vi denuncio a voi altre due ladracce!

Dina dà un gran strattone e riesce a liberarsi. Io invece rimango attaccata a lui che mi teneva con le unghie come un avvoltoio. Dice: ora vieni con me in caserma. Dico: io? ma guarda che ti sbagli, io non t'ho mai visto! tu sei proprio matto. No, dice, tu mi hai sottratto il portafoglio mentre che mi facevi la festa amorosa; dopo sono andato a guardare e non ce l'avevo piú.

Questo campagnolo strillava, si agitava. Si era radunata gente per la strada. Dico: sei un pazzo, ti faccio chiudere in manicomio, io non t'ho mai visto! ma chi sei? ma chi credi di essere?

Io negavo, lo insultavo, ma era vero, gli avevo proprio rubato il portafoglio; glielo avevo sfilato dalla tasca mentre che gli baciavo l'orecchio, quell'orecchio amaro tutto unto di brillantina.

Era deciso a portarmi in questura. Io cominciavo a sentirmi persa. Vedevo che Dina se n'era andata, che la gente mi guardava brutto. Stavo quasi per arrendermi, quando ho visto Dina che tornava. Dico: meno male, in qualche modo mi tirerà fuori da questo impiccio, è troppo brava lei!

Infatti, si è avvicinata a questo, gli ha dato una borsata in testa e poi ha cominciato a gridare, ma forte, con sicurezza: disgraziato pazzo fetente! ora ti denuncio per calunnia. Ce l'hai le prove? ce l'hai le prove di quello che dici? Come ti permetti brutto schifoso burino, io ti faccio querela, io ti denuncio! E intanto gli dava calci, pugni e borsate.

Quello, fra le botte, e lo stupore, lascia la presa. E io subito mi sono messa a correre. Dina dietro. Siamo scappate via come due lampi.

Corri, corri, andiamo a finire in un garage. Pioveva. Dico: lasciami riposare un poco, sono stanca. Dina rideva. Diceva: hai visto che faccia quel burino! Dico: tu sei brava; io mi stavo a fare mettere sotto. Dice: bisogna sempre fare cosí, bisogna mostrarsi sicuri e attaccare. Se lui grida, tu gridi piú forte, se lui minaccia, tu minacci piú forte.

Quando smette un po' di piovere, usciamo dal garage e ce ne andiamo a piedi verso la pensione Margherita dove abitavamo. Mentre camminiamo, tutto d'un botto incontro uno di Anzio. Dice: Teresa ciao! Dico: ciao! Dice: ma il fatto di tuo fratello l'hai saputo?

Dico: che fatto? Dice: tuo fratello, ma come, non l'hai saputo? mi dispiace per te; beh vai giú ad Anzio, vai subito che è urgente. Io dico: perché devo andare ad Anzio, che ha fatto mio fratello? Mi faceva venire il nervoso questo compaesano con le sue mezze parole.

Dice: vai, vai giú ad Anzio che lo saprai. Dico: ma di quale fratello parli? Dice: quel fratello tuo che è tornato dall'India. Libero? Sí, dice, Libero, proprio lui. Dico: ma io ho da fare qui, non ci posso andare ad Anzio.

Dice: beh, tu vacci perché tuo fratello Libero è andato sotto al treno. Oh, dio! che m'hai detto! Dina, Dina, mi metto a strillare, è successa una cosa terribile, debbo andare subito ad Anzio!

Lo stesso pomeriggio prendiamo il treno Dina e io per Anzio. Maledetto viaggio! Io su quel treno non trovavo pace. Il sedile mi scottava sotto il culo.

Tutto d'un botto m'era tornato l'amore per mio fratello Libero che quasi non lo ricordavo piú. Ma come sarà morto? come sarà successa questa disgrazia? pensavo.

Questo fratello mio Libero aveva ventisei anni. Era ritornato da poco dall'India dove aveva sofferto assai. Era stato sette anni in prigionia. S'era ammalato; aveva patito la fame.

Poi un giorno gli avevano fatto la buca, lí in India, a lui e a tre amici suoi. Dice: scavate che poi vi sotterriamo vivi. Dice: vi vogliamo seppellire vivi perché siete fascisti.

Hanno deciso la punizione e li hanno cacciati dentro alla buca, vivi. Stavano a sotterrare pure mio fratello, questi inglesi. Aveva già il corpo mezzo coperto di terra. In quel momento arriva un capitano e dice: no, questo è buono, lasciatelo libero.

L'hanno tirato fuori e l'hanno fatto rimanere lí, nudo a guardare i compagni che morivano sotterrati vivi. Era già malato, aveva i calcoli ai reni. Mangiava a rate, in questo campo di concentramento, aveva tutti i denti guasti. Quel fatto della buca l'ha messo malamente col cuore. A queste cose pensavo mentre camminava quella lumaca di treno e mi dicevo: non è stato fortunato questo fratello mio, non ha avuto fortuna!

Quando arrivo ad Anzio, trovo i miei fratelli che piangono, i compaesani che piangono. Mio fratello Nello mi

119

viene incontro, mi abbraccia. Dice: oh Dio, sorella mia, Libero è andato sotto al treno. Dico: lo so.

Dice: ma lo sai che sotto al treno ci si è buttato lui, per suicidio? Dico: questo non lo sapevo. Dice: vieni a vedere questo nostro fratello che l'hanno ricucito un po' e adesso sembra intero.

Il treno l'aveva spaccato in quattro. Era tutto brandelli. Per il funerale l'avevano ricucito. Aveva bende sopra bende, sembrava una mummia. Era bianco di faccia, sobrio, la fronte macchiata di chiazze nere.

Me lo sono guardato e ho detto: siamo cresciuti insieme con questo Libero, era il piú buono dei fratelli; all'età di vent'anni è partito per la guerra; quando mi sono sposata è stato l'unico a darmi i soldi per cacciare i certificati. A casa mia, mio padre non m'ha dato manco una lira, e lui Libero mi è venuto incontro con qualche soldo. Era buono e ora è morto. Il mondo è fatto a cazzo di cane!

Dina e io quella notte siamo andate a dormire da Nello che era sempre generoso e ospitale con me. Dice: c'è sempre posto per te a casa mia. Ha messo due lettini, uno per Dina e uno per me. C'erano i figli, c'era Lina che ormai era la padrona. Abbiamo fatto pace. Ma dopo due giorni me ne sono andata lo stesso.

Dina è voluta tornare a Roma per via di Mimí che l'aspettava. E io sono rimasta, ma sono andata a dormire da mio padre, da Doré la Lunga. Ci stava da scoprire, da sapere perché s'era buttato sotto al treno questo fratello Libero.

Doré la Lunga mi racconta: sai Teresa, si è chiuso dentro, ha mandato a chiamare la fidanzata sua, quella che aveva prima di partire per l'India. Dico: ma chi era questa fidanzata? Dice: una ragazzetta di qui, una che poi quando è tornato dalla guerra l'ha trovata sposata con un altro.

Insomma l'ha mandata a chiamare, mi racconta Doré, si sono chiusi dentro e lui gli ha detto: eccoti le fotografie tue, tu ora sei sposata, te le restituisco. Forse aveva una passione per quella ragazzetta, non lo so. Comunque di cervello era andato, non ragionava piú.

Ma io lo sapevo che non era vero. E indagando ho scoperto la verità. Questo fratello era tornato dall'India triste; si era rimesso a lavorare. Ma tutto quello che guadagnava lo doveva portare a Doré la Lunga. Vendeva il pesce e tutti i soldi se ne andavano nelle mani di lei. Non aveva soddisfazione a lavorare.

In casa l'avevano messo in una stanzetta vuota, tetra, senza mobili né niente, solo un lettino, come in ospedale. Era una casa nuova perché la vecchia era stata bombardata. Perciò non aveva neanche la consolazione dell'abitazione dove era cresciuto. Aveva bisogno di tante cose, di qualcuno che gli voleva bene, e invece aveva trovato Doré la Lunga che lo faceva sgobbare, gli parlava male di noi, gli diceva: ecco, tuo padre l'hanno lasciato solo, nessuno ha voluto lavorare la terra, e lui l'ha dovuta vendere per colpa dei tuoi fratelli; se ne sono andati tutti, l'hanno lasciato solo, per odio verso di me che non gli ho fatto niente, piripum, piripam, insomma l'aveva stordito con queste filastrocche.

Poi lui era andato da mio fratello Eligio e questo gli aveva detto: tuo padre è un disonore, s'è sposato a quella, si è portato in casa la cognata e ci fa pure l'amore; tua sorella Teresa è scappata, sta in prigione, l'altro fratello Orlando sta in prigione pure lui per furto e omicidio di tedesco, Iride ha sposato un americano, va tutto a rotoli.

A casa, Doré la Lunga lo accusava di non lavorare abbastanza. Il padre era malato, scorbutico, mezzo rinscemito, la famiglia non c'era piú, l'amore della fidanzata nemmeno, s'era avvilito questo Libero e s'era tolta la vita.

Mio padre era crudo, un tipo selvatico che a noi ci ha sempre trattato a botte e cinghiate. Però quando ha visto questo fratello morto è rimasto male. Piangeva. Doré la Lunga gli stava vicino, non sapeva che dire. Lo guardava piangere. E io pure lo guardavo perché era la prima volta che lo vedevo piangere; neanche per mia madre aveva pianto.

La sera mangiavo con loro dentro quella casa fredda e mi rattristavo. Dopo qualche giorno mi sono stufata. Ho salutato e me ne sono tornata a Roma.

A Roma non ho trovato nessuno. Dina era andata via con Mimí. La Spagnola pure era in viaggio. Altri amici ladri con cui lavorare non si vedevano. Ero senza una lira, senza di che pagarmi un caffè. Dico: ora che faccio? E mi viene in mente quello che mio fratello Nello dice sempre: meglio fare la serva, un lavoro onesto, che rubare!

Allora mi metto in cerca di un posto di serva. Trovo subito perché queste serve sono molto richieste, soprattutto se pagate poco. E io, senza referenze, con la galera stampata sul libretto, non potevo chiedere molto.

Capito in una famiglia di fruttaroli. Erano marito, moglie e tre figli. E ci stava la suocera. Mi davano sei mila lire al mese. Io dovevo stare sempre a sciacquettare.

La padrona era una brava donna. A casa non ci stava mai. Era la suocera che comandava. Mi stava sempre addosso, non mi permetteva di uscire. Mi faceva lavare, sempre lavare. Mi mettevo lo zinale e lavavo, lavavo per terra, i muri, le porte, i piatti, la biancheria, le lenzuola, tutto.

I vetri, ogni giorno dovevo lavare i vetri. Lava qua! lava là! E io lavavo. Da mangiare era misurato. La carne se la mangiavano loro. A me mi davano una minestrina, i formaggini.

Dicevo: ma guarda questa fa la fruttarola e di frutta qui in casa non se ne vede mai! Io mi volevo fare una mangiata di frutta perché stavo da una fruttarola. Invece in quella casa non si mangiava mai frutta, non so perché, forse non gli piaceva. Sempre formaggini, quelli avvolti nella carta d'argento, formaggini e pane.

Non mi facevano uscire. Dice: che devi andare a fare fuori? stai tanto bene qui! E mi davano roba da lavare, roba da lavare. E io lavavo. Lavavo sempre. Pensavo a Dina. Pensavo: chissà che farà ora la biondina?

Quando era l'ora di mangiare, mi mettevano davanti due formaggini e un pezzo di pane. Dico: ma quando si mangia qua? Dove credi di essere, in albergo? mi dicevano e io abbozzavo.

Dopo tre settimane di questa musica, una mattina, dopo avere mangiato l'ultimo formaggino, me ne sono andata. Non ci sono tornata piú. Non ho neanche chiesto i soldi che mi toccavano per quelle tre settimane. M'era venuto il mal di mare a lavare sempre.

Vado al bar Bengasi. Ritrovo gli amici miei grattarelli. Mi offrono da bere, sigarette, caffè. Dice: Teresa, ma che fai? dove sei stata? Dico: sono stata ad Anzio da mio fratello che è morto. Dice: mi dispiace Teresa, prendi un caffè. Erano caldi, premurosi.

Al bar Bengasi incontro pure Dina, sempre bella, allegra, svelta. Dice: che fai? Dico: niente, non ho piú una lira, sono andata a servizio da una famiglia di fruttaroli che non mangiavano mai frutta e mi davano sempre formaggini col pane.

Dice: vogliamo andare a Civitavecchia a trovare mia sorella? ho un cognato che lo chiamano "il principe", vende il pesce al porto; andiamo da lui... ci facciamo prestare qualche soldo.

Dico: ma che dirà questo principe quando ci vede cosí malridotte? Dice: vedrai, ci accoglierà bene, è uno di animo buono. Dico: ma come andiamo senza soldi? Dice: ci mettiamo sull'Aurelia e fermiamo qualche macchina.

Detto fatto, andiamo. Ci mettiamo sull'Aurelia, all'uscita della città. Passa una macchina, passano tre macchine, venti macchine, niente, non si fermava nessuno.

Cominciavamo a essere stanche, dopo quattro ore che stavamo lí ad aspettare, perdevamo la fiducia. Dico: è stata una cattiva pensata questa delle macchine, qui non si ferma nessuno. Dice: aspetta, qualcuno si fermerà.

Verso l'una alla fine ecco un camioncino che frena. Dice: dove andate? A Civitavecchia. Dice: io vado a Livorno, no anzi a Siena; montate! E noi montiamo.

Questo qui ci parla di Siena che è una bellissima città,

che si sta bene, insomma non la finisce piú con questa Siena. Dina dice: mi piacerebbe andarci, non l'ho mai vista questa Siena. E lui ci dà l'indirizzo di casa sua e ci fa promettere che se capitiamo a Siena lo andïamo a trovare.

A Civitavecchia ci fermiamo. Lo salutiamo, ringraziamo e scendiamo. Ci presentiamo in casa di questa sorella di Dina. Era rustica, sprezzante. Dice: che siete venute a fare?

Il principe non c'era. Dina spiega alla sorella che siamo senza una lira, che ci deve aiutare. Ma lei dice che non ha soldi. Poi dice; andate, andate che non voglio gente in casa! E ci caccia via. Neanche la cena ci ha offerto.

Dico: che facciamo? torniamo a Roma? Torniamo, dice Dina. E ci rimettiamo sull'Aurelia.

Si ferma una macchina, ma invece che a Roma, andava a Siena. Dico: beh, andiamo a Siena; vuol dire che cercheremo quello del camioncino che è tanto gentile.

Poi mi viene in mente che il figlio mio Maceo l'avevano portato in villeggiatura da quelle parti, ad Acquapendente, o Acquaviva non lo so, un posto vicino a Siena.

Dico: vogliamo andare a trovare il pupo? Dice: ma se ci cacciano via i parenti tuoi? Dico: ma io tanto basta che lo vedo, poi se mi cacciano non mi interessa.

Aveva quindici anni mio figlio. Era l'anno millenovecentocinquantuno. Io ne avevo trentaquattro. Dico: chissà che effetto gli farò dopo tanti anni! Perché se l'erano preso le mie cognate il figlio e non me lo facevano mai vedere.

Da Siena ci siamo fatti quasi due chilometri a piedi per andare a questo paese sulla montagna. Abbiamo chiesto dove stava la famiglia Panella. Nessuno la conosceva. Per caso mi ricordavo il nome, erano parenti dei parenti di mio marito.

Bussiamo a una porta. Aprono. Dico: conoscete qualcuno qui con questo nome? Dice: no, nessuno, e ci sbattono la porta in faccia. Bussiamo a un'altra porta. Neanche loro ne sapevano niente.

Dico: è una famiglia di Roma, sono qui in villeggiatura con un bambino cosí e cosí che si chiama Maceo. No, dice, qui non c'è nessun bambino. Erano scostanti, sospettosi.

Dopo tante porte, ci siamo stancate. Dina dice: sai che ti dico, ho fame. Io pure avevo fame. Avrei voluto girare ancora, ma stava per calare la notte e non avevamo dove dormire e neanche i soldi per mangiare. Dico: va bene, andiamo. E la voglia di rivedere mio figlio non me la sono potuta cavare.

Ci rimettiamo sulla nazionale. Passa una macchina, un'altra macchina, nessuno si fermava. Ci mettiamo sedute per terra, stanche, coi piedi rotti. Le macchine passavano come le frecce, e neanche ci vedevano. Dico: qui siamo come due aghi in un pagliaio; mettiamoci su quel montarozzo.

Appena ci siamo messi sul montarozzo, si è fermata una macchina. Era una giardinetta. Dice; dove andate? Dico: verso Roma. Dice: io vado a Livorno, se vi va bene, salite, se no niente. Dico: va bene. Montiamo e andiamo.

Mentre che siamo in macchina, questo campagnolo tutto rigido col cappello calato sugli occhi, zitto zitto, ci guardava le gambe. Dina dice: senta, non avrebbe per caso qualcosa da mangiare? siamo digiune.

Io pensavo: ora questo ci butta fuori dalla macchina. Io sarei morta piuttosto che domandargli una cosa del genere. Ma Dina non si spaventa di niente, è coriacea.

Il campagnolo ci pensa un poco, poi dice: va bene, vi offro da mangiare; ora ci fermiamo a una trattoria e facciamo cena. Aveva la speranza questo burino di combinare qualcosa. E infatti subito diventa familiare, allunga una mano sul ginocchio di Dina.

Metti giú le mani, fa lei, ma con gentilezza, dopo ne parliamo, dopo. Le sue parole sono convincenti, prestigiose. Infatti quello subito ubbidisce.

Entriamo in una trattoria da camionisti, c'era un sacco di gente, si mangiava bene. Ordiniamo spaghetti, carne fritta, patate, insalata, frutta, caffè. Ci attrippiamo bene. Intanto Dina gli fa le moine, gli dice: dopo, dopo facciamo qualcosa di bello, amore!

Quando finiamo di mangiare, il campagnolo dice: in questa trattoria ci stanno pure i letti, vogliamo dormire qua? Dina fa: sí, sí, è una buona idea. E io pensavo: ora come farà a liberarsi di lui?

Ci danno le chiavi. Saliamo. Quando siamo davanti alla camera, Dina lo prende di petto. Gli dice: che ti credevi che io per un piatto di spaghetti venivo con te? ora se non ti levi di torno ti spacco la testa. Chiamo le guardie e ti faccio arrestare!

Io me la ridevo. Pensavo: ma quanto è focosa questa

Dina, quanto è perfida! quanto è brava! Quello infatti, il burino si era già smosciato. Però insisteva. E piú lui insisteva, e piú Dina lo insolentiva. Pareva una tigre. E alla fine quello mogio mogio se n'è andato.

Abbiamo dormito tre, quattro ore, in quel posto. Poi ci siamo alzate che era ancora buio e ce ne siamo andate salando giú dalla finestra, per non pagare.

Ci rimettiamo sulla strada. Cominciava a sbrilluccicare il giorno. Macchine non ne passavano. Per non morire di freddo, ci siamo messe a camminare.

Finalmente si ferma un camion con un rimorchio lungo quanto un treno. Ci fa salire e partiamo. Il camionista cascava dal sonno e noi pure. Dice: parlatemi, raccontatemi qualcosa per tenermi sveglio. E a turno, Dina e io abbiamo dovuto raccontargli delle barzellette per tenerlo sveglio. Era un pianto! Alla fine ci siamo addormentati tutti e tre e per un pelo non siamo andati a finire dentro un burrone. Per la paura ci siamo svegliati ben bene e da allora abbiamo proseguito piú speditamente.

Verso mezzogiorno arriviamo a Livorno. Cominciamo a girare per trovare una pensione. Non c'era posto da nessuna parte. Si fanno le due senza che abbiamo trovato niente.

Stanche, fradicie, affamate, ci mettiamo sedute sui gradini di una chiesa. Camminare non potevamo piú perché ci facevano male i piedi. Dico: prendiamo un po' di fiato, poi cercheremo qualcosa. Dina era nera, scoraggiata.

Su questi gradini vediamo salire uno tutto elegante, vestito da signore, il quale si fa il segno della croce, e borbottando una preghiera entra in chiesa. Dina dice: questo è buono, stai attenta che quando esce lo abbordiamo.

Aspettiamo aspettiamo, questo non usciva mai. Chissà quanti peccati ha da confessare! dice Dina. Forse è uscito da un'altra porta, dico io. Beh, aspettiamo un altro po', fa lei.

Dopo circa un'oretta esce questo qui, con la faccia beata di santo. Dina gli sorride, si fa notare, insomma lo incastra subito. Lo prendiamo sottobraccio e lo portiamo al Grand'Italia, un bar di lusso che avevamo preso di mira da un pezzo.

Ci sediamo tutte festose. Dice: volete qualche pastarella? Diciamo: sí, grazie. Ma con calma, come se non ce ne importava niente. Poi, piano piano, mentre gli davamo spago, abbiamo ordinato cioccolata con panna, paste, briosce, biscotti, un sacco di roba. Ci abboffiamo ben bene. In un'occasione come questa pensavamo subito al mangiare. Il pensiero nostro era quello. Io poi avevo la fame eterna.

Lui dice: allora ci vediamo piú tardi, andiamo a qualche ritrovo da ballo. Dina dice: io non so ballare, mi piace piuttosto andare in qualche posto solitario che stiamo soli fra noi. Diceva cosí acciocché poteva brancicare il portafoglio a questo e poi mandarlo a quel paese. Lui dice: come vuoi tu, carina.

Era un tipo biondo con gli occhi chiari, le lenti grosse, non ci vedeva a un palmo dal naso, i capelli tutti appiccicati alla testa, ricci e unti. Di corpo era un sacco di patate diviso in due da una cintura stretta stretta. E puzzava di aringa vecchia. Dico: io a questo non sarei capace di abbracciarlo neanche per finta, neanche di toccarlo con un dito. Dina invece era tranquilla, non si faceva mai prendere dal disgusto.

Andiamo a finire al cinema. Secondo la volontà di Dina. Il cinema si chiamava Fulgor o qualcosa del genere, stava vicino a una piazza. Ci fermiamo davanti all'ingresso, e lui fa: questo è un film proprio brutto, me l'hanno detto, andiamo da un'altra parte, a ballare.

Dina dice: no, andiamo qua, che importanza ha il film? basta che siamo soli. Poi ho bisogno di stare tranquilla, mi va di svagarmi il cervello, se è brutto ci sarà sempre qualcosa di divertente da guardare!

Lui dice: ma sono cose di western, cose noiose. E lei: non importa che sono burattinate; ridiamo un po', stiamo allegri. E infatti entriamo lí. Era un tipo parloccone, un bonaccione questo qui.

Dentro, è la solita storia: lei si mette vicino a lui e io di fianco a lei. Dice: vuoi mettere la tua amica in mezzo? No, no, fa Dina, la mia amica si mette qui da questa parte. Faceva pure la gelosa! Insomma ci sediamo e guardiamo il film che era proprio brutto come diceva lui.

Dopo un po' Dina comincia a toccarlo, e nel toccarlo, lo frugava. Fruga fruga, non trovava niente. Ad un certo punto mi fa: ma questo qui dove l'ha cacciato il portafoglio?

Non l'hai controllato alla cassa? dico. Alla cassa ha pagato tirando fuori i soldi dai pantaloni, ma era senza portafoglio dice lei. Prova ancora, l'avrà nascosto, dico.

E lei ricomincia a tastarlo, a frugarlo. Quello ronfava come un gatto, era contento, le voleva acchiappare un seno. Lei gli faceva tutta dolce: tu non mi toccare perché io sono capace di svenire per il piacere e non sta bene qui in mezzo al cinema; lascia che ti tocco io. E quello la lasciava fare, era beato, rabbrividiva.

Finalmente Dina trova questo portafoglio. Era tutta sudata per la fatica. Mi fa un segno. Io lo prendo e mi alzo. Dico: vado un momento al gabinetto. E me la squaglio. Mi metto fuori dal cinema e l'aspetto.

Dopo un po' la vedo arrivare. Corriamo subito a gambe levate. Ci acquattiamo dietro una fontana, e apriamo questo portafoglio. Era vuoto. C'erano solo i documenti. Neanche un soldo, uno. Dice: guarda che fesse! abbiamo perso tutto questo tempo con un imbecille.

Dico: com'è che tu sostieni che non sbagli mai? Dice: eppure sono sicura che quello è uno ricco; aveva l'aria delle carte da cinquemila. Ma questo non ha una lira, dico io. Forse mi sono sbagliata di tasca, dice lei; li avrà nascosti in qualche buco nascosto.

Ci stavamo a litigare cosí, quando passa un nostro amico, un ladro di Roma. Dice: che fate? come va? Era allegro. Dico: va male, siamo senza una lira e disperate.

Dice: venite con me a Firenze; lí c'è una pensione con una padrona molto buona; questa conosce tutti i ladri, le prostitute, è una benpensante; vi fa credito, e la pagate dopo che avete fatto qualche colpo. Dina dice: andiamo a Firenze, questa Livorno fa proprio schifo!

E infatti siamo partite col ladro amico nostro. A Firenze ci porta in questa pensione, un ambiente di ladri, gente conosciuta. Ci danno una stanza, ci mettiamo a dormire.

La mattina dopo ci alziamo, ci rinfreschiamo, andiamo in cerca di qualcosa. In una giornata intera non abbiamo trovato niente, siamo andate sempre in bianco.

La sera rientriamo alla pensione e incontriamo due borsaroli amici, due del bar Bengasi. Dico: ci potete prestare qualcosa che stiamo combinate proprio male? Dice: noi pure ce la passiamo male, non abbiamo una lira bucata.

Ce ne torniamo in camera, ci mettiamo a letto, senza mangiare, senza bere, l'unico posto era il letto. Dico: ora stiamo bene, stiamo proprio a posto! mannaggia al momento che siamo andate via da Roma!

Dice: hai visto quei cassetti nel corridoio dove la signora tiene la biancheria? Dico: beh? Dice: acchiappiamo due tre pezzi di lenzuola, quelle di lino e le portiamo a vendere. Ma dove? dico. Chiediamo a questi borsaroli, loro lo sapranno l'indirizzo di un ricettatore, dice lei.

E infatti facciamo cosí. Acchiappiamo tre pezzi di lenzuola, di quelle col pizzo, roba fine, ricamata. Ci facciamo dare l'indirizzo di un ricettatore e andiamo.

Questo abitava in un vicoletto sudicio, al primo piano. Ci apre, guarda queste lenzuola, dice: sono beccate? Sí sono beccate, gli fa Dina, quanto ci dai? Non mi servono, non tratto questa roba, dice lui. Dina insiste. Alla fine ci mette in mano qualche migliaio di lire e ci manda via.

Con quelle abbiamo pagato la padrona della pensione che intanto era tutta agitata per il furto. Con tanti ladri che aveva in casa non sapeva chi accusare. Però non protestava forte perché voleva tenerseli buoni. Pure lei qualche volta comprava a prezzo di niente certi oggetti d'oro che non si sapeva poi dove finivano.

La sera appresso abbiamo lavorato bene. Dina ha acchiappato un portafoglio ricco; quarantamila lire tutte in un colpo. Era un tipo giovane, il derubato, bello, giulivo e andava in giro con l'Alfaromeo. Ci ha portati al cinema con la macchina.

Io durante il viaggio gli ho fregato un paio di guanti nuovi di cinghiale con la pelliccia dentro. Mi stavano a pennello.

Con quei soldi abbiamo preso due biglietti per Roma e siamo tornate a casa. Ogni tanto dovevamo rientrare perché a Dina le prendeva la nostalgia di quello lí, di Domenico. Io non avevo nessuno. Tornavo a Roma con lei per tenerle compagnia; ma per me Roma o un'altra città era lo stesso.

Domani partiamo per Pisa, diceva Dina, a Pisa non ci siamo mai state, mi dicono che girano dei gran portafogli a Pisa! L'indomani però non partivamo. Perché la sera prima avevamo afferrato un portafoglio non male dalle parti della stazione.

Dice: adesso per qualche giorno non c'è bisogno di lavorare. E ce la godevamo coi soldi. Lei nel letto col suo Domenico, io in giro, a spasso, al bar Bengasi, con gli amici.

Quando finivano i soldi, dicevo: beh, che facciamo? partiamo? andiamo a questa Pisa? E lei: sí, domani partiamo. Però non partivamo mai.

Una sera capito in un locale, da Occhipinti in via Palermo con alcuni amici grattarelli. Io non ballo perché non so ballare. Me ne sto seduta a bere e guardo gli altri che se la godono.

C'era musica bella, c'era allegria. Però mi doleva la testa. E me ne stavo un po' cosí soprappensiero. Davanti a me c'era uno che ballava e mentre ballava, mi occhieggiava. Era bello, alto, magro. Rideva e ballava.

Questo guardava, guardava, mi aveva messo gli occhi addosso. E io guardavo lui. Ci guardavamo. Ballava molto bene. Volteggiava, si metteva in punta di piedi, si chinava, girava come una trottola. Però sembrava che tutto quel ballo lo faceva solo per me. La compagna di piroetta non la degnava di uno sguardo. Girava, girava e stava sempre di faccia a me.

Ad un certo punto lascia di ballare e viene da me. Dice: vogliamo ballare? Dico: io non so ballare. Dice: importa poco, la guido io. No, dico, si sieda qui che non c'è nessuno, gli amici miei stanno tutti ballando; parliamo un po'.

E infatti parliamo. Io subito m'ero invaghita di lui. E lui di me. Insomma ci diamo appuntamento per la sera dopo al bar Genio in via Merulana e ci salutiamo.

L'indomani vado all'appuntamento a questo bar Genio. Lui stava già lí, tutto vestito di scuro. Dice: andiamo a cenare insieme? Dico: sí, andiamo. Mi era simpatico, molto, però non gli davo a capire niente, ero impassibile.

Facevo cosí per non mostrami debole, ma mi ero già infiammata la testa per lui. Gli chiedo quanti anni ha. Mi dice: ventisei e tu? Io ne avevo quasi dieci piú di lui, ma non gliel'ho detto. Per non raccontare una bugia, ho cambiato discorso e lui non ha insistito.

Mentre mangiavamo mi ha raccontato che abitava con il fratello e la cognata, che lavorava al Ministero, che faceva l'autista ai ministri.

Subito facciamo l'amore. Nella sua macchina, parcheggiata ai giardinetti, davanti alla chiesa di San Giovanni. Era un uomo dolce, con la bocca dolce, le mani dolci. Mi ricordo ancora che mentre lo baciavo, guardavo le statue bianche sul tetto della chiesa e pensavo: ma quant'è dolce questo ragazzo!

Io mi innamoro di lui. A lui gli piacevo, ma non era molto innamorato. L'amavo piú io che lui. Era la prima volta che m'innamoravo veramente, perché di mio marito ¹ o stata innamorata a fondo.

questo Tonino Santità sono diventata pazza. Avrei fatto le piú grandi pazzie per lui e le ho fatte.

Ci vedevamo tutte le sere. Ci davamo appuntamento al bar Genio. Da lí andavamo al cinema, poi a cena, e poi all'albergo. Pagavo sempre io perché lui non aveva soldi.

Tutto quello che guadagnava lo doveva dare alla sorella e alla madre che erano indigenti. Inoltre doveva pagare la stanza dove dormiva alla cognata. Insomma era sempre senza soldi e veniva volentieri con me perché pagavo sempre io.

Vedeva tutti quei soldi che avevo e diceva: scusa sai, ma tu come fai? chi te li dà tutti questi soldi? ma pazienza, io penso una cosa, non so se sbaglio o indovino, ma penso una cosa.

Io gli dicevo: tu pensi che io vado con gli uomini per

denaro. Ti sbagli. Io i soldi ce li ho da parte, me li sono guadagnati e li ho messi da parte. Comunque non ti preoccupate, se non ce li hai non importa, pago io.

Lui vedeva che io spendevo, cacciavo le carte da cinquemila, e si ringalluzziva. Andavamo a mangiare, a dormire, cacciavo sempre io. Poi gli facevo dei regali.

Gli ho regalato un orologio che costava sessanta mila lire, tutto d'oro massiccio con il braccialetto pure d'oro. Gli ho regalato camicie, scarpe, polsini. Un paio di polsini proprio belli, una volta ho girato tutto un pomeriggio per trovarli, erano d'argento con un rametto di corallo fermato da quattro anellini d'oro e dall'altra parte c'era un bottone, sempre d'oro con sopra incisa la cupola di San Pietro.

Appena avevo un po' di soldi gli facevo regali, sempre regali. Lui in tutta la sua vita m'ha regalato una bottiglietta di liquore francese quando è andato in Francia coi ministri per il Patto Atlantico.

È stato in Francia una settimana e poi è tornato con questa bottiglietta di liquore. Dico: grazie! Dice: questo è un liquore finissimo, è francese, è roba di lusso. Ma io non l'ho mai bevuto e per anni e anni mi sono portata dietro questa bottiglietta per ricordo di lui, finché un giorno l'ho perduta.

Io per lui andavo a rubare, andavo a rischiare. Pur di avere i soldi, per fare bella figura con lui avrei combinato qualsiasi guaio. Andavo per portafogli con Dina, andavo per furti nei negozi con una certa Gianna detta la Boccona e un suo amico detto lo Svociato. Andavo pure per borsette con altre amiche.

Mi insegnavano come si fa. Dice: tu ti devi mettere vicino a noi quando stiamo sull'autobus; devi guardare in faccia le persone, fisso, mentre tagli le borsette o infili le mani nelle tasche della gente. Se tu guardi fisso in faccia il prescelto, allora quello non se ne accorge che tu muovi le mani su di lui. Insomma mi facevano la scuola. E io imparavo subito; ero diventata brava.

Ma siccome i soldi non mi bastavano, non potevo accontentarmi di un solo lavoro. Mai come allora ho impicciato, ho trafficato. Andavo a vendere l'olio, le sigarette; tutto quello che mi proponevano facevo, anche le cose piú rischiose, ero sempre la prima. Pur di avere sempre soldi in mano.

La sera andavo al bar Genio e mi incontravo con Tonino. Era puntuale, preciso. Veniva vestito di blu, con una cravatta d'argento, era bello e tutti se lo guardavano. Aveva le sopracciglia molto scure, le guance pallide e lisce, le labbra gonfie, capricciose, i denti piccoli e puliti.

Andavamo a ballare al 21 Aprile. M'ero pure comprata un vestito da sera, di velluto arancio. Appena potevo, andavo dal parrucchiere, mi facevo i capelli. Andavo da un frocio, un certo Ilario. Questo Ilario aveva un negozio vicino a Cinecittà. Era bravo, mi pettinava, mi lisciava, mi diceva: guarda come stai bene! chissà come sarà contento Tonino! Sapeva che io volevo farmi bella per Tonino, lo conosceva, glielo avevo fatto conoscere io. Mi dava l'ultimo tocco, con quelle sue mani delicate, mi guardava, mi dava un bacio sulla fronte. E io gli lasciavo una bella mancia grossa per la riconoscenza.

Tonino teneva molto all'eleganza; gli piaceva che pure io ero a posto, che facevo la mia figura. Mi portava nei posti dove non ero mai stata e mi sembrava chissà che avevo scoperto! Andavamo alle giostre, al tiro a segno, al cinema. Ero impazzita per lui, per questo Tonino Santità.

Qualche volta però si arrabbiava. Diceva: andiamo andiamo, e mi portava via di corsa. Il fatto è che non voleva farsi vedere con me da certi suoi colleghi di Ministero perché aveva capito che ero una ladra e aveva paura.

Durante il mese di agosto i suoi sono partiti e la casa era libera. Abitava in via De Polis. Dico: andiamo a casa tua? Era un periodo scalognato, che non rimediavo una lira. Ma con lui facevo finta di niente. Prendevo soldi in prestito, col tasso del cinquanta per cento.

Dice: a casa mia no, ci vedono. Ma chi? dico io. I vicini, dice. Aveva paura dei vicini. Aveva paura di tutti, era sospettoso, ci teneva molto alla sua rispettabilità. Infatti era rispettabile, molto per bene, sempre pulito, gentile, ossequioso e dolce come il miele.

Comunque una sera decide di portarmi a casa sua. Di nascosto, m'ha aperto una porta, m'ha chiuso in una stanza e ogni minuto si alzava per andare a vedere se arrivava qualcuno. La luce non l'abbiamo accesa per non dare nell'occhio.

Poi la mattina dopo alle cinque e mezzo m'ha fatta alzare perché voleva che uscivo prima che si svegliava il portiere. Lui è tornato a dormire. E io mi sono trovata sulla strada, senza soldi, e son dovuta rientrare a casa a piedi.

Ero in bianco da un po' di giorni. Non avevo pagato neanche il lettino dove abitavo, alla pensione. Furti non ne capitavano. Le amiche mie, sentendo pericolo, erano sparite. Ci sono dei periodi in cui tutto stagna e i ladri fanno le marmotte perché sentono che si sono svegliate le pantere della polizia.

Allora la notte mi toccava dormire nei portoni, sul pianerottolo di qualche casa. Sceglievo una casa senza portiere, aspettavo che si faceva tardi e poi suonavo tutti i campanelli. Qualcuno apriva. Io accostavo la porta e ci mettevo un piede per fermarla. Poi aspettavo restando fuori che i padroni controllavano chi era. Qualche volta si affacciavano sulle scale, ma vedendo che non c'era nessuno, tornavano dentro.

Io allora salivo fino all'ultimo piano. Mi mettevo davanti alla porta che dà sulla terrazza dove non ci va mai nessuno e dormivo lí, avvolta nel cappotto.

La mattina andavo al Cobianchi a lavarmi. Qualche volta andavo da Dina. Viveva in una camera piccolissima con questo Domenico chiamato Mimí in un gran disordine di letti, di piatti, di coperte e vestiti sporchi.

Mi faceva un caffè, un po' di latte. Mi diceva che ero scema, che ero rinscemita per uno che tirava solo ai soldi e basta. Io ci andavo poco da lei proprio per non sentirmi dire queste cose.

Quando non sapevo dove andare mi infilavo in una chiesa, come quando ero scappata di casa a diciotto anni. Mi prendevano per una pinzochera, una bigotta. E io invece andavo lí per scaldarmi un po', per sedermi e riposare dopo tanti giri inutili.

Ero proprio malridotta e disperata. Da Tonino non ci andavo perché non potevo pagare la cena e l'albergo. Sapevo che avrebbe fatto una smorfia; quella smorfia la conoscevo bene. Non diceva niente ma faceva quella smorfia e voleva dire che era scontento. Poi faceva tutto di malavoglia, era afflitto, annoiato. Non è che mi rimproverava. Era troppo signore per rimproverarmi di non avere soldi.

Si metteva lí, al bar Genio, in piedi davanti alla sua tazzina di caffè e diceva: beh, che facciamo? Dico: possiamo fare l'amore in macchina, come la prima volta. E lui faceva quella smorfia. A me mi dava dolore alla pancia vedergli fare quella smorfia. Già sapevo quello che rispondeva: sí, cosí sporchiamo le foderine nuove!

Se ci fosse stato uno che mi diceva: vieni, facciamo una rapina, c'è da uccidere qualcuno, io l'avrei fatto subito. E invece mi trascinavo per le strade, cercando un'occasione che non veniva. Tutti gli amici erano chi in prigione, chi infrattato, chi partito.

Era un momento poco buono per tutti, un momento di pericolo. La polizia, il questore, non lo so, per ragioni politiche dovevano dimostrare uno zelo raggiante e stavano ad arrestare a tutti, colpevoli e no.

Non avevo neanche i soldi per mangiare. La pensione, per non pagarla l'avevo lasciata. Dormivo nei portoni, alla stazione, dove mi capitava.

Una sera eravamo io e un'amica mia, una certa Giulia. Questa Giulia mi fa: non ho una lira bucata. Dico: nemmeno io. Dice: andiamo a vedere un po' insieme. Dico: dove? Dice: in giro, vieni.

E infatti ci siamo messe a camminare insieme per le parti di piazza Vittorio. Dopo una mezzoretta che camminiamo incontriamo un ubriaco. Giulia mi dà una botta sul braccio. Dice: questo è mezzo morto di vino; prendiamolo sotto braccio come per aiutarlo, e vediamo se c'è da alleggerirlo di qualcosa.

E cosí abbiamo fatto. Una per un braccio e una per l'altro, ce lo siamo caricato. Dico: come va compare? vuoi che ti accompagniamo a prendere un caffè?

Quello rideva, parlava, ma non si capiva niente perché era proprio fradicio di vino. Intanto guardavo se aveva bracciali, collanine, orologi da sfilare. Giulia lo tastava sul sedere per sentire se c'era il portafoglio.

Ad un certo punto mi fa un segno; aveva trovato il portafoglio nascosto nella tasca dei pantaloni. Allora io faccio finta che perdo l'equilibrio, gli casco quasi addosso e nel frattempo Giulia gli sfila il portafoglio fingendo di sorreggerlo.

Dico: andiamo! filiamocela! E facciamo per scappare. Ma questo ubriaco, affogato com'era di vino, mi afferra per un braccio e mi inchioda. Giulia, col portafoglio si dilegua. E io rimango attaccata là.

Gli davo calci, pugni, ma lui mi teneva sempre incollata

a sé; non lasciava la presa. E intanto si mette a gridare: al ladro! al ladro!

Arrivano due poliziotti, mi prendono, mi portano in questura. Lí mi perquisiscono ma non trovano niente. Però mi incarcerano lo stesso, per "capacità".

Dico che significa "capacità"? Dice: significa che tu saresti capace di fare quest'azione anche se non l'hai fatta. Dico: insomma qui cominciano a conoscermi alla polizia, andiamo male!

Cosí sono andata a finire di nuovo alle Mantellate. E Tonino m'ha lasciata subito. L'hanno trasferito, o si è fatto trasferire, non lo so. È sparito.

L'ho fatto cercare da Dina, da Giulia, gli ho fatto dire di scrivermi. Niente. Ha sparso la voce che si era trasferito, non si sa per dove, lontano però e non era possibile conoscere l'indirizzo.

Io come un'allocca aspettavo sempre questa lettera di Tonino. Passavo i giorni ad aspettare questo suo pensiero. M'ero incapricciata insomma, m'ero incapricciata a morte. Era un bel tipo di maschio, alto, i capelli castano-cenere, gli occhi chiari.

Pensavo sempre a lui, lo nominavo cento volte al giorno. Contavo i minuti per uscire e andare a cercarlo. Era veneto questo Tonino. Pensavo: forse è andato nel Veneto: appeno esco vado nel Veneto. Già mi facevo tutti i piani per trovarlo. Aspettavo una lettera, ogni giorno aspettavo.

Passava la suora con la posta. Dicevo: c'è niente per me? Non mi rispondeva neanche, passava oltre. Dico: pazienza, sarà per domani. E domani era la stessa storia. Mi sostenevo cosí.

Poi sono uscita, dopo qualche mese, perché prove non ne avevano e non potevano condannarmi.

Appena esco, vado alla casa di Tonino, a via de Polis. Non trovo nessuno, nemmeno la cognata. Telefono al Ministero, vado in giro, lo cerco dappertutto. Niente. Era sparito. Aveva preso paura.

Vado da Dina. Dico: questo Santità è sparito; che faccio? Dice: meglio perderlo che trovarlo un tipo cosí. Dico: ma un uomo cosí dolce non lo troverò mai piú. Dice: smettila di fare la sentimentale, quello tirava solo ai soldi. Piuttosto da domani, se ti va, andiamo a caccia di portafogli. Dico: va bene, andiamo, non ho una lira.

L'indomani, alle quattro, entriamo in un negozio di via Due Macelli. C'era folla. Dina mi indica una borsetta incustodita posata su un piano di vetro. Afferro questa borsa ed esco scivolando quietamente.

Mentre sto ad attraversare la strada, sento una voce acuta che fa: la mia borsetta! acchiappatela! E dal negozio escono un branco di donne furiose che mi si mettono appresso.

Non faccio in tempo a svoltare l'angolo che mi afferrano in cinque. C'era troppa folla e non ero libera di correre; se no mica mi acchiappavano quelle furie. Dina è fuggita e io, per non inguaiarla, ho fatto finta di non conoscerla.

Sono andata a finire dentro un'altra volta. Per il furto di questa borsetta. Appena arrestata, mi levano tutto, le cinquanta mila lire, la borsa, tutto. E mi condannano a otto mesi di prigione.

In prigione nessuno mi veniva a trovare, nessuno mi mandava niente. Dina si era dimenticata di me perché aveva altre cose da fare. Se ne andava a caccia di portafogli con altre amiche. Di me se ne buggerava. Fino a che le stavo vicino, bene; appena mi allontanavo si faceva altri amici, altre compagnie.

Poi questa Dina ha trovato un signore che si è innamorato di lei; uno di Catania, molto ricco. Lei, o si è innamorata o l'ha fatto per interesse, non lo so. Se n'è andata a Catania con lui e adesso possiede un albergo.

Ha lasciato Domenico detto Mimí che era innamorato cotto di lei ma rubava a rotta di collo. Non è andata mai a finire in prigione. Ha rubato tanti portafogli che neanche se lo ricorda, ma non è mai andata dentro. Io invece sono sfortunata. Mi prendono sempre, mi acchiappano e mi mettono dentro.

Alle Mantellate stavo con le borsaiole di Trastevere. Erano donne allegre, non avevano paura di niente. Ricevevano qualche pacco, vedevano che facevo la fame, mi davano un pezzo di pane, una sigaretta. Se non mi davano niente, tiravo avanti con quella sbobba, quella gavetta piena di acqua sporca e quelle due pagnottelle che ci distribuivano.

C'era chi stava bene, prendeva latte, caffè, zucchero, carne. Ma a pagamento, tutto a pagamento. Io non avevo soldi e dovevo mangiare quello che mi davano. Per una sigaretta qualche volta facevo dei servizi: pulivo una cella, rammendavo un calzino, inchiodavo una scarpa.

Prima non fumavo; me l'aveva insegnato Dina il gusto

del fumo. E dentro era la cosa che piú mi mancava. Allora mi arrangiavo come potevo. Prendevo qualche buccia di patata, la facevo seccare, ci mescolavo qualche crino strappato dal materasso. Poi fabbricavo gli spinelli col giornale, li riempivo di questa roba tagliata sottile e me li fumavo. La bocca si riduceva amara, schifosa; ma avevo l'illusione della sigaretta.

La cosa piú attesa era la liberazione di qualche detenuta. Perché allora chi se ne andava lasciava sigarette, maglie, qualche pezzo di pane, quello che le rimaneva delle sue provviste insomma. Era un momento di euforia e la fortunata faceva la grandiosa.

Di solito questa roba veniva divisa fra le piú povere, quelle che non ricevevano mai pacchi e non avevano i soldi per rifornirsi. Se però questa liberata aveva la compagna, la sposa insomma, perché lí dentro c'erano i matrimoni come nella vita civile, allora lasciava tutto a lei e buonanotte.

Le coppie sposate erano gelose, irte. Potevano vivere tranquille, calme se nessuno le disturbava. Ma mettiamo che una si innamorava di una di queste accasate, succedeva il finimondo. Uscivano i coltelli, si avventavano.

Io stavo sempre sola. Pure nell'astinenza del carcere, non mi sono mai messa con una donna perché a me mi piacciono troppo gli uomini.

Io posso stare pure un anno intero senza l'uomo. Basta che ho un pensiero e me lo coltivo. Penso al corpo dell'uomo, alla sua bellezza, alla sua dolcezza e mi arrangio da me.

Quell'anno sono stata male per Tonino, perché se n'era andato. L'avrei aspettato pure due anni. Pensavo a lui. Cantavo le canzoni che piacevano a lui. Per otto mesi sono rimasta con lui che mi giracchiava dentro la testa.

Ora un giorno mi chiama il direttore. Io penso: qui mi farà il rimprovero perché sono ribelle e ho risposto male alla suora. Vado alla direzione con l'aspettativa del rimprovero. Già pensavo: questo ora mi leva quel poco di vitto che ho, mi aggiunge altri due mesi alla pena.

Nel mentre che penso cosí, lui mi fa, gentile gentile: Teresa, come va? Dico: bene direttore. Ora comincia con le buone, pensavo, poi arriva il brutto.

E lui: tu conosci tutte le detenute vero? Dico: sí, sono tutte amiche. Dice: tu non ricevi mai pacchi da casa vero? Dico: no, purtroppo no. Dice: ti piacerebbe ricevere qualche cosa da mangiare? E da chi? dico. E lui: non ti preoccupare, tu basta che ogni tanto vieni qui e mi dici cosa nascondono le tue compagne.

Questo fetente, mi voleva comprare con un po' di mangiare. Dico: signor direttore, ma io non ho niente da raccontare; cosa vuole che succeda in un carcere!

Dice: succedono tante cose. Per esempio qualche mese fa è scappata una zingara e sono sicuro che ne sapevi qualcosa. La colpa, quando una scappa dal carcere, lo sai di chi è? sempre del direttore, anche se il direttore non c'entra per niente perché le guardie sono corrotte e non fanno il loro dovere.

Dico: io non so niente; le zingare, lei lo sa, non aprono la bocca neanche per sbadigliare. Dice: ma le altre sí, le altre parlano, in carcere si sa tutto, e il direttore deve sapere, il direttore non può ignorare.

Dico: ha sbagliato indirizzo signor direttore, perché io non so niente. A me non mi racconta niente nessuno. Io sono compagnona, faccio amicizia, mi vogliono bene tutti, però non mi dicono niente. Ognuno per sé.

Dice: sei una bugiarda e una ribelle, finirai male. Dico: piú male di cosí signor direttore!

A me invece mi dicevano tutto. Il direttore lo sapeva. E perciò mi aveva scelto e anche perché avevo fame, una fame speciale, una fame tremenda. Io non ricevevo mai pacchi e lui per un pacco mi voleva fare spia.

Ma io non sono nata spia. Pure che lo facessi, mi imbroglierei, mi impasticcerei, lo lascerei subito capire. Poi finirei per picchiare qualcuno e sempre andrei male. Non sono abbastanza impassibile per fare la spia.

Io sapevo pure della zingara che è scappata. Non perché me l'aveva detto lei, ma un'altra, un'amica. In carcere si sa tutto.

Questa zingara era belloccia, con due gambe lunghe lunghe e la bocca rossa rossa. C'era una che le faceva gli occhi dolci, una certa Rosa. Questa Rosa era una vecchia ma prepotente che comandava, faceva da padrona alla lavanderia e in cucina.

Alla zingara le faceva avere tutte porzioni doppie; doppie patate, doppia carne, doppia pasta. La zingara mangiava e non parlava. Non ringraziava, non diceva niente. E Rosa sempre la proteggeva, senza chiederle una ricompensa.

Però tutte e due lo sapevano che un giorno o l'altro la cosa si doveva concludere; la zingara doveva rendere il favore in qualche modo con l'amore. E la cosa andava avanti perché la zingara rimandava e l'altra aspettava.

Poi una sera è arrivato il rendiconto. Non so come, ma Rosa gliel'ha fatto capire che era venuto quel momento. E se non ci andava con lei, era capace di ammazzarla.

La zingara non diceva mai niente. Anche quella sera non ha detto niente. Ha mangiato tutto, si è ripulita il piatto col pane, tranquilla, puntuale. Poi se n'è andata a letto.

Nella cella dove dormiva, giusto quella sera la compagna sua non s'è vista, la Vincenzina, zingara pure lei. Invece della Vincenzina arriva Rosa, tutta ripulita, con un vestito nuovo, la collana, i capelli lavati e tinti, la cipria, il rossetto.

La zingara però, invece di aprire, ha chiuso la porta e ci ha messo davanti il letto in modo che quella non poteva entrare. Rosa è forte, spingeva; l'altra bloccava la porta da dentro. Le carcerate tutte, sebbene sapevano ciò che stava succedendo, erano sparite. Le avevano lasciate sole.

A questo punto è arrivata la suora e Rosa se n'è dovuta tornare alla sua cella, aspettando un momento piú opportuno per ritornare all'assalto. La zingara ha chiesto di scendere in lavanderia perché aveva dimenticato il suo anello di matrimonio sulla vasca. La suora l'ha fatta scendere perché si fidava. E quella non è piú tornata.

È successo quella sera perché l'occasione era quella, ma poteva succedere dopo o prima. La zingara lo sapeva che doveva arrivare quel giorno e aveva preparato la fuga.

Rosa era la sola che non lo sapeva in tutto il carcere. Le altre conoscevano questo piano, anche se non erano al corrente dei particolari. Aveva piantato dei chiodi sul muro di cinta, questa zingara, senza farsi accorgere da nessuno e aiutandosi con quei chiodi si è arrampicata su e poi è saltata dall'altra parte. Ha fatto un salto di dieci metri, non so come non si è rotta niente. Era elastica come un gatto.

Il giorno dopo tutti guardavano Rosa per ridere di lei. E lei ha avuto la faccia di non mostrare nessun cordoglio. Ha mangiato contenta e allegra come al solito, anzi piú contenta del solito. Quasi quasi abbiamo pensato che la fuga gliel'aveva organizzata lei.

Parlava, rideva, trafficava con le pentole della cucina.

Tutti si aspettavano qualche scena di rabbia, qualche urlata. Invece niente. Era calma e gentile. Anzi, sfacciatamente si è messa a fare la corte a una nuova, una ragazza di ventidue anni, arrestata per droga.

Per tre giorni è stato cosí. Poi tutto d'un botto Rosa non ce l'ha fatta piú a reggere la commedia. Una mattina sentiamo che dalla sua cella escono degli strilli come se nascesse un figlio.

Tutti accorrono. Era lei che piangeva, vomitava, si sbatteva la testa al muro. Viene la suora. Dice: che hai Rosa? Dice: mi sto a morire, ho mangiato qualche cosa che mi ha fatto veleno, mi sto a morire suora, non ce la faccio. E le lagrime le venivano giú come la pioggia.

Era tanto brava commediante che ci hanno creduto tutte alla bugia del cibo avvelenato. Invece era il veleno dell'amore, io l'ho capito subito. Veniva fuori in ritardo come una tempesta e questa tempesta l'ha tenuta dentro un letto dell'infermeria per otto giorni che sembrava morta. Il dottore diceva che non aveva niente, ma lei stava a morire: era bianca bianca e non riusciva a respirare.

Un'altra volta per un pelo prendo una coltellata. Perché nel carcere le gelosie e le invidie sono piú forti che fuori e ogni capello diventa un trave.

C'era una coppia felice, di due donne. Una era dentro per omicidio e l'altra per omicidio pure. Una aveva ammazzato il padre per seduzione e l'altra il cognato per soldi.

Erano due donne buone, nessuno le sentiva mai. Maria e Venerina, si chiamavano cosí. Avevano piú o meno la stessa età, ventotto anni.

Queste due, Maria e Venerina, mangiavano insieme, dormivano insieme, passeggiavano insieme, lavoravano insieme. Erano due gemelle. Parlavano poco, non litigavano mai. Erano quiete quiete, miti.

Un giorno, non so come, Venerina viene da me e mi offre una sigaretta. Dice: vuoi fumare? Dico: grazie, hai ricevuto un pacco? Dice: l'ha ricevuto Maria, dalla madre. Dico: con tutto che ha ammazzato il padre, la madre le manda i pacchi? Dice: la madre è contenta che ha ammazzato il padre, era d'accordo con la figlia.

Mi fumo questa sigaretta. A Maria non ci pensavo proprio. Credevo che non era scesa all'aria perché stava poco bene. Non ci avevo fatto caso che erano divise, e questo non succedeva mai e poi mai.

Venerina che aveva due occhi verdi da serpente, mi appiccica questi occhi sulla faccia e parla parla. Mi sembrava un po' esaltata, ma non ci facevo caso.

Dice: lo sai come l'ho ammazzato a mio cognato? Dico: no. Mi stupisco un poco perché dentro il carcere è difficile che si parla del proprio delitto.

Dice: ho preso il male-peggio e mentre che lui si chinava a tirare su l'acqua dal pozzo, gliel'ho dato sulla testa. Dico: che cos'è questo male-peggio? Dice: è un picozzone di ferro che da una parte è male e dall'altra è peggio ancora, per rompere i muri, lo usano i muratori che infatti mio cognato faceva il muratore.

Dico: e perché l'hai ammazzato questo cognato tuo col male-peggio? Dice: perché mi aveva preso due milioni per sposare mia sorella. Dico: e tu come ce li avevi due milioni? Dice: io lavoravo, lavavo i panni a pagamento; ho lavato più panni io di una lavatrice elettrica. Lavoravo fino a quattordici ore al giorno; e tutto quello che guadagnavo lo davo a questo cognato per sposare mia sorella perché era rimasta incinta di lui e senza soldi non si potevano sposare.

Dico: li hai fatti sposare, in quanto tempo? Dice: ci ho messo due anni. La sorella mia ha fatto il figlio; il figlio si è svezzato e poi si sono sposati, con questo figlio già svezzato. Il patto però con mio cognato era che quando lui si sposava, mi restituiva i soldi un poco per volta col ricavato del suo lavoro.

Invece i soldi non me li dava. Anzi, pretendeva che io continuavo a pagare la casa per lui, la sorella e il figlio. E mi dice che se io voglio bene a questa mia sorella devo aiutarla perché lui non ce la fa a mantenerla.

Intanto vengo a sapere che al lavoro ci andava un giorno sí e uno no, che raccontava a tutti di vivere coi soldi della cognata, che si era trovato un'altra donna, la moglie di un muratore suo amico e con lei spendeva pure i soldi miei.

Non ho fiatato perché volevo controllare la verità. Mi sono messa a seguirlo. E l'ho visto, lui e questa donna, che andavano a fare l'amore dentro il cantiere, di notte.

Non ho detto niente, neanche a mia sorella, per non

danneggiarla. Questa mia sorella poi è una bambina, una che gioca col figlio come un bambolotto e del marito e del mondo non capisce niente di niente.

A lei piace solo infilarsi dentro l'Upim. Va all'Upim, guarda tutto, tocca tutto, smuove tutto, automobiline, fucili, orsetti di pezza, bambole, anelli finti, collane finte, bracciali finti. Alla fine compra una tavoletta di cioccolata e se ne torna a casa. Una volta per andare all'Upim ha lasciato il figlio legato al letto e per poco quello non moriva soffocato.

Io cosí mi sono assicurata che il cognato mio la tradiva veramente e poi una mattina, mentre lui prendeva l'acqua dal pozzo, gli ho dato il male-peggio in testa. Gli ho spaccato il cranio che gli uscivano le viscere del cervello di fuori.

Poi ho chiuso casa perché mia sorella tornando dalla spesa non lo vedesse. Ho sprangato tutto, ho chiuso tutto e sono andata a costituirmi.

Dico: e ora tua sorella come vive? Dice: coi soldi miei; non lavoro anche qui dentro? quello che guadagno lo mando a lei. Dico: ma non può lavorare questa sorella tua? Dice: no, ha la testa di una bambina di cinque anni. Come può lavorare una bambina di cinque anni?

Nel mentre che mi dice queste cose si vede che quella, Maria, guardava dalla finestra. Dopo me l'hanno detto, ma lí per lí io non lo sapevo. Tutto d'un botto questa Maria scende da basso, mi viene dietro e fa per infilarmi il coltello nella schiena.

Venerina l'aveva vista ma non ha detto niente. Aveva fatto quella provocazione apposta per ingelosirla e adesso aspettava la coltellata che era la prova dell'amore di Maria. Io, ingenua, stavo lí a sentire di questo cognato!

Per fortuna c'erano due amiche mie, due vecchie barbone che avevano seguito la scena drammatica. E quando Maria mi viene addosso col coltello, la fermano e la stringono forte forte.

Da quel momento è cominciata una lite tremenda, a pugni, a calci, a botte. Maria era forsennata e voleva ammazzare qualcuno. Venerina picchiava a una perché questa picchiava a Maria.

Insomma pum pam pum pam, era un zuffa generale. Io menavo pure, perché quando ho capito il pericolo mi sono arrabbiata e volevo prendere a botte Venerina e c'erano tre che mi tenevano.

Arrivano le guardie, arrivano le suore. Prendono tutte, ci dividono. Due le mandano in castigo, due che non c'entravano per niente. A Maria e a Venerina le lasciano libere.

Cosí, appena se ne vanno, ricomincia la zuffa. Allora tornano le guardie e finalmente capiscono che la colpa era di quelle due gemelle che non parlavano mai e le hanno divise.

Venerina l'hanno mandata a Perugia e Maria a Pozzuoli. Poi ho saputo che questa Venerina si è suicidata, non so come, ma è morta.

Esco dalla galera e mi trovo piú povera che mai e senza neanche le scarpe per camminare. Allora vado a trovare Dina e mi dicono che non c'è, è partita.

Vado al bar Bengasi e incontro qualche amico ladro. Dice: come stai Teresa? Dico: male, esco adesso dalla prigione e non so dove sbattere la testa. Dice: tieni un caffè Teresa, e stai allegra! basta che sei libera e poi la vita si arrangia.

Vado a casa di Giacoma, una che avevo conosciuto in carcere ed era uscita poco prima di me. Appena mi vede mi fa le feste, mi offre panettone, cognac, spumante. Cerco di capire se posso rimanere la notte da lei. Mi sembrava che c'era un altro letto oltre quello suo e del marito. Ma poi arriva la madre e capisco che devo andare via. Dice: torna, torna domani! Era molto gentile.

Quella notte ho dormito dentro un portone. E per tre sere ho dormito sempre randagia, di qua e di là, alla stazione, dentro una macchina abbandonata.

Poi torno da questa Giacoma del panettone. La quale mi abbraccia, mi bacia, mi offre un bicchiere di Strega. Mi racconta che adesso il marito sta per fare un colpo con le macchine rubate. Dico: perché non dici a tuo marito se posso fare qualcosa per lui? Dice: vedremo.

Giusto combinazione, quella mattina avevano arrestato la madre di questa Giacoma per favoreggiamento. E cosí per qualche notte ho dormito nel letto della madre. Il marito non si vedeva mai. Tanto che ad un certo punto pensavo che questo marito se l'era inventato.

Una mattina, mentre vado verso il bar Bengasi, mi prendono i dolori. Dico: ecco cosa succede quando non si ha l'abitudine. Questa Giacoma mi dava sempre cognac, Strega, malvasia e io non ero abituata all'alcool. Avevo i dolori al basso ventre, tanto forti che ad un certo punto non ce l'ho fatta piú e sono cascata per terra lunga distesa.

Qualcuno m'ha raccolta e m'ha portato all'ospedale. Dice che avevo il peritoneo infiammato, la pelviperitonite. Insomma mi portano a questo San Giovanni e mi mettono in un letto.

Nel letto accanto c'era la Spagnola. Dice: tu che fai qui? Dico: non lo so, m'hanno raccattata per strada che stavo male. Dice: io mi sono operata alle ovaie.

Era una fortuna per me che avevo questa compagnia. Abbiamo passato qualche giorno in allegria, raccontandoci tutti i fatti nostri. Io intanto mi ero ripresa, stavo meglio.

Una mattina la Spagnola mi dice: vogliamo mettere la firma e ce ne andiamo? Dico: e dove andiamo? Dice: fuori c'è mio marito, un americano che ho sposato mentre tu eri dentro.

Mi fa credere che aveva marito. Invece questo non era il marito, ma uno che aveva incontrato per la strada. Dico: ma davvero ti sei sposata? e quando? Dice: un mese fa, con questo americano che è molto simpatico. E allora usciamo pure! dico io.

Mettiamo la firma e usciamo. Questo marito però non c'era per niente e la casa nemmeno. E allora dico: ma che m'hai fatto uscire a fare? almeno lí avevamo un tetto, ora dove andiamo? Dice: andiamo da mia sorella. E andiamo da questa sorella, Nerina.

Abitava alla Batteria Nomentana. Era alta, come la Spagnola, mora pure lei, però brutta. Aveva il naso come un cane e la bocca grande con tutti i denti di fuori.

Questa Nerina ci fa dormire una notte a casa sua. Ma il giorno dopo ci butta fuori perché dice che tornava il marito dal viaggio di commercio e non c'era piú posto.

Io dico alla Spagnola: tu parli parli ma qui non c'è né sorella né marito; sei buttata in mezzo a una strada come me. Dice: il marito chissà dove si è ficcato! ma ti giuro che ce l'ho, si deve essere infrattato da qualche parte, comunque prima o poi lo ritrovo. La sorella è cambiata, perché prima era piú buona, adesso da quando ha sposato il viaggiatore di commercio, non è piú la stessa. Dico: va bene, ma che facciamo? Dice: andiamo ad Anzio; lí hai tanti fratelli, qualcuno ci aiuterà.

Cosí andiamo a finire ad Anzio. Mio padre come mi vede mi scaccia; Doré la Lunga in quel periodo ce l'aveva con tutti, sembrava una belva.

Vado da Nello ma pure lui non poteva tenermi perché stava facendo i lavori in casa. Dico: siamo capitate male; ora che facciamo? Dice: torniamo a Roma.

Ci siamo messe per la strada, a camminare. Quando eravamo stanche, ci mettevamo su un fianco della strada a riposare un po'. Abbiamo provato a fare l'autostop, ma nessuno si fermava. Come ci vedevano tutte sderenate, vestite male, voltavano la testa.

Finalmente si ferma uno con la Seicento. Era uno studente, biondo biondo, bellissimo che mangiava confetti da un sacchetto di carta. Dice: salite! Tutto gentile, ci fa salire. Poi comincia con le domande. Dice: quanto prendete al giorno? quante ne fate? vi capita mai qualche pervertito?

Questo ci aveva scambiato per due battone e non riuscivamo a toglierglielo dalla testa che non era vero. Credeva che eravamo vergognose e ci offriva confetti, confetti rosa da battesimo, per abbonirci.

Mangiando mangiando siamo arrivati a Roma. Ci facciamo scendere dalle parti di Santa Maria Maggiore e ce ne andiamo a trovare un'amica, Gianna la Boccona.

Questa stava in una pensione di via Panisperna. Aveva una camera piccolissima che dava sopra un garage. Per parlare bisognava gridare perché il rumore era terribile.

Abbiamo dormito tutti e tre dentro questa stanza, due nel letto e una per terra, sopra la coperta.

La mattina dopo cominciamo ad andare a caccia di portafogli. Ma la Spagnola non era Dina, non ci sapeva fare. Io nemmeno. Avevo perso un po' la mano. Qualche portafoglio l'abbiamo preso, ma vuoto. Due volte ci hanno svagato, e per poco non ci portano dentro.

La Spagnola dice: sai che ti dico, questo mestiere è troppo pericoloso; coi portafogli rischio troppo. Sai che ti dico? io mi faccio qualche uomo, è l'unico modo possibile di campare e non ti mettono dentro.

Infatti quel giorno si prepara tutta in ghingheri e va alla stazione. Rimedia un pesce lesso e se lo porta a letto. E la sera finalmente abbiamo cenato, tutti e tre. Su quel let-

149

tino sgangherato, abbiamo steso un pezzo di giornale, e sedute intorno come su un prato abbiamo mangiato pane, mortadella, fritto di pesce e arance.

Io andavo in giro da sola a cercare portafogli, borsette, e lei batteva. La sera ci riunivamo nella stanza di Gianna la Boccona e mangiavamo. Qualche volta però non mangiavamo affatto, perché soldi non c'erano. La Spagnola aveva la specialità di incontrare dei tipi scuciti, sgangherati che se la portavano dietro una frasca e poi non la pagavano. Per me pure era un periodo nero; non rimediavo un portafoglio nemmeno morta.

Una sera la Spagnola viene e mi dice che ha ritrovato il marito, l'americano. Dico: fammelo vedere. Dice: vieni stasera che te lo presento, andiamo fuori a cena insieme.

La sera infatti viene questo. Era un vecchio, un ingegnere. Ma non era americano per niente, era stato due anni in Argentina, aveva fatto i soldi, ma non era americano, era italiano come me e la Spagnola.

Questo argentino ci porta a mangiare in una trattoria di lusso: ossobuco, cotolette di maiale, tortellini, dolce di castagne e caffè. Nel mentre che ci ingozzavamo, la Spagnola gli faceva le moine, gli teneva la mano, gli carezzava la schiena.

Era un vecchio alto, coi capelli tinti di nero, una bella figura. Aveva una dentiera tutta bianca, tutta luccicante. Solo che era fissata male e ogni volta che rideva o parlava, questi denti andavano su e giú e sembrava che da un momento all'altro dovevano cadere nel piatto.

Questo vecchio gli dava i soldi alla Spagnola, ma poco per volta, qualche migliaio di lire. Se lei voleva qualcosa, doveva andare insieme con lui al negozio.

Le ha comprato un bracciale largo cinque centimetri, tutto d'oro con una scritta cinese. Ma i soldi in mano non glieli metteva. Faceva tutto lui.

La Spagnola gli chiedeva i soldi per un appartamento. Ma lui non ci sentiva da quell'orecchio. Dice: se vuoi una casa, vieni a vivere con me. E infatti lei ci andava spesso in quella casa, dove abitava la vecchia madre di novant'anni col figlio piú piccolo.

Però quando stava in casa loro, le toccava accudire a questo fratello che era mongoloide e allora dopo un po' si stufava. Lei avrebbe sperato di sposarsi, ma ogni volta che gliene parlava, lui rispondeva: ti pare che mi sposo una puttana? che mi metto una puttana in casa? E lei doveva abbozzare.

Dico: ma che ci stai a fare con questo vecchio dai denti traballini? stai a perdere tutto questo tempo con lui, in quella casa muffita, con quel fratello idiota; ma non lo vedi quanto è tirchio? Sí, dice lei, ma io preferisco un vecchio perché si accontenta di poco e poi mi paga tutto quello che voglio.

Però soldi in mano non te ne lascia, dico io. No, dice, ma in fondo non è cattivo sai, a quel fratello gli vuole molto bene, lo cura con le sue mani e pure alla madre è affezionatissimo e pure a me.

Dico: sí, tanto affezionato che non ti vuole sposare a nessun costo e appena può, ti mette a fare la bambinaia a quel fratello scemo!

Dico: lo sai che facciamo? gli rubiamo tutti i soldi e ce ne andiamo! Dice: no, ho paura. Dico: non ti preoccupare, ti aiutiamo io e Gianna la Boccona. Dice: e la madre? Dico: la madre è vecchia, che può fare?

Cosí, Gianna la Boccona, io e la Spagnola organizziamo questo furto che doveva essere perfetto e infatti lo è stato.

Una sera la Spagnola va a passare la notte da questo americano e lascia la porta di casa aperta. Poi si ritira a dormire con lui, dopo avere chiuso a chiave la vecchia madre nella sua stanza e avere messo a letto il fratello mongoloide.

Verso le tre, la Boccona e io entriamo in casa. Apriamo la porta della camera da letto. Il vecchio dormiva. La Spagnola stava là, in camicia, a piedi scalzi e ci guardava terrorizzata. Ci faceva: piano, piano! Aveva paura, tremava.

Con un occhio guardava lui, con l'altro noi. Speriamo che gli abbia dato il sonnifero, pensavo, ma non parlavo per non fare rumore.

La Boccona va verso l'armadio a prendere la pelliccia della vecchia madre, io apro il cassetto del comò dove sapevo che teneva i soldi. Trovo due pacchetti di carte da diecimila, li prendo. Poi sfilo il portafoglio dalla tasca della giacca e siamo a posto.

A questo punto ce ne siamo andate tutte e tre, in punta di piedi. La Spagnola, per la paura, gli ha lasciato la sua borsa con tutti i documenti dentro che però erano falsi.

Comunque sia il furto l'abbiamo fatto e non ci hanno mai prese.

Con quei soldi abbiamo tirato avanti quasi tre settimane. Facevamo dei grandi banchetti nella stanza di Gianna la Boccona, con vino, insalata russa, funghi, arrosto e frittate.

Poi è ricominciata la magra. La Spagnola è tornata a battere. E mi spingeva a me. Mi diceva: conosco uno che ti vorrebbe, ha un sacco di soldi.

Dico: senti, se c'è da rubare io sono pronta; ma di farci l'amore con questi zozzoni mi fa schifo, mi fa troppo schifo; non me lo chiedere perché finisce che ti meno.

Dice: facciamo una cosa, io ti presento uno coi soldi, tu fai finta che ti piace, te lo rigiri un po' e poi all'ultimo momento ci vado io e i soldi li dividiamo a metà.

Dico: questo semmai si può fare. E infatti due o tre volte è capitato. Quando c'era qualcuno che voleva a me, io gli facevo la parte come per andarci e poi all'ultimo mettevo nel letto la mia amica e lei se lo doveva cibare.

Una volta ci è andata molto bene. Abbiamo preso piú di centomila lire. Era uno dell'Ambasciata del Vaticano, tutto vestito di nero, le calze nere, la cravatta nera, le mutande pure nere.

Dico: ma chi è morto a casa tua? Dice: perché? Aveva una faccia grassa e pacifica con tutti i ricci grigi sul collo. Mi faceva senso a guardarlo. Comunque, per fare piacere alla Spagnola, me lo rigiro per tutta la sera. Poi quando è l'ora di andare a letto, dico: andiamo a questo albergo che conosco, in via Capo le Case. Lí infatti non c'era bisogno di documenti. Dice: sí sí, va bene.

All'albergo, quando proprio stiamo per entrare nel letto, gli dico: guarda che io non sto bene, al posto mio ti mando una mia amica, una bella ragazza. E lui dice: ma io adesso sono pronto per te, con quella magari non mi va. Dico: pensa a noi che ci succede continuamente, che siamo pronti per uno e ci tocca prenderne un altro.

Dice: ma voi lo fate per i soldi, per voi è indifferente. Dico: secondo te è indifferente abbracciare uno anziché un altro? Dice: per voi sí, se no che puttane siete?

Dico: senti, non fare tante storie, la mia amica ti piacerà, è piú bella di me e poi io sto male; mica vorrai fare

l'amore con una che sta male? Dice: se non è una malattia venerea per me fa lo stesso. Dico: per me no.

Esco e vado a chiamare la Spagnola che aspettava dietro
l'angolo. Rientro con lei. Questo era tutto nudo, coi calzini neri e si guardava allo specchio. Aveva posato i vestiti piegati bene sulla sedia. Aveva una croce d'oro pesante un chilo appeso al collo e tutta la pelle bianca senza peli.
Dico: eccola qui, ti presento Ofelia la mia amica. E lui fa:
piacere.

La Spagnola subito si spoglia e spegne la luce. Lui dice:
rimani pure tu, rimanete tutte e due, vi pago il doppio. Dico: no, te l'ho detto che sto male. Dice: e che ci fa?

Dico: tu fai con questa Ofelia, dopo vengo a consolarti
io. Dice: quando torni? Dico: fra poco. Mentre parlo cosí,
al buio, tiro fuori il portafoglio dalla tasca dei pantaloni.
E me ne esco.

La Spagnola ci fa l'amore, se lo smucina bene bene, poi
lo lascia lí addormentato e mi raggiunge fuori. Facciamo
una corsa che i piedi ci arrivano in testa. In quel portafoglio ci abbiamo trovato centoquindicimila lire.

Un'altra volta per poco mi fa smaronare, la Spagnola.
Per l'insicurezza sua, per la sua faccia spaventata. Uno con
cui avevamo fatto lo stesso gioco se n'è accorto e ci voleva
denunciare. Ce la siamo cavata per un pelo.

Allora le dico: senti Spagnó, tu mi sa che gira e rigira
mi rimandi in galera perché non sei buona a fare niente e
mi inguai pure a me. Infatti non era buona a rubare, non ci
sapeva fare.

La Spagnola era buona solo a letto. Il suo lavoro era
quello: uno ci andava e poi pagava. Lei diceva il prezzo
suo, quello apriva il portafoglio e tirava fuori i biglietti da
mille. Di piú non sapeva fare.

Infatti si è trovata un marito. Si è sposata e ora abita a
Trieste. Sta bene, ha una bellissima casa, al marito gli
vuole bene, è una bravissima moglie.

Mi scrivono sempre le cartoline. Dice: ti aspettiamo, vieni a trovarci. Ha il frigorifero, lo scaldabagno, la lavatrice
dei panni e un letto col baldacchino. Il marito lavora e
lei sta a casa.

Un giorno, mentre seguivo uno col portafoglio bene in vista nella tasca dei pantaloni, mi prende di nuovo un attacco di peritonite.

Stavo appresso a uno, un bulletto che si era fermato all'edicola di piazza Vittorio. Aveva un portafoglio gonfio gonfio che gli sbucava dalla tasca. Dico: ora questo lo seguo, vediamo che fa! Ma mentre lo seguivo mi ha preso questo attacco e sono caduta senza forze sul marciapiede.

Mi torcevo, non ce la facevo a rialzarmi. Quello del portafoglio si è voltato, m'è corso incontro, m'ha aiutato a rialzarmi. Dice: che ha? Dico: sto male, ohi ohi che dolore! Pensavo: ora se mi viene piú vicino, lo derubo. Quel portafoglio mi ballava davanti agli occhi. Ad un certo punto stava proprio a portata di mano, perché lui si era chinato a raccogliere la mia borsa. Dico: ecco lo prendo, lo prendo. Ma non mi riusciva di comandare il braccio. Facevo per alzarlo e ricadeva giú. Insomma svengo.

Quando mi sveglio sono dentro a un letto. Riconosco l'ospedale di San Giovanni. I letti però erano aumentati dall'ultima volta. Il mio stava attaccato alla porta e ogni persona che entrava, ci sbatteva contro. Il dolore non mi faceva respirare.

La sera m'hanno fatto la barba al sesso, m'hanno messa sulla barella e m'hanno portata dentro la camera operatoria. Mentre mi stavano preparando per operarmi, arriva un professore, il professor Matteacci, Matteotti, un nome del genere.

Arriva con l'ombrello, me lo ricordo ancora, fuori pio-

155

veva. Viene, mi guarda e fa: lasciatela perdere; questa come l'aprite vi rimane sotto ai ferri, lasciatela stare!

E cosí, con tutta la barba fatta, la pancia spalmata di iodio, mezza assiderata, mi hanno riportata in corsia.

Il dottore, sempre con l'ombrello, dice: tentate di freddarla, tanto se l'operiamo ci muore sotto i ferri, freddatela, freddatela, almeno muore sana!

E infatti me l'hanno freddata la peritonite. Tutta la notte iniezioni. Veniva una infermiera piccolina, me la ricordo bene, con un agone grosso, mi strappava la carne. Era piccola e carina questa infermiera, ma aveva dei muscoli di ferro. M'acchiappava il sedere con le mani gelate, m'infilava l'ago, era un soldato. Poi la borsa di ghiaccio; ogni volta che si squagliava me la rimetteva nuova.

La peritonite è tornata indietro, si è freddata. Sentivo che dicevano: poverella, morire cosí! E m'hanno freddato il peritoneo che per fortuna si è calmato.

Col peritoneo però mi hanno freddato anche le ovaie, non so, acciocché mi hanno impedito poi di avere figli. Infatti da allora sono diventata sterile.

Pian piano sono guarita, ho ripreso vita. Sempre con questa infermiera carina, di ferro, che mi faceva l'iniezione. Sono diventata grassa. I dolori sono passati e dopo quindici giorni mi hanno dimessa.

Esco e vado al bar Bengasi. C'erano tutti i ladri amici miei. Mi fanno le feste, mi offrono il caffè. Però ciascuno per la sua strada. Da lavorare non c'era niente. Io mi metto a parlare con una certa Lucia, una velletrana, e lei mi dice: ti aiuto io. Dico: e come?

Questa Lucia faceva la vita. Era piccoletta, corvina, con un bel petto. A lei piacevano molto i cappelli, aveva sempre dei cappelli diversi, di raso, di velluto, di panno che le facevano la testa il doppio di quello che era.

Mi invita a casa sua. Era gentile. Viveva sola in una stanza senza acqua corrente. Ma aveva un bel letto grande e morbido. Mi invita a dormire e mi dà pure da mangiare. Dico: dopo, appena faccio qualche soldo, ti pago. Dice: non ti preoccupare. Era brava, generosa.

Di giorno dormivamo. La sera, lei andava a uomini e io uscivo per rimediare qualche lavoro. Però mi andava quasi sempre male. Ero sfortunata in quel periodo.

Dovevo fare un carico di sigarette assieme con un contrabbandiere, ma poi all'ultimo questo si è preso un altro compare. Dovevo partecipare a un furto in un appartamento e poi m'hanno lasciata fuori perché dice che ero ancora debole e non potevo correre.

Una mattina Lucia mi fa: stasera ti presento a uno, un sarto che t'ha visto una volta e ti vuole conoscere. Dico: com'è? Dice: ha un sacco di soldi, ha la sartoria, ti può fare i vestiti gratis, ha la roba, ha la campagna, proprietà, case, sta bene insomma.

La sera arriva questo sarto. Appena lo vedo mi metto a ridere: era bassetto, con la testa grossa e rotonda, sembrava una pagnottella imbottita. Poi aveva un occhio che andava da una parte, per conto suo, un occhio lustro. Infatti lo chiamavano cosí, Occhi Lustri. Non mi piaceva questo sarto, mi faceva senso a guardarlo.

Ci mettiamo a tavola, mangiamo allegramente. Il sarto mi guarda, mi guarda sempre. Con quest'occhio lustro sempre appicciato in faccia. Era di compagnia, mangiava, rideva, mi toccava il piede con la scarpa.

Lucia gli faceva un sacco di complimenti, lo trattava come un gran signore: ancora vino? ancora acqua? un bicchierino di liquore? Lui non diceva mai di no, l'occhio suo diventava sempre piú lustro e piú matto.

Insomma questo Occhi Lustri comincia a farmi un sacco di regali. Veniva a ogni ora del giorno e mi faceva regali: borse, guanti, fazzoletti. Era generoso. Lucia mi diceva: stacci una volta, ti farà fare la signora!

Dico: è brutto, non lo posso neanche guardare. Dice: ma che te ne importa a te se è brutto! vacci magari una volta sola, gli levi un po' di soldi, vacci! Ma io non mi decidevo. Mi facevo regalare la roba e rimandavo sempre.

Una sera questo mi dà un appuntamento all'albergo. Avevo rimandato troppe volte e da ultimo mi aveva regalato un paio di scarpe di coccodrillo. Non potevo piú rifiutare.

Aveva prenotato una camera in questo albergo. Dice: stasera però non ci sono scuse, Teresa, o vieni o non ti do piú niente. Dico: sí va bene, stasera vengo, puoi stare sicuro.

Vado all'appuntamento. Me lo vedo venire tutto distinto, vestito di scuro, con un fagottello sotto il braccio. Dico:

che porti dentro a quel fagottello? Dice: il pigiama. Tra me penso: mò te lo do io il pigiama!

Allora andiamo in questo albergo, a via Merulana, verso San Giovanni. Io camminavo piano, strascicando i passi perché non mi andava, proprio non mi andava e stavo cercando un modo per scappare. Ma era difficile. Perché questo Occhi Lustri mi aveva fatto tanti regali, mi aveva rivestita tutta, e s'era pure innamorato.

Mentre stiamo in questo albergo, dentro un corridoio lungo lungo e tutto giallo, vedo uno da lontano che mi pare Tonino. Dico: scusa un momento, ho visto un parente mio, vengo subito.

Corro dietro a questo fino alle scale, lo guardo bene, vedo che non è Tonino. Ma il pensiero di lui mi è ritornato cosí forte che mi faceva male il cuore.

Occhi Lustri mi aspettava ancora lí davanti alla porta. Dico: aspetta aspetta, tanto a me non mi rivedi! Ho preso la rincorsa e sono scappata via. L'ho lasciato lí col suo pigiama.

Quella notte non ci sono tornata da Lucia, per paura di lui. Infatti poi ho saputo che Occhi Lustri dall'albergo era tornato dritto da Lucia. Dice: lo sai che la tua amica m'ha fatto un brutto scherzo, m'ha fatto prenotare la camera, ho pagato pure in anticipo, sono andato il giorno prima per pagare la camera e poi se n'è andata e m'ha lasciato lí con tutto il pigiama avvolto nel giornale?

Lucia dice: ah, t'ha fatto cosí? ora quando la vedo gliene dico quattro! non si tratta cosí la gente! io a quella la prendo a schiaffi, dice, la prendo a calci. E lui diceva: sí sí, la prendiamo a calci.

Però non mollava questo Occhi Lustri. È andato a dire a Lucia che voleva stare con me a tutti i costi, e che lei doveva combinarci un altro appuntamento, se no guai.

Io per qualche sera non ci sono tornata da Lucia. Poi, per la fame e il freddo, ci sono riandata. Entro e trovo proprio lui. Subito gli impapocchio qualche cosa. Dico: scusa per l'altra volta sai, ma mi sono trovata davanti mio fratello e sono dovuta andare con lui. Dice: ma tuo fratello dove stava? io t'ho vista uscire da sola. Dico: ti sbagli, ero proprio con mio fratello e sono dovuta uscire con lui per non dargli sospetti. Insomma l'ho rigirata sulla famiglia e lui se l'è bevuta.

Ha ricominciato un'altra volta a farmi regali, vestiti, collane, scarpe, borse. Poi una sera ha combinato con Lucia. Dice: io prendo l'appuntamento con Teresa, ma questa volta ci devi stare pure tu; voglio una garanzia che non scappa.

Cosí si sono messi d'accordo. In un lettino davanti alla porta ci doveva stare lei, Lucia, e nel letto grande, noi due, Occhi Lustri e io. M'avevano proprio incatenata ben bene! Dice: cosí non mi frega un'altra volta questa Teresa!

A me mi diceva: ma perché m'hai fatto questa cattiva azione? sai che non me lo meritavo; io non sono cattivo; qualunque cosa ti serve, qualunque regalo, io te lo faccio. Hai visto quanti regali t'ho fatto? non puoi sempre prendere e non dare. Mi devi dare qualcosa.

Arriva la sera destinata. Prima mangiamo tutti e tre in abbondanza. Poi ci infiliamo in questa stanza. Occhi Lustri chiude a chiave e consegna la chiave a Lucia.

Comincia a spogliarsi. E dice: spogliati pure tu. Io, con i gesti di una lumaca, mi tolgo il vestito, la sottoveste. Poi, quando arrivo alle mutande, dico: oh Dio, mi sono venute le mestruazioni! mi dispiace, ma l'amore non lo posso fare, io quando ho il mestruo sono tutta dolente e soffro di emorragie, perciò dobbiamo rimandare.

Dice: e quanto durano queste mestruazioni? Dico: domani, dopodomani sono a posto. Dice: va bene, allora rimandiamo a dopodomani, ma sei sicura, fammi vedere questo sangue.

Dico: no, mi vergogno, non è una cosa da uomini; è già molto che te ne ho parlato. Tu comunque aspettami che tra due giorni lo facciamo, te lo giuro. Dice: adesso non possiamo fare niente?

Dico: se vuoi, stiamo vicini, dormiamo qui insieme; però non mi toccare perché quando sto cosí sono nervosa, mi sento male. Dice: hai ragione, scusa; va bene cosí.

Però non m'ha lasciata andare e ho dovuto dormire in quel letto, accanto a lui, sotto la stessa coperta. Lucia ronfava nel lettino vicino alla porta e questo Occhi Lustri tutta la notte l'ha passata a guardarmi.

Il giorno appresso mi sono fatta regalare un cappotto, due paia di calze di seta. Poi, mentre che stavamo dentro a un bar, gli ho preso la catenina d'oro con la madonna che lui teneva al collo e gli ho fatto: me la fai reggere un momento? Dice: sí, fai pure.

Appena m'ha dato la catenina in mano, ho preso la rincorsa, me la sono squagliata. L'ho lasciato là con la tazza del caffè in mano e il colletto della camicia slacciato.

Lucia, quando m'ha visto, rideva. Dice: accidenti! L'Occhi Lustri, l'hai fregato! ti cerca dappertutto. Dico: ma che cerca quello? se lo incontro gli faccio lustro pure l'altro occhio! Lei rideva. Dice: per un po' non farti vedere se no ti dà una coltellata.

Sono andata al bar Bengasi, ho incontrato uno che mi piaceva, un certo Alfio. Siamo andati in comitiva a ballare, fino alle tre di notte. Abbiamo giocato a carte, abbiamo cantato, ballato, c'era uno che suonava la fisarmonica, un altro suonava la chitarra. Era un ambiente di amici, tutti ladri, gente allegra.

Poi questo Alfio mi fa: ce ne andiamo a letto insieme? Dico: sí andiamo. Questo mi piaceva, era il tipo mio, alto, bello, magro. Però lui doveva prendere servizio alle cinque, lavorava all'Atac. Dice: fa niente, vuol dire che per questa notte non dormo. Dico: lascia stare, tanto non ci corre appresso nessuno; lo facciamo domenica quando sei libero.

Durante la settimana vengo a scoprire che questo Alfio filava con un'amica mia. Allora non mi è piaciuto piú. Non mi sono fidata piú di lui. Mi attirava, era un bel tipo bruno, con una bella bocca carnosa. Ma ho scoperto che andava a letto con una certa Teresa, una che vendeva scarpe, aveva il banco a piazza Vittorio.

Questa Teresa era un'amica mia. Dico: magari domani quella lo viene a sapere e ci rimane male; magari andiamo a finire a botte. E poi io gli avanzi di quella non mi va di prenderli. Non mi va di prendere gli avanzi di nessuna. Io un uomo lo voglio tutto per me o niente.

Ero elegante, con la roba di Occhi Lustri. Avevo il vestito nuovo, il cappotto nuovo. Se incontrassi Tonino, pensavo, chissà che effetto gli farei? E andavo per le strade sempre pensando a lui, sempre sperando di incontrarlo da qualche parte.

Dopo un mese di questa vita, senza arraffare niente, mi è toccato vendere il cappotto e le scarpe di coccodrillo. Torno da Lucia per dormire in un letto perché da qualche tempo dormivo sempre alla stazione.

Quando entro mi fa: c'è Occhi Lustri che ti cerca, dice che appena ti vede ti dà una coltellata. Dico: mi dasse pure una coltellata, fosse capace! ci venisse da me con questo coltello! io gliene do dieci di coltellate; io me li mangio i coltelli figurati!

Facevo la spavalda ma avevo paura. Sapevo che quello s'era incanaglito brutto.

Infatti una mattina lo incontro sotto casa. Stavo con un'amica mia, una certa Olga. Lei mi fa: guarda che ha il coltello in tasca, stai attenta!

Io appena l'ho visto, mi sono voltata e mi sono messa a correre. Ho incontrato un àmico mio con la macchina. Dico: portami via, presto presto! Dice: ma che succede? Dico: c'è un matto che mi sta perseguitando. Fra me pensavo: è meglio che non ci torno piú da Lucia. Infatti non ci sono piú tornata.

Con questa Olga abbiamo fatto un po' di soldi vendendo sigarette al contrabbando. Allora si potevano prendere trecento, quattrocento pacchetti e venderli un po' alla volta. Li potevi pagare dopo, una volta venduti.

Ora non si può piú. Se non paghi in anticipo non ti danno niente. E uno per fare il contrabbando di sigarette deve partire già ricco. Se non hai molti soldi non fai niente.

Finalmente avevo qualche soldo. E decido di prendermi una casa. Vedevo questa Olga che aveva un bell'appartamento tutto nuovo e dicevo: voglio farmelo anch'io!

Dice: senti, ti do l'indirizzo di una casa che si affitta. Vai a via Enea, lí troverai una bella camera e cucina per dodicimila lire. Se ci vuoi andare vacci subito!

Infatti vado a via Enea, vicino alla stazione Tuscolana e fisso subito questa casa. Per prenderla però occorrevano ventimila lire di deposito. Mi metto a vendere sigarette pure la notte senza badare ai pericoli e raccolgo queste ventimila lire.

Dico: e poi dentro a questa casa che ci metto? Dice: io ho un armadio vecchio di mia sorella, ho pure una rete, è arrugginita ma è buona; dopo piano piano ti compri qualche altro pezzo.

Cosí ho fatto. Mi sono presa questa camera e cucina. Mi sono comperata un materasso di seconda mano. Olga m'ha regalato un lenzuolo, rattoppato ma ancora buono. Poi ho preso della roba nuova, a rate.

Ho firmato cambiali. Non le avevo mai firmate. E lí dovevo pagare. Ero diventata una pagatora. E come pagavo! per la paura di andare in galera a causa delle cambiali. Invece ora non pago piú niente. Ne firmo a treni di cambiali. E non pago piú.

Era la prima volta in vita mia che avevo una casa tutta per me. A trentacinque anni suonati! Mi sentivo una regina. Dico: finalmente ah, posseggo un letto tutto mio, una stanza tutta mia, posso fare quello che mi pare. Mi faccio una saziata di sonno, mi alzo quando mi pare.

Infatti dormivo tutto il giorno. Ero assetata di sonno. Mi alzavo solo per andare al bar Bengasi o per andare a vendere qualche carico di sigarette con la mia amica Olga.

Appena ho avuto la casa, il letto, il sonno, mi sono venuti i dolori ai reni. Mi alzavo con questi dolori, camminavo tutta piegata. Ero impedita. Allora Olga mi fa: io conosco un dottore che costa poco; fatti vedere da lui.

Vado da questo dottore, mi fa aspettare due ore intere, poi finalmente mi riceve e mi dice che ho un'annessite. Un'annessite che risponde ai reni. Dice: devi fare queste iniezioni. Dico: e chi me le fa? Dice: ti presento uno che le fa e prende poco.

Infatti mi presenta un infermiere, un tipo svelto, una bella lingua sciolta. Dice il dottore: questo lavora all'ospedale di San Giovanni, viene pure a casa e prende solo duecento lire. Dico: va bene.

Intanto la casa mia l'avevo attrezzata bene: avevo comperato mobili, sedie, avevo messo una tenda rossa alla finestra. L'infermiere era la prima persona estranea che ricevevo in casa.

Quando arriva, subito gli do una sedia nuova, con le zampe ancora incartate; gli offro un bicchiere di Kummel, un biscotto. E vedo che si guarda intorno con soddisfazione. Dice: stai piccola però stai bene; hai attrezzato tutto, hai messo le tende, i mobili, sembra proprio una bomboniera, carino! E pulito, dice, molto pulito; bevo volentieri perché sei pulita. E ha mandato giú in una sorsata tutto il Kummel.

Ogni volta che veniva gli offrivo un bicchierino. Lui mi faceva l'iniezione, poi si sedeva e parlavamo. Gli ho raccontato che ero stata in galera, che avevo passato un sacco di guai.

Allora lui mi diceva: io ho un cognato che sta in galera per furto e botte; te lo vorrei fare conoscere. E mi parlava sempre di questo cognato. Io non lo stavo a sentire, non mi interessava. Dicevo: ma perché mi parla sempre di questo cognato non lo capisco.

Lui sempre mi alludeva a questo cognato. E me lo magnificava. Dice: è bello, è robusto, è intelligente, è buono; quando esce te lo faccio conoscere. Io non lo stavo a sentire per niente. Avevo sempre per la mente Tonino. Dicevo sí sí per gentilezza ma non mi interessava niente di questo cognato, anzi mi era diventato antipatico a furia di sentirne parlare.

Dopo un mese, ho smesso le iniezioni e questo infermiere non ci è venuto piú da me. Sennonché una mattina, mentre sono ancora a letto, sento bussare forte alla porta. Era questo, l'infermiere, che gridava: Teresa! Teresa! permesso! sai chi ti ho portato?

Apro la porta e mi trovo davanti tre persone: l'infermiere, una donna e un uomo. Dice: questa è mia moglie, Alba e questo è mio cognato, Ercoletto, quello di cui ti parlavo.

Ah, dico, molto piacere, accomodatevi! Avevo la vestaglia, non ero ancora vestita. Sono andata in cucina a pettinarmi un po'. Poi gli ho offerto un bicchiere di Kummel. Dico: preferite il Mandarino, l'Anisetta? Dice: sí, l'Anisetta. Questo cognato beveva, si guardava intorno. Non mi piaceva. Mi pareva un burino. Non era brutto, ma mi pareva cafone, proprio uno di campagna. Io andavo sui trentasei anni, lui ne aveva trenta. Ma pareva piú giovane, ne dimostrava ventisei.

Ci siamo messi a parlare. Io racconto di mio fratello Orlando che prima stava in prigione a Procida, e poi è stato trasferito a Soriano del Cimino per via che aveva rotto una sedia in testa a una guardia. Dice: ma come mai ha rotto questa sedia sulla testa della guardia? Dico: perché in questa Procida mio fratello aveva scoperto che un certo Pesciolini, d'accordo con le suore, rubava la roba buona e lasciava quella marcia ai detenuti.

Infatti in carcere ne succedono di tutti i colori, dice questo cognato. Dico: sí, e perciò mio fratello Orlando ha denunciato questo Pesciolini, per spaccio di roba marcia, ma gli hanno risposto che marcio era lui; allora si è infuriato e ha strappato la cuffia alle suore gridando "vediamo chi è marcio!" per questo è stato preso e tenuto sul letto di contenzione per un mese, me l'ha fatto sapere per lettera da un amico.

Questo cognato dice: io conosco la Carla Capponi. Mi dice: se ti serve qualcosa per tuo fratello, ci penso io; anzi domani stesso, vengo a prenderti e andiamo da questa Carla Capponi.

Io, col fatto che si interessava di mio fratello, l'ho preso un po' in simpatia, però continuava a non piacermi perché lo vedevo cafone. E poi mi dicevo: chissà se è vero che ha questa conoscenza, questa deputatessa, chissà!

L'indomani lui viene. Dice: io sono qui; andiamo dalla Carla Capponi! ci avviamo verso via Marconi dove abitava questa politica. Per la strada non mi diceva niente, ma era premuroso, garbato.

Arriviamo alla casa, saliamo le scale, bussiamo. La cameriera ci dice che la deputatessa non c'è, è fuori Roma. E quando torna? fa lui. Fra due giorni, risponde quella.

E cosí ce ne andiamo. Dice: beh, ci andremo un altro giorno, ci andremo sabato. E ci diamo appuntamento per sabato.

Però era tutta una scusa questa di Carla Capponi, l'ho saputo dopo. Lui era al corrente che la deputatessa non era a Roma; si era già informato. Mi aveva adocchiata e si voleva fare bello con me. Questo è tutto.

Ma a me non mi andava. Non era brutto, aveva i baffetti, un bel sorriso. Faceva il sentimentale; mi piaceva quando faceva il sentimentale, diceva le languidezze, era dolce. Però lo giudicavo troppo grezzo, non mi piaceva come vestiva, con quegli scarponcini di pezza, proprio da campagna e la giacca di fustagno.

E invece io piacevo a lui. E il giorno, la sera, la notte mentre dormivo, veniva sempre a cercarmi. Bussava. Chi è? Dice: sono io, Ercoletto, ti devo dire una cosa. Dico: che cosa? Dice: mi devi fare da commare in un battesimo. Dico: e vieni a quest'ora per dirmi questo? Dice: aprimi che ti devo parlare.

Io apro. Lui entra, beve un Kummel. Dice: devi sapere che io ho fatto fare un pupo a una serva. Io questa serva me la sarei pure sposata, ma siccome mentre che ero dentro è andata con gli amici miei, per me è finita.

Dico: a me non mi interessa quello che fai e quello che hai fatto. E lui: beh, io lo dico per onestà. Poi mi dice:

domani devo andare al battesimo di mia nipote dove faccio il compare; vuoi venire a fare la commare? devi venire per forza perché io ho già detto che hai accettato.

Cosí sono andata al battesimo di questa sua figlioccia. Era bella, rotonda. Il giorno del battesimo hanno fatto una festa, in casa dell'infermiere di San Giovanni.

C'era il padre di Ercoletto, un vecchio coi baffoni gialli, c'erano amici, amiche. E lí si ubriacano, bevono. C'era allegria, cantavano, ballavano. Giravano le paste, i confetti.

Quella sera stessa Ercoletto mi fa la proposta. Mi dice apertamente che gli piaccio, che sono la sua donna, il suo tipo, che devo mettermi con lui. Dice: io sono capace di farti fare la signora! io lavoro, tu stai a casa, mettiamo su una bella casa eccetera. Io non stavo neanche a sentirlo. Non mi andava.

Lui insisteva. Io gli davo appuntamenti sopra appuntamenti, ma poi all'ultimo non ci andavo. Non mi attirava. Lui però non mollava. Veniva a bussarmi alla porta, mi accompagnava a cena fuori, al cinema. Cercava di convincermi ad amarlo. Ma io ho la testa dura. Non mi facevo convincere.

Un giorno questo infermiere mi dice che sono invitata assieme a lui e al cognato ad una cena in campagna. Dice: lo sai, Ercoletto ha trovato lavoro.

E dove? dico. Lavora dal conte Tolentino, dice, al Pantano Borghese: lavora da fattore. Ha acchiappato un bel pollo, un pezzo di daino; ha fregato un daino nella riserva, lo facciamo arrosto. Devi venire pure tu, assolutamente, Ercoletto ci tiene come all'anima sua! Cosí mi dice questo infermiere, ruffiano. E io mi lascio convincere.

Mi sono venuti a prendere e m'hanno portata con loro. Sono andata a questo Pantano Borghese. Ercoletto si era sistemato bene, dentro una casa da fattore, aveva il letto, la cucina, e un gran bosco vicino.

Vado lí, mangiamo una quantità di carne, beviamo tanto vino, mi ubriaco pure un po'. Quando sono proprio stanca e mezza svampita, mi mettono nel letto con Ercoletto.

Li per lí ho reagito male, volevo andarmene. Poi, un po' per la stanchezza, un po' perché mi era venuta la curiosità di quest'uomo, sono rimasta con lui. E ho fatto bene perché mi è piaciuto e mi piace ancora.

La mattina mi sveglio, era tardi, mi affaccio e lo vedo che andava su e giú coi cavalli nel cortile. Era tutto impettito, e incomincio a pensare: beh, proprio brutto non è! ha un bel portamento. E mi comincio a innamorare.

Il lavoro al Pantano Borghese era faticoso. Era lavoro di campagna. La mattina Ercoletto doveva alzarsi alle cinque. Andava a comandare le mucche, le galline, i cavalli. Caricava il fieno, la biada, la crusca, era sempre a caricare sacchi.

Faceva il fattoretto, con due pantaloni rattoppati e il berretto di pelo in testa. Il cibo non mancava mai, però il lavoro era tanto e sempre c'erano animali da badare che dovevano mangiare, figliare, dormire, cacare, tutto di seguito.

Ora mentre che Ercoletto stava lí c'era una che veniva a prenderlo di petto. Lo minacciava, lo percoteva. Era quella che gli aveva fatto il pupo, Cesira. Questa veniva sempre e lo istigava. E lui non se la poteva levare di torno. Non ci riusciva.

Io gli dicevo: tu non sei buono a cacciarla, non sei capace di agire, ci parlo io con questa Cesira. E lui: no, bisogna che la scoraggio io, è una donna buona, non è cattiva, bisogna fare le cose con calma.

Infatti non era cattiva ma era lagnosa e ricattativa. Ogni tanto veniva e con quel pupo in braccio gli faceva la scena, la piazzata. Dice: questo figlio è tuo, ora mi ti devi sposare! Tanto che lí pure gli altri contadini gli cominciano a dire che non sta bene continuare con questa Cesira.

Allora un giorno Ercoletto mi fa: lo sai che ti dico? per levarmela di torno questa Cesira io lascio il lavoro; cosí non mi vede piú e si mette l'animo in pace.

E infatti non ci è piú tornato al lavoro. Ha lasciato il Pantano Borghese. Cinque mesi è durato il suo impiego. Lo pagavano bene, gli davano verdure, polli, vino. Ma è finita cosí.

È venuto pure uno che lavorava con lui a cercarlo a casa mia. Dice: Ercoletto, com'è che non vieni piú? la principessa Tolentino ha detto che ti vuole parlare a tutti i costi.

Ma Ercoletto non c'è andato. Con la principessa non ci ha parlato. E cosí ha perduto quel posto. Per via sempre di questa Cesira con cui aveva fatto il pupo.

Allora ci siamo messi ad arrampicare, ci siamo messi a cercare funghi. Alla Fragonella, nei boschi. Raccoglievamo cestate di funghi e li portavamo alle fruttarole. Ce li pagavano bene. Erano primizie.

Coi funghi bisogna stare attenti perché ci sono quelli buoni e quelli copiativi che fanno il verso a quelli buoni.

Se ce n'è uno cicciotto, marroncino, lustro lustro, subito c'è il copione di questo, cicciotto, marroncino, lustro lustro ed è avvelenato.

Se lo mangi, muori dopo essere diventato gonfio gonfio e ributti le viscere dalla bocca.

Bisognava avere l'occhio carogna piú del fungo copiatore e andare a spiare certe vene di carne rosa che porta sotto la testa, come dei muscoletti teneri, e che sono il segno del pericolo. Dentro quei muscoletti c'è la morte.

Ercoletto aveva l'occhio buono per i funghi. Andavamo alla Fragonella, su per i boschi. Andavamo con una macchina che avevamo comprato da poco di seconda mano, anzi di terza mano, una giardinetta bianca tutta sfasciata. Ogni tanto si fermava e Ercoletto si sdraiava sotto, legava i pezzi col filo di ferro, incollava, arrangiava e poi ripartivamo.

Quella macchina beveva l'olio come un assetato. Dovevamo portare sempre delle lattine d'olio appresso. Era olio già usato che costava poco e puzzava di carogna. Una volta per sbaglio ci abbiamo messo l'olio di oliva e la macchina si è messa a friggere.

La sera tornavamo a casa, mangiavamo funghi e patate, funghi e broccoletti, funghi e pasta. Bevevamo vino abbondante. Poi ce ne andavamo a letto contenti.

È stato il piú bel periodo della mia vita. La mattina ci alzavamo presto, prendevamo un caffè e poi correvamo ai boschi, per funghi. Passavamo la giornata in mezzo agli alberi. A mezzogiorno ci sedevamo sull'erba e tiravamo fuori un pezzo di pane e salame. Quando faceva buio, mettevamo i funghi in macchina e tornavamo a casa.

Poi i funghi sono finiti. Nei boschi c'era solo fango, si scivolava, si affondava, era diventato un porcaio. Non c'era piú niente da prendere. Allora Ercoletto s'è messo in giro e ha trovato un lavoro come muratore. Io stavo a casa e lui andava a mettere i mattoni, la calce, il cemento, sempre con le mani a mollo. La pelle delle mani gli si è ridotta tutta bruciata e spaccata. Gli ho fatto la pomata con l'aceto, la farina e l'olio di mandorle. Ma lui non se la voleva mettere.

Una sera poi è andato a ubriacarsi con certi amici suoi. È cascato da un muro e si è rotto una gamba. Siccome non veniva, sono andata a cercarlo e l'ho trovato strasciconi per terra che faceva: oh Dio, aiutatemi, aiutatemi, non ce la faccio piú!

L'ho portato all'ospedale dove gli hanno ingessato la gamba, e l'hanno messo in un letto. Gli era venuta la febbre alta. Io tutti i giorni andavo a trovarlo. Gli portavo la pasta al forno, il filetto, il dolce di mandorle. Perché lí all'ospedale si mangiava peggio che al carcere. Con la scusa che uno è malato gli rifilano certe minestrine lente lente e delle alette di pollo che non sazierebbero un bambino.

Finalmente la gamba è guarita, dopo un mese e piú. Io non avevo piú soldi per andare avanti. Mi ero venduta un armadio che avevo comprato nel momento di fortuna. Mi ero venduta la radio, una grande radio con tutte le stazioni del mondo, di legno di mogano. Mi ero venduta una valigia di pelle, rubata e perfino l'orologio che mi aveva regalato Ercoletto per il mio compleanno.

Gli hanno messo la gamba a posto. Però gli hanno detto che per camminare doveva infilarsi nella scarpa un plantario, perché questa gamba rotta si era accorciata di qualche centimetro.

Dico: ma com'è che si è accorciata? Dice: non si sa, nel sistemarsi, l'osso si sarà rattrappito. Ma a me mi sembrava una cosa fatta male. Comunque sia basta che cammini, dico, e me lo sono portato a casa.

Per qualche tempo abbiamo vissuto di pasta e pane. Non avevamo piú neanche i soldi per un po' di caffè. La padrona di casa ci martellava che voleva i soldi; erano cinque mesi che non pagavamo l'affitto.

Allora un giorno ci siamo venduti tutto e ci siamo trasferiti da Alba, la sorella sposata con l'infermiere. Alla padrona di casa non abbiamo fatto sapere niente e quando è arrivata ha trovato l'appartamento vuoto e gli inquilini assenti. Non sapeva dove rintracciarci e chi s'è visto s'è visto.

Era una casa grande, questa di Alba, verso Cinecittà, bella, con due camere da letto, soggiorno, bagno e cucina. Ercoletto ed io dormivamo in una stanza, Alba e il marito nell'altra.

Destino, sempre con queste sorelle. Io sono condannata

170

con le sorelle. Prima mio marito senza madre con quelle due vipere di sorelle, poi quest'altro pure senza madre con la sorella.

La mattina Ercoletto e io uscivamo a cercare di guadagnare qualcosa. L'infermiere andava all'ospedale; Alba restava a casa. Era una donna che aveva il gusto del mangiare e del bere, cioè le gustava soprattutto il bere. Le piaceva stare a casa, rideva sempre, era una stupidona.

Rideva pure quando non c'era da ridere. Quando c'era da piangere allora lei rideva. Se sentiva di una disgrazia, invece di piangere, le pigliava da ridere. Se vedeva uno che si faceva male, si faceva le matte risate.

Una volta andiamo, Ercoletto, lei e io a vedere un morto. Ora questo poveraccio aveva una pancia grossa come una casa. S'era gonfiato dopo morto. Era pieno d'aria.

Entriamo. Io guardo lei, lei guarda il morto e sbotta in una grande risata.

La prendo per un braccio e me la porto fuori. La gente si voltava. Dice: sono venuti a ossequiare il morto e ridono! Perché la sua risata aveva contagiato pure me; ridevamo come due sceme. Ci ha preso da ridere a vedere questo tamburo, e non ci potevamo piú tenere, neanche per la strada.

Ora questa sorella è morta. È morta qualche mese fa. Ercoletto le era molto affezionato. Si litigavano ma erano affezionati. Tanto che la gente diceva che se la facevano fra di loro. Dice: non lo vedi che Ercoletto è attaccato alla sorella come a una moglie? Ma sono tutte bugie e invidia. Giusto perché lui aiutava lei e lei lui. Erano affiatati, un po' come me e mio fratello Orlando.

Da principio facevamo la fame in casa di questa sorella, perché non trovavamo da guadagnare. Poi Ercoletto ha scoperto la strada del commercio e ci siamo messi a commerciare l'olio, la biancheria.

L'olio lo prendevamo in una casa olearia, da un certo Bolloni. C'era scritto "Olio di oliva" e invece era olio di semi con un po' di sapore di oliva. Lo compravamo a trecento lire il chilo e poi lo rivendevamo a cinquecento. I migliori clienti erano le trattorie di campagna. Ce ne compravano cinquanta, cento chili alla volta e cosí facevamo un po' di soldi.

Poi c'era uno, Peppino, che ci portava la biancheria.

Questo Peppino lavorava da un grossista, gli fregava i pacchi e ce li dava a noi che li rivendevamo. Il ricavato lo dividevamo a metà.

Però non ne poteva rubare troppi insieme per non perdere il posto. Alle volte stava una settimana, due, senza venire. Poi lo vedevamo arrivare. Dico: Peppino, che ci porti? Dice: un pacco di biancheria da letto. Dico: a quanto? Dice: ogni pacco vale centocinquanta mila lire. Dico: beh, vedremo quanto ci danno.

Prendevamo il pacco cosí com'era, nuovo nuovo, lo portavamo a certi negozianti che conoscevamo. Loro ce lo pagavano la metà, un terzo, qualche volta perfino un quarto o un quinto del suo valore, quando c'era fretta e si intravvedeva il pericolo della polizia.

Avevamo pure dei clienti privati. C'era una signora che stava ai Parioli. Prendeva tutta questa roba rubata, la pagava poco, la rivendeva per le case, a prezzi altissimi.

Questa pariolina poco mi piaceva. Ci andavo proprio quando non c'era niente altro da fare. Perché ci trattava come dei cani rognosi e qualche volta ci faceva pure la paternale. Diceva: eccoli qui i ladri, le sciagure dell'umanità, ma perché non ve ne andate a lavorare? Non avete voglia di fare niente.

Durante questi giri, se capitava l'occasione, acchiappavamo qualche cosa di qua e di là. Ercoletto non era capace. Io sí. Allora gli dicevo: ferma la macchina che io vado ad acchiappare. Vedevo una casa incustodita, una finestra aperta. Io zompavo dentro. Prendevo e portavo via.

Una volta mi sono rubata una bella bicicletta nuova da corsa, proprio nuova fiammante, la Legnano. L'abbiamo legata sul tetto, e tutti ce la guardavano questa bicicletta bellissima.

Ci dispiaceva di venderla. L'abbiamo portata a un ricettatore, un certo Massimo che abita al Quadraro. Questo ci ha offerto quindici mila lire. Dico: no, andiamo da un'altra parte, questa vale di piú.

Infatti siamo andati da un altro, un certo Giorgio detto il Verme perché ha la pancia piena di vermi e si cura sempre ma non guarisce mai. Gli escono i vermi dal culo, ogni tanto se ne tira via uno e lo infila in un barattolino pieno d'olio.

Questo Verme, non so se sono i vermi o altro, è un

tipo di salute, forte, robusto, con la faccia gonfia, le mani grosse, le gambe grosse, il collo grosso. A lui i vermi gli fanno bene si vede, perché ha quasi ottant'anni e sta meglio di me. Ci ha offerto ventimila lire e gliel'abbiamo lasciata.

Con Alba andavamo abbastanza d'accordo. A lei bastava che gli portavamo i fiaschi di vino, qualche chilo di carne. Soprattutto le piacevano le frattaglie: i fegatelli, il rognone, la trippa, il cuore, il cervello, gli zampetti. Le piaceva molto la carne, era carnivora. Però piú di tutto era amante del vino. Quando le portavamo il vino era tutta contenta. La pigione qualche volta gliela pagavamo, qualche volta no. Ma non si lamentava.

Il marito lavora all'ospedale, fa il portantino, l'infermiere, secondo i casi. Ma lui dentro all'ospedale si arrangia. Traffica, fa il ruffiano, fa un po' di tutto. Trova le donne per tutti quelli dell'ospedale, i dottori, i portantini, gli infermieri.

Va a fare le iniezioni da tutte queste donne di vita, le conosce tutte, buone e cattive. Conosce anche signore sposate, signorine di buona famiglia, vedove sole, tutte.

Va da loro a fare le iniezioni, poi ci parla, è gentile, affabile, chiacchiera, fa capire, capisce, s'informa e poi insomma insinua la proposta. Dice: c'è uno che la pensa sempre, che è morto d'amore per lei. Combina un appuntamento e si fa dare i soldi.

È brutto come la peste questo portantino. Una volta m'ha insultato pure a me. Mi è venuto addosso con le mani a toccare, a prendere. Dico: guarda se non la pianti lo dico a Ercoletto!

Ma lui se ne fregava. Seguitava sempre sotto sotto di nascosto dalla moglie a insultarmi. Mi afferrava il petto, mi toccava le gambe.

Un giorno l'affronto e gli dico: senti mi fai proprio schifo, sei brutto, non mi piaci. Se eri piú bello chissà; ma sei brutto e stupido e perciò m'hai stufata.

Allora lui m'acchiappa, m'infrocia in faccia alla credenza e mi appiccica la bocca sulla bocca. Dice: dammi un bacio! Dico: ma va via! ti puzza l'alito, hai i denti guasti, puzzi come una fogna!

Ha tutti i denti incrostati di nero, con delle lunette gialle sotto le gengive. Io, per me i denti sono la prima cosa. Di Ercoletto si può dire che mi sono innamorata per i denti. Ha i denti puliti, bianchi, sani.

Allora insomma vedo quella bocca nera, dico: io un bacio a te non lo do neanche se mi paghi un milione! mi fai schifo; se ti bacio, ributto. E quello per la rabbia m'ha dato uno schiaffo.

Io la sera lo racconto a Ercoletto. Dico: ma ti pare bello che tuo cognato mi viene sempre a toccare, a cercare?

Ercoletto si è arrabbiato, ha attaccato lite col portantino. Quello diceva: ma io ho scherzato! volevo vedere se ci stava! volevo provare la fedeltà di questa donna verso di te! Ercoletto dice: e tu non ti occupare della sua fedeltà, ci penso io a controllarla.

C'era pure Alba, la quale è scoppiata a ridere. Faceva finta di non crederci. Dopo però li ho sentiti che litigavano dentro il letto.

Il giorno dopo mi guardava storto questa sorella. Allora le dico: se tu sei gelosa di me, ti sbagli, perché io a tuo marito neanche lo vedo. Quel tuo marito va con questa, con quella, va con tutte quelle puttane a farci l'iniezione e scopre e tasta e spesso ci dorme pure assieme. E tu sei gelosa proprio di me! E poi dico, guarda che tuo marito m'ha insultata a me e non una volta, ma parecchie volte e se ero un'altra, ci stavo. Io invece non ci sono voluta mai stare. Perché innanzi tutto porto rispetto a te e a Ercoletto e poi perché mi fa schifo. Scusa se te lo dico ma tuo marito mi fa proprio vomitare. Dico: tu sei un eroe che te lo sei preso!

Ma lei non m'intendeva. Era gelosa di tutte. Fino a che non vedeva non le importava; ma se vedeva qualcosa si irritava. Era un tipo senza fantasia. Solo quando le capitava sotto il naso, se ne accorgeva. Se no, pure se quello le tornava in casa stanco morto, col rossetto e la cipria attaccata al collo, lasciava correre.

E stavano sempre a litigare per questa faccenda di me. Tanto che io in casa ci stavo il meno possibile. Un giorno poi lui mi dice: e non fare la difficile, tanto sei un avanzo di galera!

Brutta bestia! dico, e tu che hai fatto tutti questi anni dentro a quell'ospedale? Io sono un uomo onesto! dice. Ma se hai rubato sempre, dico, sempre traffici, sempre impicci; dove sta l'onestà? solo perché t'è andata sempre li-

scia! io come muovo una mano mi acchiappano, ma tu sei
piú ladro di me, dico, e sei pure ruffiano in soprappiú.

E come sapeva muovere le mani! una volta l'ho visto io,
in casa della Spagnola, dove ci aveva invitati in campagna,
a Mentana. Si era presa una casetta in mezzo a una vigna,
la mia amica e pagava quindicimila lire al mese.

Era una costruzione nuova, bellissima, col bagno, il gabinetto, le comodità. E tutto intorno una bella campagna
con l'orto, il prato, gli alberi di frutta.

In questo prato la Spagnola ci aveva messo le galline. E
viveva in questa casetta con un certo Nardo.

Ci invita a pranzo un sabato e andiamo, Ercoletto, Alba,
il portantino e io. La Spagnola ci aveva detto: ammazzo
una gallina, se venite, ammazzo tre polli e facciamo festa.
Perché lei è un tipo cosí, le piace la comitiva, mangiare e
bere, cantare.

Arriviamo a questa Mentana. Era una campagna tutta
verde, fastosa. La Spagnola ci riceve contenta e felice. Si
era messa i pantaloni, pareva un cavaliere. Era alta, sun-
tuosa.

Ci fa vedere l'orto coi cavoli, le fave, le cipolle e i polli
chiusi dentro la rete metallica. Poi dice: senti, questi polli
sono troppo belli e mi dispiace di ammazzarli, per mangiare vi ho comprato le fettine di vitello, vi secca se facciamo le fettine fritte?

Ora mentre lei stava nell'orto a cogliere l'insalata, ho
visto il portantino che andava piano piano verso il pollaio,
ma non ci ho fatto caso. Io stavo lí a prendere i piatti per
portarli a tavola. Improvvisamente bam, mi sento sbattere
qualcosa sulla schiena. Dico: mortacci, ma che è?

Mi volto e vedo per terra tutto sangue. M'aveva tirato
una gallina con un'ala mezza strappata. M'aveva pure spor-
cato il vestito. Faccio per parlare, mi fa: stsss! zitta! dammi quel fagotto! Dico: ma quale fagotto? guarda che la
Spagnola mica è scema, se ne accorge, poi mi fai litigare
con lei!

Lui neanche mi risponde. Con una sveltezza, prende quella gallina mezza ferita e come un criminale, le tira il collo
e la caccia dentro il suo fagotto.

Io però gliel'ho detto alla Spagnola. Dico: questo figlio di
una mignotta t'ha rubato una gallina. Ma gliel'ho detto
qualche tempo dopo, una volta che è venuta a trovarci.

Dice: ecco perché mi mancava una gallina!

Un'altra volta pure l'ho visto coi miei occhi rubare. Una volta che siamo andati dal padre di Ercoletto, a San Gentile, a Zagarolo.

Andiamo a questo casale, dove abitava il padre di Ercoletto e di Alba. Era un bel vecchio bianco, coi baffi, un garibaldino con gli occhi impietrati, austero. Entriamo in questa casa di campagna tutta annerita. Io mi metto a fare il fuoco nel camino. Ercoletto va a tagliare la legna dietro casa.

Facciamo la pasta, cuciniamo il sugo con le cipolle, i pomodori. Mangiamo la cicoria, il capretto. Era un bel pranzo, e mangiamo e beviamo a sazietà.

Dopo mangiato, Ercoletto dice: andiamo a trovare la zia Crescentina? ci facciamo dare due fiaschi di vino e cogliamo l'occasione per salutarla. Questa zia abitava poco piú su, in un casale vicino alla vigna. Era molto vecchia, aveva quasi cento anni. Dico: andiamo. E ci avviamo.

Ci riceve molto contenta questa vecchia perché non vedeva mai nessuno, stava sempre sola. Subito ci porta i boccali di vino, di quello nuovo frizzante col sapore di zolfo e noi tutti a bere che andava giú come l'acqua.

Poi il portantino si mette a cantare: "malinconia, dolce chimera sei tu"... e tutti ci mettiamo a cantare appresso a lui. Il portantino dice: vogliamo ballare? E mentre che intona una canzone svelta, prende questa vegliarda e la fa ballare. Aveva cent'anni ma sembrava una ragazzina: correva, saltava, girava come una vespa.

Alba era ubriaca. Io pure ero mezza ubriaca; insomma eravamo tutti impampinati. La vecchia era diventata piú pazza di noi. Vedeva che noi ci alzavamo le vesti ballando e pure lei si alzava le vesti. Il portantino le dava corda, la spingeva, cantava, urlava, batteva il ritmo su una pentola.

Avevo gli occhi rinscemiti dal vino, ma ho visto che la vecchia sotto era nuda. Quando si alzava la gonna si vedeva una cosa bianca, liscia come una mano, senza un pelo. Questa vecchia, senza niente sotto, tiritin, tiritin, ballava, saltava, e noi tutti a ridere! Era diventato un bordello.

Tutto d'un botto questa vecchia si sente male e casca per terra. Allora l'acchiappiamo, chi per una gamba, chi per l'altra, per issarla sul letto. Ma il letto era di quelli antichi, coi paglioni, alto due metri da terra, ci voleva la scala per salirci.

Insomma ci siamo messi in quattro e alla fine, tutti insieme, l'abbiamo adagiata là, sopra le coperte. Dico: facciamo una camomilla! Dice: no, ci vuole il bicarbonato! Dove sta il bicarbonato?

Mentre cerchiamo il bicarbonato, il portantino subito comincia a frugare nei cassetti, con questa scusa del bicarbonato. Andava cercando i soldi della vecchia.

E infatti, trova qualche biglietto da mille, se li acchiappa, trova degli orecchini d'oro col corallo pendente, se li acchiappa, trova una catenina d'oro, se l'acchiappa.

Le ha portato via tutto alla zia Crescentina. Dico: ma come, noi stiamo qui per divertirci, a cantare, a ballare, qui dentro una casa conosciuta e tu vai frugando nei cassetti! E lui: che ho preso? niente, roba che non vale niente. E questo, dico io, sarebbe un uomo onesto!

Il portantino ha sempre avuto le mani pelose. Se dentro una casa vede una cosa che gli piace, lui ci mette l'occhio. Poi viene, la prima volta la seconda volta non la tocca. La terza volta, questa cosa sparisce.

Ha fatto sempre cosí. Non ha riguardi per nessuno. Quando una cosa gli piace, acchiappa e vola via. Ercoletto l'ha sempre sopportato per via della sorella, ma non gli va a genio. Ercoletto non ruberebbe in casa dei parenti, a una povera vecchia sola.

Fra l'altro questo portantino e Alba non sono sposati. Vivono insieme da vent'anni. Ma lui ha un'altra moglie e altri figli che stanno non so dove. Con Alba ha fatto cinque figli, di cui una già sposata.

La prima moglie dice che l'ha lasciata perché tornando dall'Africa l'ha trovata malata di uomini. L'ha scoperta all'ospedale San Gallicano, al reparto malattie veneree. La moglie stava lí. L'ha trovata cosí, a letto, tornando dalla guerra e non l'ha piú voluta.

In questo ospedale ha incontrato Alba la quale andava a visitare la madre malata. Si sono accoppiati, hanno fatto cinque figli e sono rimasti insieme finché lei è morta.

Delle figlie, una s'è sposata quest'anno. Ma è piuttosto stramba, piena di fantasie. Si è sposata con un ragazzo senza lavoro. È capricciosa, ha voluto questo ragazzo senza lavoro. Dice: che importa, tanto paga papà! per i soldi dell'affitto rimediamo un po' di qui un po' di lí, ventimila lire di pigione escono sempre fuori.

Si sono sposati senza niente. Il padre di lui gli ha fatto una camera da letto, un armadio, due materassi. Tutto il resto l'ha messo il portantino.

Lui, questo marito, fa il vagabondo; è un ragazzo stupidissimo. Porta i capelli lunghi, la barba, i baffi; si dà le arie di un mezzo santo. Invece è stupido, non capisce niente. Fa sempre delle smorfie con la faccia come se tutto quello che dicono gli altri gli dà fastidio. Quello che dice lui gli piace, quello che dicono gli altri lo fa ammalare.

Un'altra figlia del portantino sta a lavorare alla Standa. Fa la commessa. Le rimanenti sono piccole, una ha dodici anni, un'altra dieci; sono brave, studiano. Solo quella grande è scapestrata, assomiglia al padre. Di carattere e di viso. È ostica, superbiosa. Quando cammina, avanza curva.

Non sarebbe brutta veramente, ma è indigesta. Ha un modo di fare altezzoso. Si trucca, non ha mai visto niente, non sa niente, si mette due chili di quella polvere verde sugli occhi, si mette il rosso, il giallo, sembra un pappagallo.

Un giorno io e Ercoletto stavamo a scaricare delle latte d'olio e incontriamo Occhi Lustri. Subito questo mi affronta e dice: ti sei presa quel burino, quell'impiccio e a me m'hai fatto l'affronto!

Dico: burino o non burino a me questo mi piace, tu mi fai schifo, del burino mi ci sono innamorata, tu mi fai solo ridere, che vuoi da me?

Dice: hai preferito quel cafone a uno come me che lavora e guadagna e ti faceva fare la signora! Dico: se pure veste da campagna Ercoletto è un uomo, non come te che sei giovane e sembri un vecchietto; e poi da svestito Ercoletto è le sette bellezze.

Allora dice: tu e lui vi siete accoppiati, due delinquenti da galera, zozzi burini! vi siete accoppiati perché siete uguali, arruffapopolo e ladri matricolati!

A questo punto Ercoletto si è rivoltato. Gli è andato addosso con le mani. Ma quello si era preparato a tutto, aveva nascosto tre uomini dentro una macchina. Appena Ercoletto fa per picchiarlo, chiama quei tre amici i quali si buttano addosso a noi.

Eravamo davanti alla trattoria di Annibale, vicino al teatro dell'Opera. Ercoletto era solo contro tre. Lo stavano a riempire di botte. Allora, quando proprio l'ha vista brutta, ha tirato fuori il coltello e ha colpito uno di questi, Golasecca, un amico di Occhi Lustri.

Ma pure lui, pure il sarto è rimasto ferito. Si è beccata una coltellata sul braccio e sono scappati. Però poi si sono vendicati facendo la denuncia.

Allora Ercoletto ed io siamo stati fuggitivi. Per un anno fuggitivi senza poter andare a casa per via che ci prendevano. Abbiamo vissuto dentro le grotte, sotto Frascati.

Lí ci sono dei pertugi nella roccia, dalle parti della pineta, sul Tuscolo. Ci siamo scelti una grotta grande, larga; ci siamo messi lí.

Ercoletto procurava la legna, facevamo il fuoco per terra fra le pietre. Io cucinavo la pasta, la minestra. E mangiavamo dentro la pentola stessa. Non avevamo niente, né piatti, né posate. Una pentola sola doveva bastare per tutto e quando ci serviva l'acqua, dovevamo andare a prenderla alla fontanella pubblica a quattro chilometri di là.

La mattina scendevamo a Frascati a fare la spesa. Uscivamo con la macchina, una millecento celeste con gli sportelli legati perché cadevano, i freni erano rotti, il cambio era rotto, non lo so come camminava, però camminava. Andavamo al paese, compravamo qualcosa al mercato. Poi andavamo in giro a vendere l'olio.

Avevamo ripreso il commercio dell'olio. Vendevamo le latte, ma quelle piú piccole, per non dare nell'occhio. Un po' ci aiutava la sorella di Ercoletto. Ci dava appuntamento per telefono in qualche posto fuori mano, ci consegnava qualche soldo. Poi prendevamo la roba a rate, l'andavamo a vendere. Ci arrangiavamo in tutti i modi.

La notte per dormire ci chiudevamo dentro la macchina perché la grotta era bagnata e piena di serpi. Avevamo due coperte, una trapunta tutta stracciata che avevo rubato dentro una casa e cosí dormivamo.

Qualche volta scoppiavano i lampi, i tuoni. Sotto la macchina si formava il fango, colava questo fango e venivano fuori i topi, certi topi neri grossi come cani. Ma non si è mai sfasciata. Anzi ci ha fatto da casa meglio di una baracca delle borgate.

Siamo rimasti cosí un anno intero. Poi un giorno ci hanno visti con la macchina, ci hanno fermati. Ercoletto era ricercato, l'hanno riconosciuto e siamo finiti dentro.

A lui l'hanno trattenuto, a me mi hanno rilasciata perché la denuncia riguardava lui e non me, la coltellata l'aveva data lui. Cosí è andato a finire a Regina Coeli.

Io comincio a cercare un avvocato, comincio a darmi da fare. La macchina era stata sequestrata perciò andavo a piedi. E poi io non so guidare. Camminavo. Prendevo qual-

che autobus, qualche tram, ma il piú del tempo camminavo.
Per fortuna che ho le gambe forti.

Gli portavo i pacchi a Ercoletto in carcere. Da principio non mi volevano lasciare passare. Dice: tu chi sei? Dico: sono la moglie. Dice: qui non risulta. Dico: che devo
fare? Dice: devi fare l'atto di convivenza, se no niente
visite e niente pacchi.

Sono andata dal giudice, ho chiesto l'atto di convivenza.
Ho aspettato giorni, settimane. Finalmente mi hanno dato
questa convivenza. Ho potuto andare al colloquio, vederlo.
Gli ho portato il pacco con le sigarette, la mortadella, il
caffè.

Al processo gli hanno dato otto mesi. Per pagare l'avvocato a questo processo mi sono venduta un materasso di
lana del valore di cinquanta mila lire. Ma non bastava. E
mi sono venduta la camera da letto intera, il comò, l'armadio, i comodini e una poltrona di finta pelle.

Quando sono finiti i soldi mi sono rimessa a fare il borseggio. Sono tornata al bar Bengasi, ho incontrato le amiche mie borseggiatrici. Dice: vieni con noi, andiamo per
taccheggio sui tram. Dico: vengo. E andiamo.

La prima volta va bene, la seconda pure. Ma facevamo
poco: dieci, quindicimila lire. E dovevamo dividere per
tre. Compravo la roba per Ercoletto, l'andavo a trovare.

La terza volta mi va male. Montiamo sul Dodici, una
certa Peppina e io. Ci mescoliamo con la folla, facciamo
finta che non ci conosciamo per niente.

Vedo che l'amica mia si mette di faccia a uno ben vestito col cappello calcato in testa, uno con le braccette corte
che faceva fatica a reggersi alle maniglie.

Gli pianta gli occhi addosso e mentre che se lo guarda,
allunga una mano verso la tasca dei pantaloni dove stava il
portafoglio. Io guardavo e sudavo. Avevo un presentimen-
to brutto. Non mi piaceva la faccia di quel tipo, aveva due
occhi da lupo malato e sentivo che da un momento all'altro si sarebbe rivoltato.

Infatti, appena l'amica mia si è appropriata del portafoglio e l'ha passato a me, proprio nel momento che l'ho preso in mano io, questo lupo si è svegliato. Si è messo a strillare. Ha fatto fermare il tram.

Dice: che è successo? Mi hanno derubato del portafoglio,

risponde questo e girava quegli occhi cattivi di bestia invelenita. Dice: e chi è stato?

Il lupo ha tirato giú uno dei braccetti grassi e ha indicato me. Dice: è stata lei. Io avevo lasciato cadere il portafoglio ma mi era rimasto impigliato nel cappotto. Cosí m'hanno presa e portata dentro.

Ho visto l'amica mia tutta spaventata che scendeva mogia mogia dal tram. Si aspettava che io la facevo prendere per scaricare la colpa su di lei. Ma non l'ho fatto. Mi sono presa tutta la responsabilità e buonanotte. Dico: tanto a che serve inguaiarsi in due!

In carcere, appena mi mettono dentro, dice: la causa te la facciamo per direttissima subito. E io penso: se mi fanno la direttissima mi condannano sicuro; non ho l'avvocato, non ho niente, come faccio?

Allora una di là dentro, una certa Pina, mi fa: lo sai che devi fare? beviti un po' di tè col limone, prendi in bocca la buccia del limone, l'acciacchi tutta e poi quando viene la suora fai finta che vomiti.

Cosí faccio. Prendo il tè col limone. Poi comincio a gridare: ohi ohi! che male, che dolore! Pina chiama la suora e dice: suora, questa si sente male.

Viene Lella degli Angeli, la suora dell'infermeria e dice: cosa ti senti? Ahi, dico, qui mi sento una puncicatura, mi sento un dolore da morire. Tutto un botto, avevo quel limone in bocca pestato nel tè, faccio finta che rigetto. E la suora mi fa subito ricoverare.

Vado a finire all'ospedale, il solito San Giovanni. E lí mi operano di appendicite. Le altre volte che stavo male veramente non mi hanno operata, questa volta che non avevo niente, mi hanno spaccata.

Mi hanno fatto un taglio lungo un palmo. Io dico: madonna mia, ora che succederà quando si accorgeranno che l'appendice non c'è? Non sapevo neanche cos'era questa appendice, pensavo che era una specie di alberello che ti cresce dentro la pancia quando stai male. Ma se stai bene, pensavo, l'alberello non ci può essere. Invece pare che c'era e me l'hanno tolto.

Doveva esserci l'amnistia, in quei giorni, tutti l'aspettavano come la manna. Invece no. Mi hanno dato due anni, nonostante l'operazione. L'amnistia c'è stata, ma per me non ha funzionato.

Cosí mi ritrovo a Rebibbia con le vecchie amicizie: Tina, Giulia, Marisa, le zingare. Alcune se n'erano andate. Altre erano uscite e poi rientrate, come me. Di nuove ce n'erano alcune, soprattutto giovanottelle della droga e donne di vita. Ma quelle della droga stavano per conto proprio, non si mescolavano con noi ladre recidive.

Ce n'era una lí dentro per droga, una bionda bellissima. Avrà avuto diciannove anni, venti. Stava sempre chiusa in cella perché aveva paura che l'assalivano. E infatti la prima sera che è arrivata l'avevano aggredita in cinque. Era stata liberata da una suora che l'aveva chiusa in una cella vuota. Le piú vecchie le facevano le proposte, le offrivano la roba da mangiare. Ma lei era ricca, non aveva bisogno di nessuno. Tutti i giorni riceveva pacchi, roba, lettere. E le suore la trattavano come una signora, la riverivano.

Le portavano acqua minerale, sciroppo, mentine, perché diceva che aveva mal di gola. Faceva telefonare fuori alla madre e poi questa madre veniva e portava alla suora un piatto di paste alla crema.

Suor Isabella, chiamata la Isabellona è una che le piacciono molto le paste. Le piace la bocca dolce ma lei è amara. Ha le mani cattive, amare e tira schiaffi. Basta che una risponde e lei mena. Mena sempre. A me m'avrà menato mille volte.

Ercoletto stava in carcere, mio fratello Orlando pure. Nessuno mi mandava niente. Non avevo neanche i soldi per comprarmi una sigaretta. Per fortuna ero amicona di tutte queste veterane e loro si arrangiavano bene col mangiare. Le facevo ridere, raccontavo le storie e in cambio mi davano chi un boccone di carne, chi una pagnottella, chi una mezza sigaretta.

Quando era fuori, Orlando mi aiutava. Ma combinazione ogni volta che io vado dentro, sta dentro pure lui. Stiamo dentro in due e non ci possiamo aiutare.

Siamo sempre stati acchiappati noi due. Sempre, pure da piccoli, da nostro padre che ci prendeva a cinghiate, dai fratelli maggiori, dalla nonna.

Io me ne sono sempre fregata di dormire per terra, dentro le grotte, sotto l'acqua. Dico: tanto sono forte! Ma la forza si guasta pure. Ora, per via di tutto l'umido che ho preso mi è venuta l'artrite ai reni.

Anche il fegato è un pochetto malandato. Le ovaie sono

state congelate. Un dente mi manca. Insomma non sono piú quella di prima. Orlando pure lui sta malato. Il cuore non gli funziona piú. Diceva che in galera non ci voleva tornare per niente al mondo. Si era messo con questa donna, una nana mezza cieca. Poi si è fatto prendere nella pesca fraudolenta e l'hanno ributtato dentro.

Alla seconda amnistia esco dopo avere fatto cinque mesi. Ercoletto stava ancora dentro. La casa non ce l'avevo piú. Sono andata a vivere per qualche tempo da Vanda, un'amica del bar Bengasi.

I primi giorni non riuscivo a fare niente. Stavo a letto, dormivo, mangiavo, bevevo, fumavo e basta. Vanda era buona, non mi diceva niente. Però lo sapevo che non poteva durare. Aveva il suo lavoro, i suoi uomini e prima o poi dovevo o andarmene o collaborare alle spese. Le dico: aspetta finché mi rimetto perché sono ridotta peggio di un'acciuga. Dice: non ti preoccupare, riposati.

Mi sono ingrassata un po', mi sono saziata di sonno, di fumo. Una mattina mi alzo e torno al bar Bengasi. Incontro alcuni amici. Dico: Gianni dove sta? Dice: dentro. E Gino? Dentro pure lui. Ce n'erano parecchi in galera. Le donne invece no, lavoravano.

Allora mi metto con queste donne, soprattutto con due che m'hanno preso in simpatia, Ines e Violetta chiamata Mano d'Angelo, perché aveva una mano molto buona per il furto.

E andiamo per borseggio. Io e Ines facevamo da palo, da aiuto e Mano d'Angelo si intrufolava, fregava. Era bravissima. Era capace di togliere i calzini di uno dentro le scarpe senza che quello neanche se ne accorgeva. Era quasi brava quanto Dina.

Insomma con queste due andiamo, rubiamo dentro i tram, negli autobus, nei grandi magazzini. Quando c'è molta gente è facile. Ines che ha l'occhio piú rapido, mi fa un cenno. Vuol dire che ha visto una con la borsa facile. Allora io mi avvicino, la studio un po', la seguo passo passo, faccio la prova con un urtone. Vedo se è un tipo distratto, se è sospettosa, se ha fretta.

Quando è il caso, faccio capire a Mano d'Angelo che va bene. Lei si avvicina. Io mi allontano in modo da tenere d'occhio la donna e la commessa. Ines intanto dalle scale controlla la situazione dell'intero negozio.

Mano d'Angelo con una calma da gran signora apre la borsa della donna, con due dita sfila il portafoglio e richiude pure la borsa. Poi con tranquillità lentamente si allontana e io dietro. Fuori ognuno va per conto suo fino al luogo dell'appuntamento. Lí apriamo il portafoglio e dividiamo.

Per un mese abbiamo avuto una fortuna grandissima. Ogni giorno prendevamo un portafoglio buono. Non c'era tanto, sulle dieci, quindicimila lire a volta. Ma era una soddisfazione. E io me ne sono andata da Vanda e ho preso una stanza per conto mio, l'ho arredata e tutto a posto.

Il mese dopo è arrivata la jella. Mano d'Angelo sfilava tre, quattro portafogli al giorno ed erano tutti vuoti. Mille, duemila lire, qualche volta nemmeno quelle. E che dividevamo? Eravamo in tre. Cominciavamo a essere affamate.

Allora Mano d'Angelo dice: lo sai che facciamo oggi? ci rubiamo una bella mortadella; ho voglia di mangiare mortadella; ci facciamo una attrippata perché sono quattro giorni che mangio solo pane e acqua.

Andiamo in un grande negozio di alimentari verso la Casilina. Mano d'Angelo dice: qui però devi farti sotto tu Teresa perché non c'è da sfilare portafogli ma da strappare e correre con questa mortadella sotto il braccio. Dico: va bene, faccio io. E ci siamo messe lí tutte e tre dentro a questo negozio.

Mano d'Angelo prende da parte il commesso e gli fa: ma questa mortadella quanto costa? Quattromila lire, risponde quello. Va bene, dice lei, ma mi farà uno sconto no? io non ho soldi e poi se mi accontenta io le mando pure mia madre che abita da queste parti, cosí acquista due clienti.

Insomma gli dava chiacchiera e quel ragazzo perdeva tempo, si impacciava. Lei dice: e quanto me lo fa questo prosciutto? ma è prosciutto di montagna? molto salato? No, no, è un prosciutto dolcissimo, fa il ragazzo, glielo garantisco.

Era pure mezzo rimbambito, il suo mestiere non lo sapeva fare.

Mentre che Mano d'Angelo gli dà la chiacchiera, io in un momento che il negozio è vuoto, acchiappo una mortadella e scappo. Subito il ragazzo mi vede e si mette a correre pure lui. Intanto Mano d'Angelo e Ines se ne escono tranquillamente e come se niente fosse prendono la strada per casa.

Io quando scappo, corro piú del vento e il ragazzo l'ho seminato quasi subito. Dopo mezz'ora ci ritroviamo con le mie amiche sulla Prenestina. Mano d'Angelo viene con un amico suo, un certo Pasquale che aveva la macchina, la Seicento. Ci mettiamo tutti là dentro e partiamo per la campagna.

Ci fermiamo ad un prato secco secco, coperto di immondizia. Dico: ma proprio qui dobbiamo fermarci, puzza, andiamo piú in là. Dice: no, qui va bene, qui lo conosco è un posto dove vengono a frugare fra i resti e perciò anche se vedono della gente che mangia non si prendono sospetto.

In mezzo a quelle immondizie mezze bruciate, col fumo grasso che usciva da sotto i cocci, ci siamo messi seduti per terra in cerchio. Pasquale ha tirato fuori il coltello e si è messo a tagliare la mortadella. Era una mortadella grande, lunga quasi mezzo metro, del peso pressappoco di due chili.

Pasquale distribuisce i pezzi. Mano d'Angelo si riempie la bocca. Quella quando mangia è peggio di me, non riusciva neanche a mandarla giú per l'ingordigia. Facciamo una fetta per uno, poi un'altra fetta, poi un'altra, un'altra. Io non ne potevo piú. Senza pane, senza vino, era stucchevole quella mortadella, sebbene di prima qualità.

Mano d'Angelo ha mangiato piú di tutti; da sola se n'è ingollata quasi metà. Dice: che bella scorpacciata di mortadella! lo sai da quanto tempo è che me la sogno? tutte le notti in galera mi veniva questa mortadella nella testa e sempre dicevo: appena esco me ne mangio tanto da scoppiare. Ecco qua, adesso mi tolgo questa soddisfazione!

Poi però era sazia pure lei. Siamo stati tutti sazi, pure troppo. Dice: che facciamo di questa mortadella? Dico: conserviamola per dopo. Invece Pasquale che aveva quarant'anni come me, ma pareva sempre un ragazzino con la voglia di scherzare, prende un tocco di questa mortadella e me la tira in testa.

Allora anch'io prendo un altro tocco di mortadella e gliela butto in faccia. Pure Mano d'Angelo fa lo stesso. Ed è diventata la battaglia della mortadella. Con tutte le mani unte, la faccia unta, i capelli unti, peggio dei ragazzini scappati da scuola. Ci siamo divertiti. Non la finivamo piú di ridere e questi pezzi di mortadella andavano su e giú come delle palle.

Quello stesso giorno, tornando a piazza Vittorio incontro un'amica mia, una certa Nicolina. Mi dice: senti Teresa, mi devi fare un favore. Dico: che favore? Dice: io ho avuto un uomo che m'ha succhiato il sangue; ti devo confessare tutto, io ho fatto pure le case per quest'uomo; sono stata a Milano, a Torino, ho girato diverse case di tolleranza. Sono arrivata a fare centomila lire al giorno, ma di queste cento, novanta le dovevo dare a lui; a me mi lasciava giusto per campare e pure malamente. Io allora l'ho preso di petto e gli ho detto: caro Natalino, cosí non può andare; io lavoro e poi i soldi te li pappi tu.

E lui per consolazione mi ha portata dentro la sua Jaguar rossa a pranzare in un ristorante di lusso con gli amici. Mi presentava come la sua fidanzata. E io ero contenta. Ma poi ha ricominciato come prima. Mi trattava come un pedalino e mi portava via il novanta per cento di quello che guadagnavo.

Dico: ma quello ti proteggeva, Nicolina! Dice: mi proteggeva ma mi costava troppo assai; certe volte non avevo neanche i soldi per comprarmi le calze; andavo in giro con le calze bucate.

Insomma che favore vuoi? dico io. Aspetta, dice, che ti racconto. Dice: io a questo gli volevo bene, lo sopportavo pure che era cattivo. Però poi un giorno l'ho visto con un'altra, una ragazza nuova e per la gelosia l'ho denunciato. L'ho denunciato per sfruttamento.

Dico: ma sei una boia! che avrà detto la gente d'omertà? non lo sai che le denunce non si fanno? tu passi da infame! Dice: infatti mi è dispiaciuto dopo che l'ho fatto; ma soprattutto mi dispiace per il padre di Natalino che è un vecchio e sempre viene da me a piangere per questo figlio; dice che adesso arriva Natale, che la madre vuole rivedere il figlio, che il ragazzo in galera sta male, piange; dice che specie per chi non c'è mai stato è una cosa terribile il carcere, da non sopportare; insomma mi prega di ritirare la denuncia.

Dico: e tu fallo! se non lo fai guarda che l'ambiente dopo ti chiama infame, ti sputa in faccia, sei discacciata da tutti; poi questo è un mondo vendicativo, non puoi piú camminare tranquilla. Dice: io ritratto, sono convinta a farlo, però voglio che mi ridanno i soldi che ho uscito per la causa, per l'avvocato Ammazzavacca.

Dico: ma io che c'entro? Dice: tu lo sai che devi fare? devi andare a chiamare questo vecchio, il padre di lui che sta al mercato al banco numero dodici. E gli dici: ti vuole Nicolina, ti vuole parlare.

Dico: va bene, se si tratta solo di questo il favore te lo faccio. Però dopo te la sbrogli con lui perché io non ci voglio entrare in questa faccenda.

Insomma faccio da mediatora. Vado da questo vecchio, gli dico di Nicolina. Dico: vedete un po' di rimbonire la cosa perché sembra che lei è disposta a ritirare la denuncia, però vuole che le ridate i soldi che ha cacciato per l'avvocato Ammazzavacca, per la causa, vuole questo mezzo milione e poi ritratta.

Il vecchio mi dice: basta che ritratta l'accusa di sfruttamento contro mio figlio, io il mezzo milione glielo do. Tu fai la testimonianza, firmi questa carta con lei e siamo a posto.

Cosí ci diamo appuntamento al bar con questo padre il giorno appresso, era un giovedí. Io vado a prendere Nicolina e insieme andiamo al bar designato per ricevere i soldi e firmare la carta di ritrattazione, sotto la mia testimonianza.

Lui viene, questo Balocca, al bar. Era un bel vecchio, grave. Dice: prendete qualcosa? un caffè? Dico: no, no, mettetevi d'accordo che combiniamo subito. Dice: il mezzo milione ce l'ho qui pronto; però prima Nicolina mi deve firmare questa carta.

Tira fuori una carta bollata in cui c'è scritto: io sottoscritta Nicolina Gasperoni dichiaro di avere denunciato Balocca Natalino soltanto per un atto di gelosia, ma dichiaro che non è vero che mi sfruttava, bensí l'ho fatto per la gelosia mia.

Poi dice: ecco qua, Teresa, tu firmi qui sotto per testimoniare che io ho dato il mezzo milione. Ma dov'è questo mezzo milione? ancora non l'ho visto, fa Nicolina. Il vecchio tira fuori un pacco di soldi. Dice: il mezzo milione eccolo qua; prima firma che poi te lo do. Allora lei firma e poi, sotto, firmo io.

Tutto d'un botto, appena abbiamo firmato, si apre la porta, bam bam ed entra la polizia. Balocca se ne va con la carta firmata e i soldi. E noi veniamo arrestate.

Ci portano in questura. Dico: io non ho fatto niente, io ho solo testimoniato. E racconto la storia com'è andata. Ma non mi davano retta i questurini. Non mi stavano neanche a sentire.

Però io in questura stavo tranquilla, perché pensavo: tanto mi rilasciano, io non c'entro, una testimonianza non è reato.

Invece ci mettono dentro tutte e due per estorsione. E quella è una cosa l'estorsione che non si scherza; si prendono come niente cinque sei anni. Ma io non avevo fatto nessuna estorsione. Avevo solo testimoniato. Questo fatto non mi andava giú. Per fare una firma di testimonio innocente dovevo prendere sei anni!

Ercoletto stava per uscire. Dico: ora quello sente che sono di nuovo dentro e mi abbandona; si metterà con un'altra. Dico: ora la casa mi va tutta distrutta. Come vado dentro la casa mi va distrutta e devo ricominciare da capo.

Dico: a me queste case mi portano jella, è meglio che non me ne faccio piú. Come mi facevo una casa, venivano le amiche invidiose, gelose, ah che bello questo! che bello quest'altro! dove l'hai comprato? che bella camera, dove l'hai comprata? e mi mettevano la iattura, l'invidia, mi distruggevano.

Poi appena andavo in galera, si buttavano dentro questa casa e mi portavano via tutto, si ripulivano tutto che quando uscivo non ritrovavo neanche una spilla.

Lí dentro alla galera mi sentivo un'anima persa. Dico: ma perché sto qui rinchiusa? Erano sei mesi che stavo lí e non si decidevano a farmi il processo.

Per la prima volta non riuscivo proprio a darmi pace. La reclusione non la digerivo proprio. Litigavo tutto il tempo con quella, con questa, mi azzuffavo.

Me la prendevo con quella disgraziata di Nicolina. Dicevo: guarda questa scema che m'ha combinato! ma rimbambita che non sei altro, almeno chiama il giudice, digli che io non c'entro!

Dice: neanche io c'entro, non ho colpa. Dico: t'ho fatto un favore, non ti ho chiesto niente. Ti ho chiesto qualcosa per questo favore? Dice: no. Dico: lo vedi! non m'hai dato niente, non volevo niente, t'ho solo aiutata. E ora sto chiusa qui dentro per te.

Veniva suor Carmina dalle mani dure. Stai zitta Teresa, mi faceva, con quella vociona grassa. Dico: dovrebbe stare lei al posto mio! io mi rassegno, dico, quando mi prendono per una cosa che ho fatto, ma per una cosa che non ho fatto, no. Dice: zitta tu delinquente! Non ci credeva che non avevo fatto niente.

Sono stati sei mesi di dolori. Non mangiavo, non parlavo. Me ne stavo buttata sul letto a pensare. E piú pensavo e piú diventavo rabbiosa. Pensavo a Ercoletto che a quest'ora stava uscito e chissà che faceva.

Pacchi non me ne mandava e neanche lettere. Mi aveva abbandonata. Orlando stava sempre chiuso e non sapevo neanche dove. Ero avvilita. Le suore venivano, spalancavano la finestra. Teresa, alzati, dice, non fare la finta malata perché nessuno ti crede! Ma io non ero malata, ero disgustata. M'ero seccata della vita.

Le compagne capivano. Salivano qualche volta a portarmi una sigaretta. Saliva pure Nicolina e io la cacciavo via, non la volevo vedere, anche se sapevo che lei era stata ingannata come me.

Stavo lí con gli occhi chiusi, ma non dormivo. Neanche la notte mi riusciva di dormire. Stavo abbacchiata, mezza rinscemita e non mi andava di fare niente. Mi alzavo per mangiare, mandavo giú un mezzo cucchiaio di minestra e tornavo a letto. La suora mi faceva: prenderai sei anni e ti starà bene perché sei malandrina e chissà cosa avete combinato tu e quella prostituta di Nicolina!

Io dico: sei anni qua dentro per non avere fatto niente non li faccio. Piuttosto mi ammazzo. Infatti una mattina prendo un lenzuolo lo tiro tutto come una fune, lo torco, preparo la cappiola, l'attacco alle sbarre della finestra e m'impicco.

In quel momento passa Anna Bordoni, una che era tenuta in palma di mano dalle suore. Io avevo calcolato che a quell'ora non veniva nessuno, erano tutte all'aria.

Invece questa Anna passa per andare al gabinetto, le era venuta una voglia improvvisa, dà una guardata dentro la mia cella, le salgono gli occhi e mi vede che sto lí impiccata con la lingua di fuori.

S'è messa a strillare, ha chiamato gente. È venuta la monaca, m'hanno presa, m'hanno sciolta, m'hanno fatto le iniezioni.

Non capivo niente. Ero morta. E invece mi hanno riportata in vita. Mi hanno voluta salvare. Ero diventata tutta nera al collo. La gola mi faceva male, non potevo neanche inghiottire la saliva. Ero tappezzata di chiazze sulla faccia. Non so come m'hanno salvata. Si vede che sono proprio dura a morire.

Dopo di allora mi stavano sempre adosso. Non mi lasciavano mai sola. Stavo chiusa in infermeria con Lella degli Angeli che non mi spiccicava mai gli occhi di dosso.

Là ho fatto amicizia con una ragazza che era dentro per tentato aborto. Si era bucata l'intestino coi ferri da calza per ammazzare quel figlio che era il figlio di suo zio.

L'hanno portata dentro che perdeva sangue come una pecora scannata. L'hanno ricucita, rimessa a posto. Si era perforata l'intestino, ma il figlio non era stata capace di mandarlo via. E se l'è dovuto tenere.

Lo zio poi ha negato di essere stato lui. La madre e il padre hanno creduto allo zio e non venivano neanche a trovarla perché dicevano che era una disonorata assassina che aveva tolto l'onore alla famiglia.

Con questa Pinuccia giocavamo a scopone. Vinceva sempre lei. Era simpatica. Timida. Poi ho saputo che ha fatto un figlio storpio. Ma l'ha tenuto e ora non so dove sta. Credo che è impiegata a servizio; l'ho sentito dire.

Dopo otto mesi che sono dentro, una mattina viene suor Innocenza e mi dice: Teresa, sei scarcerata! ti riconoscono che sei innocente. Dopo otto mesi!

Dico: se erano otto anni per me era lo stesso; e siccome io sono povera, per me la galera è doppia; e poi la punizione ingiusta non si può sopportare suora, neanche quando si è piene di peccati come me.

Dice: puoi uscire ora, sei scarcerata. Dico: ma davvero? non sarà una scusa per mandarmi da qualche altra parte? Dice: se te lo dico io puoi stare sicura!

Il sangue mi è sceso tutto ai piedi. Dico: se me lo dice lei sarà vero certamente; che devo fare? Dice: prendi la tua roba ed esci. La mia roba era niente perciò ho preso niente e me ne sono andata.

Dico: com'è che mi scarcerano? Dice: sei assolta per inesistenza di reato; il giudice Dell'Alba ha fatto un errore giudiziario. Dico: infatti l'avevo detto pure io che era un errore! una estorsione si fa di nascosto, con la pistola, non in un bar con la carta bollata coi testimoni e tutto.

Cosí sono uscita dopo che tutti hanno detto che è stato un errore giudiziario, tanto della polizia che dei giudici. È stato un certo giudice Giustiniani che ha riconosciuto questo errore. Ha fatto una duplice istruttoria e ha riconosciuto lo sbaglio. Perciò mi hanno lasciata libera, dopo otto mesi di carcere. Anche Nicolina è stata liberata.

Esco e vado subito in cerca di Ercoletto. Dico: chissà quante corna m'ha messo questo sciagurato! Lui non lo sapeva che uscivo cosí subito e neanche io lo sapevo. Nel frattempo se n'era andato a vivere in casa della sorella.

Sentendo questo dalle amiche, vado subito alla casa di Alba, ma il portiere mi dice che non abita piú là. Dico: dove stanno? Dice: non lo so; mi pare che abitano in campagna, ma non so dire dove.

Allora prendo un taxi e vado a Quarto Miglio dal fratello di Ercoletto. Dico: Biagio, sai niente dov'è Ercoletto? dove sta? dove vive? Dice: se n'è andato proprio adesso pochi minuti fa con la Lambretta. Dico: per dove? Dice: alla casa di Alba. Dico: e dov'è la casa di Alba? Dice: laggiú alla Batteria Nomentana. E mi spiega dove sta.

Scendo le scale e sul portone incontro Annuccia la nipote di Ercoletto. Dico: vieni ti offro un gelato. Questa Annuccia è una ragazzina di tredici anni. Dice: come sei magra zia! dove andiamo a prendere il gelato?

La porto in una bella pasticceria, le compro un gelato grosso da cento lire. Poi le dico: senti ma lo zio Ercoletto ci è andato piú con quella Cesira, quella del pupo? Dice: l'altra sera se n'è andato al cinema con lei, però non so dopo dove sono andati.

Quando m'ha detto cosí non ci ho visto piú. Ero nera, avvelenata. Dico: va bene, ciao! Dice: mi offri un altro gelato zia? ti ho dato la notizia che volevi no? Dico: seí troppo furba Annuccia, sei della razza di tuo padre.

Piglio un autobus e vado alla Batteria Nomentana. Arrivo che era già notte. Era d'inverno, dicembre, dopo Natale. Arrivo, giro a piedi per trovare la strada. Scovo la casa, entro salgo e mi fermo sul pianerottolo davanti alla porta. Faccio per bussare quando sento le voci di Alba e di Ercoletto che parlano di me e di Orlando.

Quell'Orlando pretende che la roba della sorella è sua, diceva Alba, la macchina è sua, la casa è sua, sempre tutto suo. Ma tu devi reagire, gli faceva al fratello, se no quello ti porta via tutto. La roba è pure tua, lo incitava, l'avete comprata insieme tu e Teresa.

Eh, dice Ercoletto, se Orlando non la pianta qualche giorno gli do una botta. E Alba: pure lei, Teresa è una pasticciona, sta sempre a fare impicci, si fa prendere, si fa mettere dentro; chi gliel'ha detto di fare questa testimonianza? non ha testa quella Teresa, non ha testa.

Sono stata a sentirli un po', poi mi sono stufata e ho cominciato a bussare bum bum bum, il campanello non c'era. Dice: chi è? Dico: amici. Dice: chi, amici? Dico: sono io Teresa! Avevo i nervi rotti perché era mezz'ora che stavo a sentire che parlavano male di me.

Aprono. Io entro. Dice: uh chi si vede! Ah, dico avete finito di parlare! è un'ora che vi sto a sentire. Tutto quello che avete detto m'è entrato qui nell'orecchio.

Ma che ce l'hai con me? mi fa Ercoletto e mi abbraccia. Dico: hai il coraggio di abbracciarmi dopo tutto quello che avete parlato fino ad ora? credevi che ero sorda? ho sentito tutto e ora me ne vado, qui non è posto per me.

Apro la porta e faccio per andarmene. Ercoletto m'afferra. Dove vai? dice, sei matta! vieni qui, dove vuoi andare di notte con questo freddo! E ha chiuso la porta a chiave. Dice: vieni, andiamo a dormire!

Tutta la notte abbiamo litigato. L'amore con lui non l'ho voluto fare. Dico: io con te non ci sto piú, io non spartisco l'uomo mio con nessuno. E facevo la finta che me ne andavo. Ma dove andavo? per tetti?

Per parecchi giorni mi sono rifiutata di farci l'amore. Perché ero sicura che era stato un'altra volta con Cesira. E lui: ma lo sai che io voglio bene solo a te! Dico: ma vai a morire ammazzato! rivattene da lei perché io mi sono stufata di te, di lei e di tutto; tanto il marito io ce l'ho avuto e mica mi serve il nome tuo! questo nome da ministro! Dice: ma io ti avrei sposata; se non eri sposata, ti sposerei anche subito.

Ora infatti che mio marito è morto lui mi vorrebbe sposare. Ma io non voglio. Divento forse una regina quando mi sposo con te? gli dico, ma che mi frega a me del nome tuo!

Per la verità non mi voglio risposare perché spero sempre che mi danno la pensione di mio marito Sisto della ferrovia, di questo marito che è morto. Tanto, dico, ormai sono vecchia, che mi importa a me del matrimonio!

Eppure c'è chi si sposa pure da vecchia. La mia padrona di casa, questa donna che ha ottant'anni suonati ed è brutta come la fame, dice che si sposa, ha trovato marito. Io le ho fatto una pernacchia e ci siamo messe a ridere.

Insomma con Ercoletto dopo tanto che ha insistito e pregato ci ho fatto di nuovo l'amore ed ero contenta perché è il mio uomo e mi piace molto. Dice: di quella, di Cesira non me ne frega niente, te lo giuro; se me n'ero fregato a quest'ora l'avevo sposata no?

Insomma tanto fa e dice, sempre con le maniere dolci, con quel sorriso amoroso, che alla fine mi convinco, facciamo pace e torniamo a vivere insieme d'amore e d'accordo.

Poi ho saputo che lui continuava a vederla sempre questa Cesira per via del bambino e me l'ha pure portato in casa questo figlio. Adesso ormai è diventato grande, l'anno scorso è andato a fare il soldato, ho pure la fotografia.

È un bel ragazzo. Un pezzo di delinquente, vuole sempre quattrini, sempre quattrini. Mangia molto, ride sempre, è mezzo spampinato. Ride, canzona tutti. È un tipo cosí, scoglionato.

Faceva il pittore, poi ha fatto il cameriere. È entrato in un ristorante, ha burattinato un po' e l'hanno cacciato via. Poi è andato a lavorare dentro un laboratorio dove fabbricano statuette di corallo, di giada. Si è fatto cacciare pure di là.

Dove va litiga con tutti. Gli hanno pure trovato un posto dentro l'ospedale a fare i servizi, a portare i caffè, le bibite agli ammalati. Ma pure lí ha bisticciato. Ride, canzona tutti e poi scoppia a litigare. Siccome prende in giro la gente, qualcuno si rivolta e allora lui si offende e finisce a botte.

La madre, questa Cesira è una zoppetta, una serva tutta sventata, famelica peggio di me. È sderenata, ha due o tre anni meno di me. È bruttarella. A vederla fa pure pietà. Quando l'ho vista la prima volta ho detto a Ercoletto: ammazzala che gusti! Dice: che vuoi, mi trovavo in campagna e questa è venuta a dormire con me; e dài oggi e dài domani, che vuoi fare, è nato questo figlio; se lei si comportava bene me la sposavo, non per lei perché mi fa schifo ma per il figlio.

Dico: ora disprezzi ma prima non la disprezzavi! gli uomini disprezzano sempre, sono dei disprezzoni. Dico: prima t'è piaciuta, ora la butti giú; ma pure tu non sei mica diventato piú bello sai con l'età.

Brutta brutta non è poi alla fine questa Cesira. È ridotta male questo sí. Ma a lui gli piace, lo so che gli piace e mentre ero dentro ci faceva l'amore, questo è sicuro.

Lei poi gli ha messo pure le corna. Ha anche abortito. Allora lei lo negava che gli aveva messo le corna, giurava, piangeva. È una spergiura. Ma Ercoletto, poiché gli avevano detto che l'aborto era avvenuto al Policlinico, è andato là e si è informato. Effettivamente, gli hanno detto che aveva abortito. E da allora l'ha lasciata, l'ha odiata, non l'ha creduta piú.

L'avevano portata al Policlinico perché le era venuta una emorragia. Hanno fatto il raschiamento e le hanno levato le ovaie. Perciò non ha potuto fare piú figli, se no chissà, all'uscita dal carcere, mi trovavo un altro figlio di Ercoletto.

Lei lo voleva un altro figlio. Avrebbe dato un braccio per fare un figlio con lui. Anche Ercoletto lo voleva. Gli piacciono i bambini a Ercoletto e ne avrebbe fatto chissà quanti.

Gli sarebbe piaciuto tanto fare un figlio con me. Io pure, ma per via di quell'infiammazione, di quella peritonite che m'hanno raffreddato le ovaie non posso piú fare figli. Lui sarebbe morto per fare un figlio con me.

Abbiamo ricominciato con il traffico dell'olio e della biancheria. Compravamo, vendevamo. Guadagnavamo poco, ma guadagnavamo regolare. Abbiamo pure preso una casa sulla Tuscolana. Pagavamo quindicimila lire al mese, avevamo la loggia, era carina questa casa.

Andavamo in quattro, Luigino, io, Giulietto e Lalla, due amici del bar Bengasi. Avevamo preso una macchina, una Millecento blu usata che aveva fatto piú di trecentomila chilometri ma correva ancora bene, sembrava un treno. Solo che beveva molta benzina. Era un'assetata questa Millecento.

Un giorno andiamo con i due amici verso Littoria. Passiamo per Nettuno a prendere un pacco di biancheria e dei soldi, ma non troviamo l'uomo. Il fattorino ci dice: torna piú tardi, ora non c'è.

Cercavamo questo dei pacchi, un napoletano che comprava all'ingrosso e faceva contrabbando di merce. Dico: ci facciamo un giro per Nettuno? Dice: sí facciamolo.

Infatti andiamo in giro, era deserto, faceva freddo, pure i cani si erano acquattati. Pendiamo un caffè e torniamo a questo magazzino. C'era il commesso. Dice: ancora non è tornato.

Andiamo a fare un altro giro, prendiamo la strada del mare. Ci fermiamo. Dico: io scendo, mi voglio svegliare un po' le gambe. Dice: vai vai, noi restiamo dentro, fa troppo freddo. Era gennaio.

Scendo sul mare. Era verde, schiumoso, con tutte le onde increspate. Era il mare che io conoscevo bene, il mare di quando ero piccola ad Anzio. Mi metto lí imbambolata a guardare questo mare scuro e agitato. E mi sento chiamare: Teresa! Teresa! Mi volto. Era Giulietto che mi faceva segno di risalire.

Salgo, affondando nella sabbia gelata. Avevo le orecchie fredde, i piedi freddi, le mani fredde. Dico: ma chi me l'ha fatto fare di scendere qui giú!

Mentre che andavo cosí col pensiero, gli occhi a terra, intravvedo una cosa bianca che sbuca da dietro un cespuglio, una specie di fagotto. Guardo meglio. E capisco che sono due gambe nude. Dico: oh Dio, stai a vedere che qui è morto qualcuno. Mi avvicino e vedo un vecchio e una vecchia, avranno avuto ottant'anni l'uno, tutti nudi e bianchi, uno appiccicato all'altro, uno dentro l'altro. Nella foga neanche mi vedono. Dico: ma guarda quanto sono brutti! E mi rimetto a salire su per le dune a passo di corsa.

Rimonto in macchina e racconto quello che ho visto. Dice: ma davvero? allora perché non torniamo giú tutti insieme e gli facciamo uno scherzo a questi due vecchi, li svergognamo!

Ercoletto dice: lasciateli perdere! con questo freddo se fanno l'amore vuol dire che proprio si vogliono bene. Giulietto insiste. Dice: scendiamo, gli rubiamo i vestiti e ce ne andiamo! Lalla si mette a ridere. Dice: sí scendiamo! Dico: ma andiamo và che è tardi.

Alla fine ha vinto il freddo. Siamo rimasti chiusi in macchina. E dopo avere fumato altre due sigarette sempre chiacchierando e scherzando ce ne torniamo a Nettuno da quello dei pacchi.

Ma questo non c'era. E il commesso non ne sapeva niente. Poi dopo abbiamo scoperto che era scappato con la cassa, due milioni e seicentomila lire rubate ai suoi soci.

Dice Giulietto: ormai è tardi, che facciamo? non abbiamo neanche i soldi per comprarci un panino. Dice: tu quanto hai? Io avevo trecento lire, quell'altro cinquecento, quell'altra seicento. Abbiamo preso qualche litro di benzina e ci siamo rimessi in viaggio.

C'erano rimaste cinquanta lire. Arriviamo verso Littoria. Dico: io ho troppa fame, fermati in qualche trattoria e con queste cinquanta lire ci facciamo dare un po' di pane. Perciò andavamo piano, cercando una bettola, un posto di ristoro.

Ne troviamo uno campagnolo, colla pergola, le sedie tut-

te nere di pioggia, i tavolini sgangherati. C'era la porta
aperta. Io entro. Dico: signora! c'è nessuno? Era verso le
tre e mezza. Penso: saranno a riposare. Chiamo ancora:
signora! signora! Ma non si presenta nessuno.

Lí in mezzo a quella trattoriola c'era un frigorifero molto
grande con uno sportellone tutto macchiato di ruggine. Mi
avvicino, apro, metto la testa dentro. C'era un piatto con sopra una aragosta e accanto una gallina lessa con della cicoria. Acchiappo questa aragosta e questa gallina e scappo
via come un lampo.

Rimonto in macchina e dico: andiamo, andiamo di corsa! Dice: che è successo? Pensavano che avevo preso i
soldi. Hanno visto invece questa gallina e si sono delusi.
Dice: che ne facciamo di una gallina? Dico: come che ne
facciamo? la mangiamo!

Infatti, mentre filiamo con la macchina verso Roma, rompiamo questa gallina, la facciamo a pezzi e dividiamo un
pezzo per uno. Ce la siamo mangiata con un'avidità! Era
dall'una del giorno prima che non mangiavamo. Quella gallina ci ha ridato un po' di vita.

Poi abbiamo spaccato l'aragosta. Era lessa, tutta bianca, pomposa. Ce la siamo divisa pure quella in quattro parti uguali. Dice Giulietto: dammi una zampa che me la suc-
chio! Dice Lalla: pure a me! Dico io: questa me la tengo
per me. Insomma cominciamo a strapparci queste zampe che
si rompevano con uno scoppio pac! E ci veniva da ridere.

Ridevamo e mangiavamo. Mentre la macchina correva
Ercoletto dice: io adesso vorrei essere lí a vedere la faccia
che fa la padrona quando vede il frigorifero vuoto, dirà:
ma la gallina dentro al frigorifero che fine avrà fatto? avrà
preso il volo la gallina! e l'aragosta? quella si sarà acquat-
tata dentro a qualche stagno. E giú a ridere. Non ce la facevamo a mangiare per il gran ridere.

Nel grosso della risata, la macchina fa pof pof e si ferma.
Era finita la benzina. Ormai faceva notte. L'abbiamo ac-
costata su una stradina di campagna e ci siamo messi a dormire lí dentro. In quattro, col caldo, lo scomodo, era difficile dormire.

Appena sbuca il sole dico: ora, a costo di farmi prendere, vado a acchiappare qualcosa; qui bisogna trovare dei
soldi per la benzina.

Ercoletto dice: vengo con te. Dico: no, tu non sei buono a correre come me. Dice: come vuoi. Ercoletto in verità non ci sa fare coi furti, è d'animo lento e onesto.

Cammino cammino, arrivo a una fattoria. Dico: c'è nessuno? M'appare una vecchia tarlata, mi fa un segno con le dita. Dico: mi è finita l'acqua nella macchina, sono in mezzo alla strada, mi dà un fiasco d'acqua?

Ma quella mi guarda dritto e non risponde. Dico: signora? e quella mi volta le spalle e se ne va. Allora ho capito che era sorda.

Intanto mi guardo intorno. Vedo forconi, paglia, zappe tubi di gomma, ma niente da rubare. Non c'erano galline, maiali, niente. In quel momento mi viene incontro un ragazzino, avrà avuto sette anni, basso, grasso e vestito da uomo.

Mi fa: che vuole? Dico: ma tua nonna è sorda? Dice: sí è sorda. Dico: vorrei un fiasco d'acqua per il radiatore che è secco. Dice: ora te lo do. E se ne va a riempire un fiasco nel cortile.

Aveva i modi del grande, era alto meno di un metro e si muoveva come un vecchio. Io me lo guardavo e pensavo: ma sarà un nano! Poi dico: qui se non acchiappo subito qualcosa poi è troppo tardi.

Metto le mani in un cassetto della credenza, tanto la vecchia non sente e il ragazzino è fuori, lo controllavo con la coda dell'occhio. Ma nel cassetto non c'era niente. Solo carte, lettere e francobolli. Guardo dentro un armadio. Trovo dei salami. Ne acchiappo due e me li infilo dentro il cappotto.

Faccio giusto in tempo. Il ragazzino rientra tutto liscio, con la cravatta a posto, la giacca, le scarpe da uomo, la faccia seria.

Dico: ma tuo padre dov'è? Dice: è morto. E tua madre? A lavorare. Dico: ma tu dove stavi andando che sei vestito cosí leccato? Dice: vado a prendere mia madre che esce dal lavoro.

Dico: e tua madre non può tornare da sola? Dice: cosa vuoi, è una donna, e le donne, se non le tieni sott'occhio, ci mettono un attimo a disonorarti. Dico: e perciò tu fai il controllo a tua madre? Dice: io sono l'uomo di famiglia. Dico: ma quanti anni hai? Dice: dodici. Poi lo vedo mettersi davanti a uno specchio, in cucina e guardarsi, lisciarsi i capelli, atteggiarsi con le labbra.

Dico: beh grazie, ciao! E mi incammino con questo fiasco d'acqua e i due salami nascosti sul petto. Appena mi allontano un po', sento il ragazzino che strilla. Dico: vuoi vedere che ha scoperto il furto. Ero pronta a fare a botte.

Invece no. Stava strillando con la nonna. Puttana, puttana! diceva. Lei era uscita di casa piagnucolando e lui dietro. Poi vedo che l'afferra per i capelli e le dà delle ginocchiate dietro la schiena. La prende a calci, a pugni.

Dico: fammi andare via subito, questo qui è matto. Mi metto a camminare veloce veloce. Raggiungo la macchina che sono tutta sudata. Racconto com'è andata, consegno i due salami. E con quei due salami ci siamo pagati la benzina fino a Roma.

Ora poi qualche giorno dopo Ercoletto mi fa: vado a Sant'Agata, al mio paese a portare una lapide per mio padre, abbiamo fatto qualche soldo e devo ricordarmi di una promessa fatta alla morte del mio genitore.

Dico: va bene, quando torni? Dice: fra due giorni, tre al massimo. Dico: vai in treno? Dice: no, prendo la macchina e vado con due amici, Nino e Ciapparelli. Dico: va bene, ciao.

Infatti partono, lui e questi due amici, portandosi la lapide di marmo per il padre. Vanno al cimitero, mettono la lapide e poi riprendono la via del ritorno.

Sulla strada, poco dopo Sant'Agata, si fermano a farsi uno spuntino. Lí in questo paesotto vedono un negozio di stoffe in cui c'era solo la padrona a custodire la merce. Era l'ora morta, verso le due.

Allora gli viene in mente di fare un colpo. Nino entra, comincia a dargli spago a questa padrona, se la impapocchia un po', gli fa l'innamorato. Alla fine riesce a convincerla a uscire con lui per fumarsi una sigaretta dietro il negozio.

Mentre questa stava fuori con Nino, Ercoletto e Ciapparelli hanno caricato quattro, cinque pezze sulla macchina, in fretta e furia, pronti a ripartire appena quello ritornava.

La donna però se n'è accorta; ha preso uno straccio di carta e si è messa a scrivere la targa della macchina. Quando i due hanno visto quello che stava facendo, Ciapparelli è sceso e le ha strappato il foglio dalle mani.

Cosí mi hanno raccontato di avere fatto. E dice: siamo tranquilli, siamo sicuri perché quella burina non l'ha potuto prendere il numero, le abbiamo subito strappato il foglio.

Invece quella si era segnato il numero sul palmo della mano. Tutto questo l'ho saputo dopo. A me mi risultava che Ercoletto stava a mettere la lapide al padre al cimitero di Sant'Agata negli Abruzzi. Non so neanche se l'ha portata veramente questa lapide. Lui dice di sí.

Se me l'avessero detto subito, sarei andata in questura, avrei fatto la denuncia del furto della macchina e mi sarei levata da ogni impiccio. Invece la macchina stava intestata a me. E Ercoletto, per paura, è rimasto zitto.

Cosí m'ha inguaiato pure a me.

Poi ho saputo che questi stupidi erano tornati pure indietro. La verità è venuta fuori a pezzetti. Erano tornati indietro perché gli era venuto il sospetto che quella si era imparata il numero a memoria.

Le hanno restituito tutto, e le hanno pure chiesto scusa. Si sono raccomandati, dice: signora mia, questo è un maniaco, è stato in manicomio, ha la mania di caricare tutto sulla macchina, è cleptomaniaco. Fingevano che Ercoletto era matto per scusarsi. E le hanno restituito le pezze, fino all'ultima.

La negoziante si è arrabbiata. E oltre le pezze voleva pure i soldi del risarcimento. Questa burina! Loro hanno detto: ma noi i soldi non li abbiamo presi. E lei: a me però mi mancano ottomila lire. Insomma per farla stare zitta le hanno dato le ottomila lire. Erano andati per buggerare e sono rimasti buggerati!

Poi, però, appena loro sono partiti, lei ha fatto la denuncia. La polizia è venuta a cercarmi. Ma essendo che io non avevo fatto il cambiamento di domicilio, non mi hanno trovata; altrimenti mi avrebbero subito arrestata perché la macchina era intestata a me.

Ercoletto l'hanno preso dopo qualche settimana. Attraverso di me, sono arrivati a lui e l'hanno acchiappato dalla sorella. La burina abruzzese l'ha riconosciuto e cosí gli hanno dato sei mesi.

Cercavo di sapere dove avevano mandato mio fratello Orlando. L'ultima lettera veniva da Soriano del Cimino. Perciò ho preso il treno e sono andata a questo Soriano. Ma lí mi hanno detto che non c'era nessun Numa Orlando.

Dico: dove l'hanno trasferito? Dice: non si sa; si rivolga al Ministero. Vado al Ministero, non ne sapevano niente neanche lí. Dice: vada in questura. In questura, dopo avermi spedito da un ufficio all'altro, mi cacciano via.

Proprio quel giorno ricevo una lettera da lui. Mi si è allargato il cuore quando ho visto la busta con la sua calligrafia tutta brulicante. Ma a leggerla, la lettera, era una grande tristezza.

"Cara sorella amata, da Soriano del Cimino sono stato trasferito al carcere di Palliano, ma neanche lí ho resistito a lungo perché ho finito per questionare con il maresciallo La Cosa a causa del vitto immangiabile e questo mi fece legare sul letto di contenzione. Otto giorni mi hanno lasciato senza togliermi da lí, legato stretto e mezzo matto di furore, ti puoi immaginare il mio dolore. Quando mi slegarono alla fine avevo le braccia anchilosate le piaghe sul sedere e i polsi e le caviglie ferite dai lacci. Ed ero pure tanto debole che non riuscivo a stare in piedi. Allora mi misero in cortile a prendere il sole e qualcuno caritatevole mi diede della carne in scatola. In quel cortile trovai una gatta che aveva partorito, mi presi ed allevai una gattina nera che per una fortunata combinazione sono riuscito a tenere con me finora. Ma siccome questo maresciallo La Cosa non mi lasciava tranquillo e io neanche lasciavo tranquillo lui per via del vitto che era peggio di quello che si dà ai porci, questo mi fece di nuovo legare. Dopo due giorno però riuscii a slegarmi, presi un coltello in cucina e mi rifugiai sopra i tetti. Il brigadiere e un ergastolano vennero là sopra per prendermi, ci fu una lotta accanita, vibrai una coltellata al petto del detenuto e ferii il brigadiere al braccio sinistro, fui preso dopo circa un'ora e messo in una cella imbottita per sette giorni; dopo di che mi rimandarono a Porto Azzurro. Qui sono adesso a questo Porto Azzurro dove ho fatto amicizia con un certo Ezio Nardini. Passano venti giorni e litigo con un certo Rebecchini, un certo Ciccotti e due ergastolani a causa di un calcio che avevano dato alla mia gattina: cella di punizione e pane e acqua per quindici giorni. In quel periodo venne alle celle il compagno di Ezio, che avendo alcuni pomodori me ne dette due. La guardia se ne accorse e venne per togliermeli, ma io li mangiai rapidamente. Faceva molto freddo, io stavo sul tavolaccio e la guardia inviperita per la storia dei pomodori mi gettò un boccale di acqua addosso (la guardia si chiamava Panetti). Attendo un pomeriggio, fingendo di sentirmi male, feci venire il Panetti in cella e gli gettai in faccia un vaso di urina e sterco mescolati: dopo dieci minuti vennero i suoi colleghi e mi riempirono di botte e dopo quattro giorni il direttore mi chiamò per il consiglio di disciplina. In anticamera incontrai il bandito La Parca, condannato per due volte all'ergastolo e tre volte a trent'anni; io avevo una sigaretta fatta di carta e quando gli chiesi di farmi accendere, lui senza dire nulla mi dette uno schiaffo fortissimo. Feci udienza dal Direttore per primo, e subito dopo fui riportato in cella, dove si trovavano già due napoletani. Avevo ancora la guancia tutta rossa. Chiesi ad uno scopino (che era di Albano Laziale) una sfera, cioè un coltello per nascondere nel tacco della scarpa un po' di tabacco e delle cartine, ma dopo pochi minuti venne anche il La Parca. Mi vide il coltello in mano, pensò che era per lui, mi disse che ero un vigliacco, prese un pezzo di vetro e mi si scagliò contro: giostrammo cosí fino a che gli detti tre coltellate al petto e cadde per terra. Chiamarono le guardie che lo portarono immediatamente all'ospedale, dove adesso giace ferito da arma bianca e spero ci rimarrà a lungo. Come sta Ercoletto e come stai tu sorella mia adorata? Troverò un modo di farti avere la gattina perché so che qui finirà arrosto, se non altro per dispetto verso di me che sono mal sopportato. Spero di vederti presto. Vieni a trovarmi e portami qualcosa perché qui manco di tutto e sono molto sciupato. Molti baci, tuo fratello Orlando."

Cosí finiva la lettera di Orlando e io subito mi sono messa a girare per procurarmi dei denari, ho comprato una grossa valigia di cartone, ci ho messo dentro riso, biscotti, salame, pesce secco, zucchero, olio, vino, uova e arance. E sono partita per Porto Azzurro.

Lo trovo che stava attaccato in punizione alla Polveriera, una costruzione sotto il livello del mare sempre umida e salata. Erano in due chiusi lí dentro, lui e un suo compagno. Me l'hanno detto in portineria che era in punizione e non poteva uscire. Dico: ma io vengo da Roma, sono sua sorella, fatemelo vedere un momento!

Dice: per oggi non si può; domattina si presenti qui alle otto e chieda il permesso al direttore. E io dove vado, dico, adesso con questa valigia che pesa un quintale? Non mi hanno neanche risposto, mi hanno chiuso la porta in faccia.

Non avevo i soldi per andare in albergo. Per fortuna ho trovato dei contadini che mi hanno dato un letto per poche lire; un gran letto con un materasso che doveva essere impregnato della piscia di quattro generazioni perché il puzzo che mandava era violentissimo e antico.

L'indomani mattina presto mi presento a questa fortezza di Porto Azzurro che poi sarebbe la vecchia Portolongone chiamata "la tomba dei viventi".

Aspetto, aspetto e finalmente verso mezzogiorno mi riceve il direttore. Dice: che vuole? Dico: sono venuta a vedere mio fratello Orlando Numa. Dice: quel delinquente, non ne voglio neanche sentire parlare, via via, vada via!

Allora ho pensato: qui devo fare un po' di teatro se no mi rimanda a Roma con tutta la valigia. Mi sono buttata per terra in ginocchio, ho pianto, ho supplicato, mi sono strappata i capelli.

Alla fine, questo direttore, per levarmi di torno o per pena, non lo so, mi fa: va bene, ora faccio chiamare il detenuto, ma che sia una cosa veloce e poi non ne voglio piú sentire parlare. Dico: grazie signor direttore, lei è proprio buono! Si vede però che l'ho detto con un poco di scherzo, perché mi ha mandato via con un calcio.

Comunque sia finalmente me lo fanno vedere questo fratello mio disgraziato. Era ridotto uno scheletro, i pezzi di pelle se ne venivano via con la canottiera appena lo toccavi, i capelli rapati a zero, la testa piena di croste.

Dico: come stai? Dice: sto male. Dico: ma ti danno da mangiare? Dice: sí patate. Dico: e la carne mai? Dice: sí due volte alla settimana. Dico: beh, vi trattano meglio che alle Mantellate. Dice: sí, ma tu non sai com'è questa carne, viene dall'Argentina, è congelata, gassata, non lo so, sa di medicina, è livida, stopposa.

Dico: e in questa polveriera come ci stai? Dice: ci tengono lí mezzi nudi nel salmastro e quando protestiamo ci buttano addosso secchiate d'acqua fredda. Ma non c'è ribellazione qui dentro, sono tutti morti; hanno paura del direttore, il quale direttore, si chiama De Martis, ricordatelo, è il piú grande aguzzino della storia! Dico: infatti, me ne sono accorta, non voleva farmi incontrare con te, ho dovuto fare scena, ho dovuto mettermi in ginocchio e poi ha avuto pietà. Dice: quello non ha pietà di nessuno; ha agito per noia oppure perché tu l'hai fatto sentire importante. Lui può pure concedere la grazia come un re, ma ti devi umiliare, devi strisciare; se appena appena alzi la testa, sei perduto. È per questo che qui vanno tutti mogi e curvi, per paura.

Stavamo a parlare cosí quando si è avvicinata la guardia, l'ha afferrato per una spalla e senza dire una parola se l'è portato via. Ma lui non ha protestato perché era beato di avermi visto e anche se tornava giú alla Polveriera ci tornava con quei viveri nutrienti.

Ho dovuto fare quattordici chilometri a piedi fino a Portoferraio. Da lí ho preso il ferribotte e sono tornata a Roma.

A Roma ho trovato un telegramma che mio padre stava morendo e sono scappata subito ad Anzio.

Arrivo che era già morto. Trovo Doré la Lunga tutta lustra, dura, faceva la vedova. Dico: com'è morto? Dice: è morto con l'artrite, la malattia della famiglia vostra; è stato allettato per un po', poi gli è venuta la trombosi.

Questo mio padre insomma l'avevano distrutto, lei e quell'altra friulana della sorella. E lui, per non chiedere consiglio, per troppo orgoglio, si era fatto abbindolare da queste due vipere, aveva venduto tutto, si era ridotto povero come un eremita.

Quando entro io la casa era già stata ripulita, non c'era più niente, neanche una sedia. Nel mezzo della stanza calda che si moriva di caldo c'era il letto e sopra il letto mio padre e sopra mio padre le mosche.

L'avevano lavato, vestito, pettinato. Era diventato piccolo piccolo. Gli avevano messo quelle scarpone nuove luccicanti. Dico: pensate forse che ci va camminando nell'aldilà? non l'avete fatto camminare abbastanza su questa terra?

Me lo sono guardato questo mio padre selvaggio duro, orgoglioso come un diavolo. Ho cercato di ricordare tutte le volte che mi aveva preso a cinghiate, a bastonate, a pugni, a calci, ma non ci sono riuscita.

Lí c'era un uomo bianco, timido, pulito, con la faccia buona, le mani rovinate che stringevano un rosario di perle azzurre. C'era un corpo leggero, rinsecchito, con i piedi infilati in due scarpe grosse da camminatore.

Dico: papà, t'hanno fregato pure a te! Con tutta la tua forza, i tuoi strilli, le tue cinghiate, non sei stato buono a fare una morte da leone; qui mi sembri un galletto spennato; e queste due boia t'hanno tirato il collo, riposa in pace, amen.

Doré mi guardava. Le maniche rimboccate, stava a pulire il pavimento. Dice: ora vi viene la devozione, ora che è morto vi viene la devozione, tu e quegli altri fratelli tuoi! Quando era vivo nessuno se lo filava vostro padre, l'avete lasciato in mezzo a una strada; ora che è morto piangete, fate la faccia smunta!

Dico: ma che devozione, stupida! io da mio padre non ho avuto niente, solo cinghiate e calci; i fratelli miei sí che si sono fatti d'oro, sono diventati ricchi, sono diventati signori; ma io sono povera come sempre e perciò non potevo aiutarlo, ammesso che lo volevo aiutare questo padre che m'ha cacciata di casa e m'ha messa in mezzo alla strada. Forse, anche se ero ricca, non lo aiutavo per niente un padre cosí. O forse l'avrei fatto, per grandiosità, non lo so. Comunque con te non ho niente da spartire, perché non mi sei né madre né sorella.

Insomma ci litighiamo e per poco ci prendiamo a botte davanti al morto. Per fortuna è arrivata gente e quella pettegola ha chiuso la bocca. C'erano tutti i miei fratelli, vestiti di scuro, con la faccia di circostanza, le loro mogli che si erano fatte grasse, tronfie, spente.

A me mi guardavano appena, come se ero un'appestata, mi scansavano. Dico: siete belli davvero! chiusi dentro le vostre ricchezze non avete piú occhi neanche per i vostri fratelli! a me e Orlando ci avete lasciati a marcire nelle galere, ve ne siete lavate le mani e ora avete paura di sporcarvi, siete proprio belli e signorili!

Dice: tu sorella sei fuori da tutte le leggi e perciò noi non ti riconosciamo come una della famiglia. Dico: meglio fuori delle leggi che rincoglioniti dentro le leggi come voi.

Durante il funerale, dentro la chiesa, volevano mettermi da parte, scansarmi. Io a un certo punto mi sono stufata. Ho preso la mia roba e me ne sono tornata a Roma.

Al bar Bengasi faccio amicizia con una certa Zina Teta che mi dicevano trafficava in travelli cecchi. Allora un giorno che ero disperata, senza lavoro, vado da lei e le dico: senti ho saputo che lavori con la roba americana, ci sarebbe qualcosa da fare pure per me? Dice: sí, sí, anzi andavo proprio cercando qualcuno per aiutarmi.

Questa Zina comprava i travelli cecchi dai borsaroli al venti per cento e poi li piazzava nei negozi in cambio di roba buona.

Dico: ma come si fa a cambiarli, qui ci vuole la firma americana? Dice: ti insegno io. E infatti mi fa vedere come si fa la firma falsa copiando quella vera. Si mette il travello cecco sopra un vetro, si punta una bella luce sotto e si ricalca il nome con i suoi ghirigori e tutto, uguale.

Lei era bravissima, ci aveva fatto la mano. Ma anch'io imparo presto, sono svelta, sebbene ho le dita un po' nervose. Comunque sia questa Zina mi fa la scuola, mi insegna e poi mi porta a lavorare con lei.

Eravamo in società con un certo Pippo. Questo Pippo ci portava in giro con la sua macchina. Si fermava in fondo alla strada. Diceva: tu ora vai in quell'oreficeria, in quel negozio di scarpe. E io andavo. Qualche volta Zina veniva con me, qualche volta no.

Dico: ma tu Pippo non ti esponi mai? Dice: a me mi conoscono ormai, mi scotta la terra sotto i piedi, tu sei nuova del lavoro; tu vai, ti presenti, fai una spesa, compri una cosa e paghi col travello cecco. E cosí facevo.

Questa Zina mi aiutava a vestirmi da signora. Un bel cappotto rosa, una borsetta di coccodrillo, un orologio d'oro, un anello con rubino, tutto finto naturalmente, per buttare polvere negli occhi. Profumata, elegante, sembravo una damerina.

Cosí acconciata cammino, mi fermo davanti alla vetrina, guardo, socchiudo gli occhi, faccio come se rifletto sulla spesa. Poi entro. Dico: senta io vorrei comprare questo bracciale coi brillanti, però i soldi italiani non mi bastano, avrei dei soldi stranieri.

Dice: che soldi? Dico: dollari, dollari americani, lei li prende? Dice: se sono dollari sí, li prendiamo. Allora tiro fuori il libretto. Dice: ma questi sono travelli cecchi? Dico: sí, sempre dollari sono.

Vedo che tentenna un po'. Allora, con l'aria ingenua, la voce ingenua dico: me li ha dati mia sorella, dato che è venuta dall'America; alcuni li ho cambiati, altri li ho lasciati cosí in dollari, in cecchi insomma. Dice: un momento che vado a chiedere a mia moglie.

Torna e dice: va bene, si possono cambiare; sono firmati? Dico: sí guardi; è proprio la firma esatta. E gli metto sotto il naso il travello con un'aria sicura, distratta, come una che è abituata a trattare sempre in travelli. Poi dico: ah, dato che ci sono prendo anche questa collana di perle; quanto costa?

Visto che cambiavano, volevo approfittare. E infatti mi faccio fare un pacco col bracciale imbrillantinato, la collana di perle che da sola valeva trecentomila lire e mi danno pure il resto di diecimila lire.

Dico: grazie, gud-bai, e senza fretta, infilandomi i guanti glassé me ne vado verso l'uscita, lenta lenta, sicura e tranquilla come una regina.

Quando sono fuori dico: all'anima come sono diventata brava! ho imparato subito! La tranquillità l'avevo appresa da Dina al tempo dei portafogli. Piú uno è tranquillo e meno l'altro sospetta. Gli potresti pure sfilare le mutande di dosso, se tu sei sempre sorridente e sereno, quello neanche se ne accorge.

Zina era contenta. Dice: brava Teresa, vedo che ci sai fare! Io ero contenta. Quell'oro poi lo portavamo a un ricettatore. E il ricavato lo dividevamo in tre, Zina, Pippo e io.

Quasi sempre andava bene, i negozianti abboccavano. Qualche volta non volevano cambiare, allora me ne andavo, sempre tranquilla, ma un po' seccata, come una gran signora offesa. Facevo una smorfia con la bocca, appena appena come a dire: ma guarda questi burini campagnoli avari che non si fidano di me! E quelli ci rimanevano pure male. In quella smorfia cercavo di imitare nel ricordo la faccia di Tonino, era una smorfia d'arte, convincente.

Delle volte prendevo oggetti da trecentomila lire, da mezzo milione. Ma era piú facile con roba meno costosa, da cinquanta, da trentamila lire. Di questi piccoli travelli ne cambiavamo fino a quattro al giorno.

Poi correvamo dal ricettatore. Dal Verme, da quell'altro a Santa Maria Maggiore detto Cristoforo Colombo perché dice che l'America l'aveva scoperta lui. Non so che America intendeva. Forse l'America dei soldi.

Faceva una barca di soldi con gli oggetti rubati. Però era sospettoso, e quando ci vedeva tornare troppo spesso, ci cacciava.

Un altro che frequentavamo qualche volta era Altoadige, detto cosí perché veniva da lassú. È quarant'anni che abita a Roma ma ancora parla con l'accento dell'Altoadige. È un biondino con gli occhi rossi.

Qualche volta i ricettatori non li prendevano gli oggetti. E allora andavamo al Monte di Pietà, impegnavamo tutto e ci vendevamo le polizze. Pur di avere quei soldi, anche pochi, ma regolari ogni giorno, facevamo di tutto.

Dico: ho trovato un bel mestiere! il lavoro è leggero, mi diverto pure e guadagno sènza fatica. Toccava avere un po' di cervello, questo sí, toccava essere intelligenti e furbi e sapere parlare, sapersi disimpegnare quando tirava un brutto vento.

Nel frattempo portavo sempre i pacchi a Ercoletto, non lo dimenticavo mai. Perché so quanto è brutto restare dentro dimenticati e abbandonati. Anche se avevo pochi soldi, cacciavo in una scatola delle pere, qualche etto di formaggio, della pasta e gliela portavo.

Un giorno poi vado a Regina Coeli e mi dicono: il pacco non lo possiamo ritirare, il condannato non c'è. Dico: e dov'è? Dice: non si sa.

Dopo giorni e giorni finalmente vengo a sapere che è stato trasferito a Isarenas Ardus, in Sardegna. Allora prendo un treno, vado a Civitavecchia, monto sul battello e mi imbarco per la Sardegna. Faceva caldo, era fine agosto. C'era pure il mare grosso.

Arrivo a Cagliari. Scendo. Chiedo dov'è la colonia penale. Dice: deve andare cosí e cosí, ma l'autobus la lascia a tre chilometri di distanza. Beh, dico, prenderò un taxi, ho pochi soldi ma non posso fare tre chilometri a piedi con lo zaino a tracolla e una valigia appesa alla mano.

Infatti prendo un taxí. Questo corre corre, poi si ferma in mezzo alla campagna. Dico: e qui dove siamo? Piú in là non ci posso andare, dice, perché la strada è brutta e si rompono le gomme. Dico: ma quanto c'è da qui alla colonia? Dice: un chilometro, un chilometro e mezzo.

Ho dovuto pagarlo e lasciarlo andare. Ho preso lo zaino, la valigia e mi sono incamminata verso il carcere, sotto il sole di mezzogiorno. Dopo un po' che camminavo mi si rompe una scarpa. Provo a camminare con una scarpa sola, ma non ci riesco. Mi devo togliere pure la scarpa buona.

Cosí scalza, coi piedi scorticati, lo zaino che m'aveva acciaccato una spalla, la valigia che m'aveva rotto un braccio, tutta sudata fradicia arrivo alla colonia penale di Isarenas Ardus, chiamata anche " la valle dei lebbrosi ".

Per la fatica e il caldo non ce la facevo a parlare. Ercoletto è stato buono: mi ha asciugata tutta, ha preso un secchio d'acqua e mi ha lavato i piedi, mi ha abbracciata. Era contento di vedermi. Ha preso tutta quella roba che gli ho portato e m'ha abbracciata, m'ha ringraziata.

Poi è arrivato il guardiano. Voleva mandarmi via subito. Ma Ercoletto gli ha detto: per favore, non lo vedi che è stracca, ha fatto tutto questo viaggio per me, lasciala perdere! No, quello insisteva, voleva cacciarmi.

Allora Ercoletto l'ha insultato. E per quell'insulto, per punizione è stato mandato a Portolongone, in mezzo agli ergastolani.

E non ci ha trovato neanche Orlando, perché lui intanto era stato trasferito a Rebibbia.

Appena arrivo a Roma riprendo il traffico dei travelli cecchi con Zina e Pippo. Compravamo, compravamo e ci andava quasi sempre liscio. Era una vita facile.

Un giorno Pippo mi fa: oggi andiamo a un negozio di elettrodomestici dove so che prendono i dollari. Dice: tu entri, compri parecchia roba, carichiamo tutto sulla macchina di un amico nostro e ce la filiamo. Dico: va bene.

Andiamo in questo negozio, a via Nazionale. Entro. Ero tutta vestita da signora, avevo un cappotto nuovo con i bottoni d'oro, una spilla sul bavero, braccali, anelli. Ero carica come una madonna.

Compro un frigorifero, un televisore, una radio a transistor, una lampada con grammofono incorporato, un frullatore e un fon per i capelli. Poi con l'aria piú sicura del mondo, dico: io però ho solo soldi americani.

Dice: dollari? Dico: sí, ma in travelli cecchi. Dice: sí sí, i travelli cecchi sono come dollari, sono denaro. Cosí tiro fuori un pacchetto di questi travelli e pago. Poi, mentre mi stanno preparando il resto, mi faccio caricare dal fattorino la roba sulla macchina che aspetta fuori.

In quel momento però vedo il padrone che prende su il telefono e fa un numero. Dico: oh Dio, speriamo che non telefona alla banca! E per la fretta me ne vado senza prendere il resto che era di quarantamila lire.

Quella roba ce l'ha presa il Verme per centomila lire. Il valore complessivo era di seicentomila lire. Ora, dice Pippo, andiamo a mangiare come si deve. E ci infiliamo in un ristorante di lusso, con una fontana nell'ingresso che buttava acqua verde e rosa. Un posto per ricchi, coi camerieri che parlano in francese, le tovaglie rosse, il tappeto per terra alto un palmo, un buio che non si vede neanche quello che c'è nel proprio piatto. Un posto bellissimo.

Mangiamo antipasto di mare, fagiano coi tartufi, sarago in gelatina, pallottole di spinaci, patatine fritte, gelato di fragole e panna, caffè. Dico: che bella mangiata che ci siamo fatti; questi sono soldi spesi bene!

Pippo dice: noi invece i soldi li risparmiamo, qui abboccano di sicuro, paghiamo coi cecchi. Dico: no, i soldi li abbiamo, perché rischiare stupidamente? Dice: i soldi li teniamo per noi, tira fuori i cecchi! Dice: io non sono d'accordo. Ma ci si mettono in due, lui e Zina e naturalmente vincono loro.

Quando arriva il cameriere col conto Pippo gli fa: senta, lei cambia i dollari? Dice: sí sí, come no. Allora Pippo, rassicurato, dice: aspetti, non abbiamo ancora finito di saziarci. E poi rivolto a Zina fa: cosa vuoi ancora tesoro?

Zina si era inzeppata, come me, tra un po' vomitava. Dice: io niente sono piena. Ma lui insiste. Dice: beviamo qualcosa no? E gli fa al cameriere: ce l'ha un liquore dolce? un digestivo? E quello subito ci porta una Sambuca. Pippo lo guarda, si imbroncia, dice: no, questa è troppo comune, ci porti qualcosa di straniero, qualcosa di forte, di prezioso.

Beviamo un liquore verde che brucia la bocca. Poi un altro liquore trasparente, ma io l'ho sputato perché era salato. Dice che no, che era buonissimo, ma io lo sentivo salato.

Alla fine abbiamo pagato il conto coi travelli e abbiamo pure intascato il resto. Ora, dico, andiamo via di corsa prima che ci scoprono.

Ma Pippo se la prendeva comoda. Dice: compriamo una bottiglia di quel liquore da portare a casa, compriamo una di quelle torte gelate! E tirava fuori nuovi travelli cecchi, pagava, brontolava, era mezzo ubriaco.

Io pensavo; ora ci acchiappano, ora ci acchiappano e ci portano dentro. E invece è andata bene. Ci hanno pure accompagnati alla macchina con l'ombrello.

C'era un acquazzone nero, non si vedeva da qui a lí. Il cameriere ci viene dietro fino all'auto. Gli lasciamo una bella mancia. Dice: grazie signori, arrivederci, tornate presto! Era tutto contento.

Non mi sono bagnata neanche la punta della scarpa. Ero vestita sportiva, con la borsa a tracolla, la camicetta celeste, un taier blu, sembravo proprio un'ostessa del cielo.

Ci siamo messi in macchina e giú a ridere. Facevamo il verso a quello con l'ombrello. Aveva la parlata fiacca, con la lisca. Io lo imitavo mettendo la lingua in mezzo ai denti; eravamo morti dal ridere. Zina diceva: oh Dio non mi fate piú ridere perché rigetto tutto. Con un rutto le era venuto su un pezzo di tartufo nero che le si era incollato sul mento.

Quando siamo lontani dal ristorante Pippo fa: ora dove andiamo? Dico: portatemi alla pensione che ho voglia di dormire un po'. No, dice, prima passiamo a ritirare quel resto di quarantamila lire che hai lasciato agli elettrodomestici.

Dico: no, è meglio che lasciamo perdere. Dice: dobbiamo andare per forza. Dico: va bene, allora ci vai tu. Dice: no, ci devi andare tu che sei donna e dai meno sospetto.

A me non mi andava proprio di andarci. Pippo insisteva. Dice: non vai perché hai paura, sei una fifona! E un po' perché m'aveva fatto venire i nervi, un po' per non sentirlo piú, dico: va bene, andiamo!

Arrivati all'angolo della strada, Pippo ferma la macchina. Io scendo. Mi incammino. Mi accorgo che ho lasciato la borsa nell'auto, torno indietro a riprenderla perché penso: non si sa mai, si fregassero i soldi miei!

Entro nel negozio. Di malincuore perché non mi andava, me lo diceva l'istinto di non andarci. Infatti mi stavano aspettando. Appena sono arrivata mi hanno arrestata.

Viene uno della Mobile, un maresciallo rosso di capelli. Dice: si accomodi con noi in questura!

Zina e Pippo stavano sulla macchina in fondo alla strada e hanno visto tutto. Hanno visto che m'hanno presa, che m'hanno portata via con la Pantera nera. Sono passata vicino a loro, ma non ho fatto un cenno, neanche con gli occhi. E cosí sono andata a finire dentro un'altra volta.

Passo due giorni chiusa in una cella al buio, poi mi chiamano per l'interrogatorio. Dice: dove li hai presi questi travelli cecchi?

Dico: sono stata con degli americani, me li hanno dati questi americani, mi sono prostituita con loro.

Dice: che fatalità eh? tutti gli americani con cui sei andata ti hanno denunciata, come mai? Dico: e che ne so? Dice: pure con le donne sei andata? Dico: quali donne? Dice: le donne americane pure con loro ci sei stata?

Dico: beh saranno le sorelle di quelli con cui andavo. Sí, dice, le sorelle! mettiti là contro il muro che ora facciamo entrare i derubati dei negozi per il riconoscimento.

Mi buttano in un corridoio. In fondo vedo una fila di gente seduta sulle panche. Erano tutti quelli dei negozi che mi dovevano riconoscere. Guardo e vedo che mi scrutano, allungano i colli per spiare, certe facce trucide! Dico: ah sí! ora ci penso io.

Chiamo il maresciallo. Dico: per favore mi manda al gabinetto, ho un bisogno urgente. Vado al gabinetto, prendo la rincorsa e mi do una testata contro lo spigolo della porta e mi rompo la faccia. Tutto il sangue che colava, m'ha otturato l'occhio, veniva giú a fiotti. Mi gonfio come un pallone.

Allora esco. Dice: ma che è successo? Dico: ho sbattuto. M'hanno dovuto portare all'ospedale. Prima però mi hanno fatto passare davanti a questi cretini che guardavano con gli occhi di fuori. Ma non hanno saputo dire se ero io o non ero io.

L'avrei scampata se dopo tre giorni non avessero preso quello scemo di Pippo che alla prima botta ha raccontato tutto. Era un fifone, un ex poliziotto.

Ha detto ogni cosa di me, di Zina, dei travelli cecchi e dei negozi dove eravamo stati. Questo cretino delinquente boia!

Poi quando è stato a Regina Coeli, si vede che gli amici gli hanno detto: ma come, quella che è donna s'è tenuta, ha negato e tu che sei uomo non hai resistito sotto la polizia! Dice: di fronte all'omertà, di fronte agli uomini sei schifato da tutti, sei passato da infame, ti chiamano boia, non ti accosta più nessuno. Dice: ora quando rivai dal giudice cerca di rimbastire tutto, ritratta quello che hai detto alla polizia e dici che non è vero. Nega, nega tutto.

E così ha ritrattato. Quando è arrivato dal giudice, ha detto che negava tutto. Però la prima deposizione ha una certa importanza. Ed è più creduta quella che l'altra fatta dal giudice. Io infatti per non inguaiarmi, non cambio mai; m'attengo sempre con la prima della polizia, non cambio mai. Mi butto sulla negativa e negativa rimango.

Vado dentro per questi travelli cecchi e appena arrivo trovo un serpente. Questo serpente aveva avuto dei rancori con mio fratello Orlando quando era a Soriano del Cimino. Poi Orlando era stato trasferito a Palliano e questo serpente che si chiama proprio cosí maresciallo Manlio Serpente, era stato trasferito a Rebibbia.

Il serpente aveva avuto delle liti con mio fratello perché Orlando era comunista e lui era fascista. Allora Orlando faceva dei discorsi da comunista: Noi prenderemo il potere e a voi sbirri vi cacceremo tutti in galera! e altre cose del genere.

Poi si metteva il fazzoletto rosso al collo, per fargli dispetto a questo serpente. Anzi mi scriveva: "cara sorella, mandatemi un fazzoletto rosso". Infatti gliel'ho mandato e lui se l'è messo al collo. E poi mentre andavano in fila per la messa, cantava: "Bandiera rossa trionferà!"

Il maresciallo l'aveva preso a tiro, gli faceva le angherie, lo mandava in cella di punizione. Un giorno Orlando per la rabbia, ha bruciato il paglione. Per poco non moriva soffocato. Quell'altro l'ha tirato fuori, l'ha riempito di botte e poi l'ha fatto mandare al carcere di Palliano.

Insomma vado a finire a Rebibbia con questo maresciallo Serpente. Appena mi vede dice: ah tu sei la sorella di Numa Orlando, adesso ti arrangio io! E mi stava sempre con gli occhi addosso. Appena sgarravo mi metteva al tavolaccio. Anche se avevo ragione, qualsiasi cosa dicevo, mi veniva sempre contrario, per via dell'odio verso mio fratello.

M'avevano messo nella stanza una certa Rita, una lesbica sputata. Era una antipatica, che davanti faceva la puritana e poi dietro cacciava le mani sotto tutte le gonne. Era prepotente, violenta.

Dico: io con questa Rita non ci voglio stare nella stessa cella! Il serpente, appena ha saputo questo, mi ha messo nella cella pure un'altra, un'amica di questa Rita, una certa Mungelbino.

Questa Mungelbino e Rita stavano tutto il giorno a pomiciare. Rita comandava, l'altra obbediva; le puliva le scarpe, le cucinava, le lavava la biancheria, le faceva i massaggi, era una serva insomma.

Rita la mandava a letto col maresciallo per guadagnarsi qualche concessione. La mandava a farsi toccare dalle vecchie per ricevere qualche soldo. Era una sanguisuga, una pappona.

Questa Mungelbino era chiamata la principessa, ma veramente era più una lavapiatti che altro. Non so perché la chiamavano così, forse per via del naso lungo.

Allora dico a questa principessa: ma tu sei scema! non lo vedi che quella si serve di te! ti manda dalle vecchie, ti manda dal maresciallo come un pacco ti manda; ma tu sei proprio scema!

Lí per lí non ha detto niente la Mungelbino, ma poi ha raccontato tutto a Rita e Rita s'è lamentata col maresciallo. Il serpente è andato dal direttore e dice: questa Numa è peggio del fratello, è una prepotente, una delinquente senza legge, è di razza così.

Il direttore mi manda a chiamare. Dice: è vero che sobilli le detenute, che le metti contro l'autorità? Dico: no, signor direttore non è vero. Dice: comunque ci sono state delle proteste; te lo dico per il tuo bene, devi smettere di fare la ribelle se no finisce male. Dico: sí signor direttore.

E con questo pensavo che era finita. M'aveva fatto la predica, era chiuso, pensavo. Invece no. Quando sto per uscire, mi fa: allora sono sei giorni di tavolaccio. Dico: mannaggia al serpente! Perché era tutta opera di quella bestia strisciante che sempre mi continuava a dire: precisa a tuo fratello, una copia identica, due pezzi di merda!

E una volta mi dice così, un'altra volta mi dice così, la terza volta mi dice lo stesso, allora io l'affronto e gli faccio: m'hai rotto i coglioni con questo fratello: è l'ora che la finisci di nominare mio fratello. Se sei un uomo, vai fuori, acchiappalo di faccia a faccia mio fratello, vai, levati questa divisa da maresciallo e prova a menarlo! mi stai sempre a insultare per questo fratello, dico, ma io che c'entro con mio fratello! se non mi lasci in pace ti rompo la testa e allora veramente potrai dire che assomiglio a mio fratello!

Quando ha sentito questo discorso, m'ha mandato subito al tavolaccio. Tre giorni dentro una stanza che è grande quanto un gabinetto di quelli del treno, una panchina per dormire, senza coperte, senza niente. Faceva freddo. Avevo pure male ai reni. Tutta la notte ho battuto i piedi contro il muro per scaldarmi, finché mi sono addormentata sfinita col gelo della mattina.

Esco dalla cella di punizione e mi dicono: preparati che parti. Dico: per dove? Non si sa. Lí non ti dicono mai niente. Tutto si fa nel mistero. Allora mi fanno montare sul cellulare, chiudono tutto e partiamo. Dopo due ore arriviamo. Aprono, mi fanno scendere. Eravamo approdati a un altro carcere. Dico: dove siamo? Dice: siamo a Montepulciano.

Non c'era nemmeno una formica in questo carcere, c'ero solo io. Era di notte. Mi giro intorno, pareva un castello andato in rovina, tutto rotto per terra, certi tubi arrugginiti che attraversavano le pareti, le mattonelle del pavimento tutte rotte, i muri con le gobbe, scrostati, sporchi, graffiati. Mi sono vista tetra cosí, dico: ma dove m'hanno mandata questi porci?

Mi buttano dentro una cameretta piccolissima con una finestrella che era un buco nel soffitto. Scendeva una lucetta fredda; pareva di stare dentro una tomba.

Comincio a bussare, a gridare: levatemi di qua! fatemi uscire! fatemi uscire! Io ero abituata in mezzo alla confusione, in mezzo alle amiche mie. Quella solitudine m'accorava.

Signora! dico, signora, mi sento male! ho mal di cuore! non respiro! Chiusa lí dentro con quella finestra che era un pertugio. Dico: oh Dio mamma! oh Dio dove m'hanno portato! Ma io non ho ammazzato nessuno, gridavo, non sono un'assassina che devo stare segregata! fatemi uscire, fatemi uscire!

La signora da dietro la porta mi faceva: beh, anderai via, anderai via, a suo tempo! prega iddio che qualcuno ti venga a fare compagnia!

Dico: io dovrei pregare Dio che mandi qualcuno in carcere per tenermi compagnia? ma io piuttosto prego Dio che morite tutti voi prima che viene qualcuno!

Ero rabbiosa, infiammata, ero fuori di me. Dico: ma chi è stato? chi l'ha voluto che stavo cosí inserrata? E vengo a sapere che è stato il serpente maledetto il quale aveva chiesto di mettermi sola chiusa in un buco, per dispetto. Infatti lo sapevo che era stato lui, lo sapevo e lo maledivo.

Passavo il giorno a strillare: direttore! direttore! voglio uscire, fatemi uscire! voglio il direttore, chiamatemi il direttore!

Il direttore era un sardegnolo, mortacci sua, se n'era andato in Sardegna in villeggiatura. Non c'era. Il maresciallo di là, un certo Andirivieni, mi dice: quando torna il direttore gli farai presente tutto quanto; stai buona che poi ti trasferiranno senza meno.

Ma quando? dicevo io. Appena i giudici tornano dalle ferie, stanno tutti a casa per il natale, dice lui. Infatti non c'era nessuno in questo carcere, era vuoto.

Dico: e io devo aspettare che rientrano i giudici dalla villeggiatura? ma siete diventati tutti scemi? io qui non ci resto. Dice: stanno in ferie, non possono venire. Dico: ma quando tornano? Dice: forse fra una settimana, forse dopo.

Cercavo intanto di escogitare qualcosa per uscire da lí. Per lo meno dico, mi mandano a un altro carcere, dove c'è gente, qualche persona con cui posso parlare.

Andirivieni pure lui non si faceva mai vedere. Dico: che fa? Dice: sta preparando i pacchi per la famiglia. Era un natalizio pure lui, stava a casa a preparare i regali.

Signora, dico, io non ce la faccio qui chiusa come un sorcio. Dice: fatti forza! Dico: ma quale forza! io qui muoio di rabbia; non sono mica una bestia che mi chiudete dentro una gabbia e buonanotte.

Per farmi stare buona la guardiana mi diceva: vedrai, vedrai che arrestano qualcuno, vedrai che qualcuno viene a tenerti compagnia; anche qui ci sono le delinquenti; appena viene una delinquente te la metto con te cosí ci parli, hai compagnia.

Ma io prego che schiatti tu e tutte le guardie, dicevo, perché mi state tormentando senza un perché! io non spero che qualcuno venga arrestato sotto natale per venire a farmi compagnia, non sono cinica come voi! io voglio uscire e basta!

Intanto passavano i giorni. Era quasi passato un mese da quando ero arrivata. Non ce la facevo piú. Diventavo idrofoba. Allora mi sono decisa. Ho detto: ora gli metto paura, faccio finta che mi voglio ammazzare e loro sono costretti a mandarmi via.

Ogni giorno mi facevano scendere per un'ora in un cortile pieno di bacarozzi, con il lastricato tutto smozzicato e coperto di melma dove andavo su e giú, come un leone in gabbia.

Contavo i mattoni, una, due, tre, quattro, per tenermi compagnia. Li contavo a voce alta, per sentire una voce. La guardiana stava di sopra, mi controllava da una finestra. Dice: vieni qua, Teresa, raccontami qualcosa! Dico: io con te non ci parlo, non ho niente da raccontare.

Non mi andava di parlarci perché aveva una faccia ribalda, vile. Cercava di prendermi con le buone, mi dava l'esca, ma io non la stavo a sentire. Preferivo parlare da sola che con lei.

In questo cortile c'era una finestrella bassa, un buco mezzo sgangherato con un pezzo di vetro che sporgeva dalla cornice. Mi sono seduta lí vicino e in un momento che la guardiana non guardava, ho sfilato questo spicchio di vetro. Era fatto a punta come un coltello. Dico: ora ci penso io, ora mi devono portare via per forza! Prendo questo vetro e mi faccio due tre tagli nel braccio.

Mi sono tagliata poco, giusto per fare uscire il sangue. Sapevo che la signora stava sempre là, alla finestra, e mi osservava.

Allora ho fatto questo gesto e poi ho nascosto il vetro ostentatamente. La guardiana mi ha vista ed è subito scesa, è calata giú nel cortiletto come un corvo.

Dice: cosa nascondi? M'ha frugata, m'ha trovato il vetro. Era quello che volevo io. Ha preso questo vetro, l'ha sequestrato. Poi, pum pum, m'ha dato due schiaffi e m'ha lasciata lí sola col braccio tagliato.

Viene il comandante Andirivieni. Dice: Numa, perché ti volevi ammazzare? Non devi fare cosí, devi stare buona, noi ti vogliamo bene. Dico: voglio uscire da qui, portatemi in un ospedale!

Dice: domattina, parola mia d'onore, ti mandiamo via da qui. Dico: intanto mandatemi in infermeria, non lo vedete che sanguino? Invece no. Viene la guardiana, mi fascia stretta stretta e mi ributta dentro la cella.

Le manette, il treno, le guardie. Dico: dove andiamo? Non rispondono. Non si risponde mai a un detenuto, perché il detenuto non deve sapere. La sua sorte non la può conoscere prima, ma solo dopo, quando ci è dentro fino al collo. Il detenuto è un baule, un pacco, che lo mandano di qua e di là. Forse che si racconta al pacco dove va a finire?

Arriviamo, scendiamo. Vedo scritto su una placca di ferro: Pozzuoli. Dico: se questo è Pozzuoli allora qui c'è il manicomio criminale. Infatti era cosí.

Mi portano in questo manicomio tutto bombardato, macchiato, con le mura grosse, fitto fitto di donne. Dico: ma qui ci stanno le matte; io mica sono matta! qui ci stanno le assassine, quelle che hanno ammazzati i bambini con la lametta, bollito il marito dentro una pentola, strangolato i genitori con la calza. Dice: questi sono gli ordini e basta cosí.

Mi mettono subito con una certa Astor, una che aveva pitturato il figlio tutto d'oro e l'aveva messo dentro una scatola per spedirlo al papa.

Questa mi guardava brutto, non le piacevo, mi faceva le boccacce, mi pisciava sul letto. Dico: se non la smetti ti meno! che sei pazza o no poco importa.

Lei si è subito rannicchiata nel letto, aveva paura. Si vede che era abituata alle botte. Ma quando le voltavo la schiena, mi faceva le corna, me ne sono accorta subito. Dico: ma che mi sto ad arrabbiare, questa è pazza; è piú disgraziata di me.

E infatti poi l'ho lasciata perdere, anche se mi faceva

le corna, anche se mi faceva le boccacce. Solo quando voleva pisciare sul mio letto dicevo: stai attenta alle botte Astor e lei scappava. Quel linguaggio lí delle botte lo capiva benissimo.

La prima notte non sono riuscita a dormire. Guardavo questa Astor che rideva nel sonno buttando le gambe all'aria e mi sentivo persa. Dico: qui, a frequentare queste pazze, divento pazza anch'io.

Chiudevo gli occhi, mi addormentavo, poi di colpo mi svegliavo col soprassalto, il cuore mi batteva pum pum, e di nuovo vedevo quella matta che se ne stava con la testa al posto dei piedi e russava come un maiale. Dico: ma dove sono capitata madonna mia!

La mattina avevo una fame terribile! Ci fanno vestire. Lavare niente perché non c'era acqua. Da sei giorni stavano senza acqua. Infatti c'era una puzza di merda che si soffocava.

Queste pazze facevano la merda dappertutto e poi restavano tutto il giorno sporche cosí, con la merda e la piscia incrostate addosso e se protestavano, gli mettevano una pillola in bocca e cosí rimanevano rinscemite fino a sera.

Ci portano in una stanza grande con dei tavoli lunghi e stretti. Ci fanno sedere, ci danno del caffè di cicoria. Alcune dovevano essere imboccate. Vedo che le legano alle sedie, se agitano le braccia, gli buttano addosso una secchiata d'acqua fredda.

Accanto a me c'era una bella ragazza, avrà avuto diciannove anni. Aveva la merda pure nei capelli. Io in mezzo a quell'odore non riuscivo a mandare giú neanche un sorso di caffè. Mi tiro piú in là sulla panca sperando di non offenderla. Ma lei non se ne accorge neanche.

Mi avvicino a una bassetta, gobba, tutta legata con le braccia strette dietro la schiena. Dice: mi aiuti a mangiare il pane? L'aiuto. Per poco non mi porta via un dito. Dico: stai attenta! Dice: io sono la moglie del colonnello, domani vado dal colonnello e gli dico tutto. Dico: quale colonnello? Dice: dammi da mangiare troia!

Nel cortile, al freddo, vedo che le mettono tutte sbattute là come stracci, chi legata a una sedia col buco sotto, chi per terra, chi appoggiata contro il muro. Dico: e io ora con chi parlo? qua sono tutte matte e magari parlo con una e questa mi sputa addosso.

Astor stava accucciata in fondo al cortile e mi guardava storto. Mi teneva d'occhio. Dico: meglio che non parlo con nessuno fino a che non le conosco meglio.

Mi metto seduta anch'io e caccio fuori i pensieri su Ercoletto. Avevo saputo da Zina che era uscito e poi rientrato un mese dopo per truffa. Ma in quel mese m'aveva abbandonato. Anche questo me l'ha fatto sapere Zina.

La sorella Alba gli aveva messo dentro il letto un'altra, una certa Bruna. Questa Bruna era una bella ragazza di venticinque anni e Ercoletto se la voleva sposare.

Dopo, anni dopo, lui m'ha detto che se la voleva sposare per dimenticare me perché gli avevano riferito che io gli facevo le corna con un certo Rocco. Ma era tutta una scusa. La verità è che avendo io preso due anni, lui si scocciava a stare solo tutto quel tempo senza una donna. E se n'era fatta un'altra, tutto qui.

Io invece quando era dentro lui non l'avevo tradito mai. Ero andata a trovarlo in Sardegna, mi ero fatta pure un chilometro a piedi senza scarpe con lo zaino a tracolla, una valigia in mano, tutta sudata, fradicia, sotto il sole di agosto. Dico: e questo sarebbe il ringraziamento!

Insomma questo pensiero di Ercoletto ce l'avevo in testa e non mi andava via. Cosí stavo lí a meditare e non m'ero neanche accorta che per il freddo mi si era messo a colare il naso. Mi sono ritrovata col moccico sul collo. Dico: oh Dio, m'è bastata una mezza giornata e sto diventando zozza pure io come loro, matta e zozza.

A mezzogiorno ci portano di nuovo dentro questa stanzona tutta umida con gli spifferi d'aria che tagliano le gambe. Dice: sedetevi e mangiate! Ci danno una gavetta d'alluminio con dentro una pasta fredda, amara.

Guardo e vedo un recipiente grande come una vasca da bagno dove tenevano la pasta per tutte quelle malate. La portavano in due questa vasca. Le detenute ci mettevano dentro le mani sporche di merda, di piscio.

Dico: io non mangio! Ma proprio mentre lo dico vedo di fronte a me una che viene acchiappata, costretta con la forza e imboccata. Anche lei si era rifiutata di mangiare. Allora mi son detta: qui è meglio che sto zitta se no mi costringono a mangiare questa zozzeria.

Ho fatto finta di mangiare, poi appena le guardiane hanno voltato gli occhi, ho buttato la pasta nella mondezza.

Ho finto di andare a prendere un bicchiere d'acqua, ho svuotato la gavetta nella pattumiera, ci ho messo sopra un pezzo di carta straccia, e me ne sono tornata al mio posto.

Verso le cinque m'è venuta una grande languidezza di stomaco. Dico: e ora che faccio? La fame mi portava via. Fermo una guardiana, dico: ho fame, si potrebbe avere un pezzo di pane? Dice: ce l'hai da pagare? Dico: no. Dice: allora che vuoi?

Mi sono dovuta tenere la fame, i crampi e tutto. Andavo cercando per ogni dove qualcosa da mettere in bocca. Ho trovato delle briciole, me le sono inghiottite, ho trovato delle piantine di trifoglio nel cortile, me le sono mangiate.

La sera mi hanno dato una brodaglia scura con dentro dei pezzi di patate sfatte. L'ho mandato giú a grosse cucchiaiate, nonostante il puzzo di merda e il sapore amaro. Non me ne importava piú niente.

La mattina dopo poi mi consegnano la roba di vestiario: due paia di mutande del governo tutte macchiate con la spaccatura in mezzo; una maglia di lana con due gore di sudore che arrivavano fino al petto, uno zinale di lana color piombo, un paio di calze bianche tutte indurite e un paio di scarpe di pezza sformate e ricucite mille volte.

Dico: io questa roba non la metto, mi fa schifo! Dice: tu la metti se no te la mettiamo noi per forza. E me la sono dovuta mettere. Quella biancheria incozzonita, macchiata di sangue, di orina. La rivoltavo di qua e di là e non mi decidevo a mettermela.

Dico: ma io un paio di mutande mie ce l'ho, mi metto quelle. Dice: no, qua usi la roba del governo. Allora datemene un paio nuove! dico.

Ma le mutande nuove le monache le mettono via, le tengono riposte, lo sanno solo loro dove. Alle ammalate danno questa roba usata, indurita, stracciata. Dice: tanto non capiscono niente.

Però io capivo. Lí per lí me le sono messe quelle mutande, ma poi me le sono tolte. Preferivo stare nuda che portare quella roba cacata dalle altre. Poi ho ritrovato le mie mutande e ho messo quelle.

Ma erano di nailon queste mutande e dopo due mesi, a furia di portarle sono diventate uno straccetto. Il reggipetto non lo portavo, ma di quello si può fare a meno. La maglia a pelle da contadino me la sono tenuta per il gran freddo che faceva.

La sera mi ritrovavo accanto quella pazza, Astor. Andavo a guardare se aveva pisciato nel mio letto. Non lo faceva piú. In compenso spesso scoprivo che ci aveva sputato. C'era uno sputo in mezzo al lenzuolo, grande e giallo.

Dicevo: ora ti prendo a botte brutta megéra! Lei si spaventava, cominciava a strillare. Arrivava la suora. Dico: io con questa non ci posso stare. Dice: e perché? Dico: perché sí, perché è pazza.

Dice: anche tu sei pazza. Dico: io non sono pazza e lei lo sa meglio di me. Dice: se mi manchi di rispetto ti lego al letto! E cosí dovevo abbozzare. Rivoltavo il lenzuolo e mi mettevo a dormire con la testa sotto le coperte per non sentire e non vedere.

Una mattina mi alzo, vado dalla suora. Dico: è tornata l'acqua, suora? Dice: sí è tornata, però ora mettiti in fila e non parlare. C'era una fila lunga una decina di metri. Mi metto lí in coda con le altre.

Aspetto aspetto, quando la fila è arrivata a metà, è finita l'acqua calda. Sentivo che gridavano queste pazze, strillavano. Dico: ma che succede? Dice: è finita l'acqua calda e le buttano sotto la doccia gelata, perciò strillano. Per forza, dico, e io dove mi lavo? Dice: se non vuoi che ti cacciano sotto pure a te, nasconditi, lévati dalla fila. E cosí ho fatto.

Ma mentre sto per filarmela, mi sento acchiappare da un braccio. Dice: vieni ad aiutare! Era una ragazza robusta, coi capelli neri neri, gli occhi duri. Dice: afferrala per di qua!

C'era una vecchia grassa che urlava, non voleva farsi lavare. Aveva tutte croste di merda sul culo e sulle cosce. Mi faceva ribrezzo. Mi tiravo indietro.

Allora questa neretta, che era una detenuta pure lei, mi dà una botta con la mano aperta sulla bocca e per poco mi butta per terra. Dico: ma sei scema! Dice: afferrala questa vecchia e tienila bene se no cade.

Cosí ho fatto. Ho acchiappato la malata per il collo e un po' con le ginocchia un po' con le braccia l'ho tenuta ferma sotto l'acqua fredda mentre la neretta la lavava.

Dopo, con questa neretta siamo diventate amiche. Si chiamava Sarabella, era siciliana. Non era pazza ma aveva fatto finta di esserlo per prendere meno anni. Era giovane.

Stava dentro per taccheggio, aveva tante recidive. Da ultimo le avevano riconosciuto la seminfermità e perciò stava a Pozzuoli.

Lí dentro faceva la padrona. Siccome le suore lo sapevano che era savia, le affidavano tutti i compiti piú brutti, come pulire le malate, lavarle, legarle. E lei in cambio di questi lavori si prendeva doppia porzione di mangiare. Aveva ingresso libero in cucina. Arraffava pane, patate, fagioli.

Era povera come me, abbandonata come me. Nessuno la veniva mai a trovare, nessuno le mandava pacchi. Però lí dentro era un campione e comandava su tutte.

A me m'ha capito subito che ero sana pure io come lei e da quel giorno mi ha chiamata sempre per aiutarla. Poi mi dava qualcosa da mangiare in piú.

Stavamo insieme dalla mattina alla sera. Ho scoperto che era avara. Quando lavorava e guadagnava qualcosa, i soldi non li spendeva, li metteva da parte lira su lira per quando sarebbe uscita.

Io non sarei capace, io quando ho i soldi li spendo fino all'ultimo centesimo, io ho il difetto dello spendere. Lei no, era diversa. Non veniva tentata dall'olio buono, dal burro, dal vino, tutte cose che si compravano là dentro e neanche dalle sigarette. I soldi li ammucchiava, li teneva nascosti sotto la gonna. Era una conservatrice.

Una di queste che gettavamo sotto la doccia fredda, un giorno si è presa una polmonite doppia. Dico: ora la colpa di chi è? Ero spaventata. Dice: non ti preoccupare, se muore le suore sono tutte contente; sarà una di meno da accudire, tanto queste chi le vuole? nessuno.

E infatti questa vecchia è morta e l'hanno seppellita senza funerale e non è venuto nessuno a vederla, neanche le nipoti che dicono ne aveva piú di diciotto, fra maschi e femmine.

Anche le altre detenute non ci hanno fatto caso a questa morte. Stavano buttate là dentro al ricreatorio, con la solita puzza di merda perché molte se la fanno addosso e per quanto lavi, per quanto strofini, c'è sempre un po' di merda che rimane appiccicato al grembiule, alla sedia, alle gambe, alle scarpe. E il puzzo se lo portano dietro tutto il giorno.

Stavano buttate dentro quello stanzone, alcune legate, altre intontolite dai calmanti, un calderone di carne. Non si sanno difendere, non sanno rispondere, non sanno parlare. Qualcuna è allegra come una bambina, ma se fa troppo chiasso le danno subito una dose di Largatil e cosí sta buona e ferma e non rompe le scatole.

Ce n'erano altre che ragionavano, come Sarabella. Erano state mandate lí per punizione, come me. Venivano dai carceri di tutta Italia.

Quando una fa la protestataria, quando si ribella, quando reagisce alle suore, la prendono e la mandano a Pozzuoli fra le matte.

Le suore di Pozzuoli erano acide, perverse. Le guardiane erano piú blande, ma dovevano fare quello che dicevano le suore perché comandavano loro. Con le guardiane ci ragionavamo, ci intendevamo. Con le suore no. Con le suore devi fare la politica, devi pulirgli le scarpe e leccargli pure i piedi se vuoi ottenere qualcosa.

I primi tempi stavo proprio male. Ero in mezzo a tutte matte, giovani e vecchie legate ai letti, una carneficina. Io dico: guarda dove sono andata a finire! madonna, dammi la forza di resistere! Cercavo di essere forte, ma il cuore mi si era ridotto un bottone.

Dico: qui puoi morire, nessuno ti guarda. Molte infatti morivano. Gli buttavano addosso secchiate d'acqua fredda. Poi le lasciavano bagnate, le cambiavano quando gli faceva comodo, le lasciavano giacere nei loro escrementi, con le piaghe sul sedere.

Dico: e come faccio in mezzo a queste matte? qui le suore non mi stanno a sentire, sono velenose, hanno il cuore impietrito dall'abitudine, sono ciniche, a chi mi rivolgo? che faccio?

Un giorno a pranzo mi arriva davanti una minestra di cavoli piena di terra. Metto in bocca un pezzo di cavolo, sento scricchiolare delle pietruzze sotto i denti. Sputo tutto. La suora Cuore Sanguinante di Gesú mi vede, mi acchiappa il piatto con tutta la minestra e me la sbatte in faccia.

Il primo istinto mio è stato di ammazzarla di botte. Ma mi sono fermata in tempo perché ho pensato: se mi rivolto, questa mi fa legare! E farsi legare vuol dire rovinarsi. Poi sono capaci di tenerti lí inchiodata per quindici giorni. E ho abbozzato.

Un'altra volta, in cortile, stavo guardando certi operai che aggiustavano le tegole sul tetto. Mentre guardo, pum, m'arriva una botta sulla testa. La suora Cuore Sanguinante m'afferra per un braccio e mi sbatte contro al muro. Dice: che stai facendo? Dico: guardo quelli che lavorano. Dice: no, tu stavi parlando con quegli uomini. Dico: no, stavo guardando. Pum! m'arriva un'altra botta che mi ha spaccato il labbro.

Era svelta di mano questa suora Cuore Sanguinante, robusta. Quando ti dava una botta ti lasciava il segno di tutte e cinque le dita. Era zotica, feroce. Non sopportava sgarri. Appena sgarravi, alzava le mani.

La voglia mia era di strangolarla, ma mi trattenevo sempre. Mi dicevo: stai buona Teresa, perché qui ti rimescolano come vuoi e poi una volta legata non esci piú. Non volevo finire come quelle pazze attaccate con le cinghie ai letti, che si dimenano nella loro merda per notti e giorni.

Correva la voce là dentro che il direttore era una persona buona, comprensibile. Allora un giorno vado dalla suora Cuore Sanguinante e le dico: suora, vorrei parlare col direttore. Dice: riempi questo foglio di richiesta e poi vedremo.

Per riempire il foglio ci voleva una penna e lí nessuno aveva una penna e Cuore Sanguinante non me la voleva dare. Cosí non potevo scrivere la richiesta. Stavo per rinunciare quando Sarabella mi ha procurato un pezzetto di matita.

Ho consegnato la richiesta alla suora. Ho aspettato due giorni, tre giorni, poi finalmente mi hanno fatto chiamare dal direttore. Ero cosí emozionata che mi tremavano le gambe.

Busso e sento la voce del direttore che dice: avanti! Entro. Rimango lí sulla porta, incerta. Lui stava seduto alla scrivania, non alzava la testa, non fiatava, niente.

Aspetto pazientemente mentre lui continua a leggere le sue carte, la testa incollata alla scrivania. Alla fine, pensando che forse si era scordato di me, dico: signor direttore, posso parlare? Dice: avanti, avanti! Mi guarda un momento con una faccia ruvida e poi si rimette a leggere.

Allora comincio: signor direttore, senta, ma le pare giusto che io che sono savia devo stare in mezzo a tutte queste pazze che non sanno neanche parlare? io sono qui per punizione e mi sta bene perché ci sono voluta venire di prepotenza; stavo in un posto sola, stavo male, ho cercato di andarmene, ho preso un vetro e mi sono tagliata, l'ho fatto apposta acciocché mi mandavano via perché da sola mi ero esasperata, e sono stata punita e va bene. Ma io credevo che mi trasferivano in un altro carcere, non a un manicomio. Io non sono pazza signor direttore. Non parlo male di questo carcere, signor direttore, che è a posto, proprio un carcere a posto, ma io che c'entro? Poi, dico, a Montepulciano, stavo male ma mangiavo. Qui non si mangia. Sto in compagnia con le matte, con le sceme, con le savie, ma mangiare non si mangia.

Senza alzare la testa, questo direttore sempre scrivendo dice: vai vai figliola. Dico: mi ha sentito quello che ho detto? Dice: vai! E sono dovuta uscire. Non ho insistito perché avevo paura che mi scambiava per matta. Dico: va bene signor direttore, buongiorno. E me ne vado.

Era l'ora di pranzo. Me ne vado a prendere il mio posto a tavola. Metto in bocca quella minestra amara come il fiele. Ne mando giú un cucchiaio e mi viene da rigettare.

Dico: ma perché è cosí amara questa minestra? Dice: è amara perché dentro ci mettono il bromuro, perciò è amara. Dico: ma io non lo voglio il bromuro! Dice: non parlare forte perché Cuore ti sta guardando e se ti prende di petto è peggio per te. E cosí ho fatto finta di mandare giú la minestra e l'ho buttata tutta sul pavimento.

Una volta alla settimana davano un pezzo di carne, ma dura, piú dura di quella di Rebibbia. Anzi rimpiangevo Rebibbia come fosse una casa. La carne di Pozzuoli la masticavo la masticavo e non ce la facevo a romperla. Dovevo mandarla giú intera.

Pensavo che il mio discorso al direttore era stato un fallimento, dicevo: ammazzalo che direttore buono che abbiamo, non ti sta neanche a sentire! se gli parli è come se ronzasse una mosca per lui.

Invece mi sbagliavo, perché quel discorso ha avuto un effetto: dopo due giorni è venuto l'ordine che noi savie dovevamo dormire tutte insieme in una stanza lontano dalle matte.

Eravamo dodici e ci hanno trasferite tutte e dodici in una camera al piano di sopra. Stavamo strette ma per lo meno era pulito, non puzzava di merda, e poi fra noi si poteva parlare, la notte non si sentivano gridi e lamenti.

Appena mi sono sistemata nel nuovo letto, mi sono tornati i dolori ai reni. La notte mi svegliavo con questi dolori e non potevo dormire. Il freddo mi aveva acchiappata ai reni, il freddo del cortile, il freddo delle stanze, il freddo della doccia fredda. Perché io mi lavo sempre, sporca non ci so stare, anche se l'acqua è fredda, mi devo lavare e cosí rimango tutta intirizzita.

Il dottore mi ha dato delle iniezioni di vitamina B. Ho chiesto di fare dei forni, ma non me li hanno concessi. Ho fatto una ventina di iniezioni e mi sono sentita un po' meglio.

La notte per vincere il freddo mi arrotolavo la maglia attorno alla testa, l'asciugamano attorno ai fianchi, mi infilavo tutte e due le calze di lana che possedevo, mi appoggiavo il cuscino contro i reni e cosí dormivo che sembravo un fagotto e non una persona.

Di giorno aiutavo Sarabella in cambio di una minestra calda e senza terra. Da ultimo a noi si era aggiunta un'altra, una certa Palmira, una che stava dentro da tanto, ma era savia. Era grassa, con un pancione da salumiere e la faccia allegra. Dico: ma guarda come siamo finite qua in mezzo a queste pazze noi savie, è una pazzia! Dice: ci vorrebbe una fotografia cosí di noi tre in mezzo a queste derelitte; per il futuro ci vorrebbe questa fotografia, per ridere di noi.

Io e questa Palmira e Sarabella ci consolavamo a parlare. Ci raccontavamo le cose nostre. Palmira era una di campagna, veniva dalla Toscana. Aveva rubato un camion di meloni e per questo aveva preso tre anni. Però lei era una turbolenta, si era messa a fare il diavolo, rispondeva alle suore, picchiava le compagne, cercava di scappare. La terza volta che ha tentato di scappare l'hanno presa e rinchiusa in cella di punizione.

Ma Palmira è peggio di me, chiusa non ci poteva stare, allora ha spaccato tutto, con una forza da gigante ha rotto il letto, ha sfasciato la finestra, ha fatto cadere giú pure un pezzo di muro. A questo punto l'hanno presa e l'hanno mandata di corsa a Pozzuoli. E lí è rimasta.

Parlavamo parlavamo. Alla fine Sarabella diceva: andiamo dal direttore, che è una persona a posto, cerchiamo di uscire di qua, se no siamo fritte. Dico: parli facile tu che fra poco devi andare a Roma per l'appello, ma se poi il direttore si irrita?

Dice: è vero, io me ne vado, ma cercate di andarvene pure voi, andate a parlare col direttore, è una persona a posto. Cosí Sarabella mi dava i consigli di come dovevo agire perché lei era piú pratica di me.

Allora sono andata di nuovo dal direttore tutta remissiva, sempre quieta, dolce, per la paura di essere scambiata per pazza. Dico: signor direttore, io qui non ho nessuno, mio fratello sta di nuovo dentro, mio marito insomma il mio convivente, è in prigione pure lui; mi faccia lavorare perché col mangiare di qui pieno di bromuro mi avveleno, io del bromuro veramente non ho bisogno; mi faccia lavorare perché qui non campo e lo stomaco mio ha fame.

Il direttore, sempre assorto, sempre curvo sulle carte, non mi guarda, non mi sorride. Era un enigma quel direttore. Pensavo: avrà sentito? non avrà sentito? E me ne stavo lí ad aspettare. Dopo che ha sfogliato altre carte, un mucchio di carte, mi fa un gesto con la mano. Poi dice: vai, vai.

Anche questa volta pensavo di avere fatto un buco nell'acqua. Invece dopo tre giorni mi mandano a lavorare alla fontana. Mi consegnano un ferro pieno di carbonella e mi mandano a stirare della biancheria. C'è la fontana, c'è lo stiro. Lo stiro però si fa solo con la roba delle guardie. La roba delle ammalate la buttano dentro quelle macchine a vapore che macinano tutto, rimescolano tutto e le tirano fuori puzzolenti e dure.

Mi davano cinquemila lire al mese. Allora io cercavo di stirare meglio che potevo. Ma dice che non ero brava; la suora Fiordaliso non era contenta, dice che facevo le pieghe storte. Insomma dopo qualche giorno mi sposta al cucito.

Al cucito si lavorava solo con la roba delle ammalate. Cucivo piano, per non fare pasticci. Però quando mi venivano in mano certe mutande e certe camicie di quelle del governo col sangue stampato sopra, mi veniva da sputare.

Mi aveva preso la sputarella. E sputavo di nascosto dalla suora. Ogni tanto voltavo la testa e sputavo, in mezzo a quella polvere, a quei panni e a quella puzza.

Un giorno Fiordaliso se n'è accorta che sputavo. Mi fa: senti, se ti fa senso, se ti fanno schifo questi panni, non ci venire piú. Ho detto: no, non è per lo schifo che sputo, ma perché mi fa male il ventre, ogni tanto mi viene da sputare.

Ma lí c'era una ruffiana, una leccapiedi che stava a sentire e riferiva tutto ai superiori. E quella sera è andata da Fiordaliso e le ha detto che non era vero che sputavo per il mal di pancia, ma che era proprio per lo schifo e che l'avevo pure detto e che mi lamentavo sempre per quella robaccia che ci facevano rinacciare.

Per un giorno la suora non mi ha detto niente. Il giorno dopo improvvisamente mi fa: hai sputato abbastanza! vattene e ti sarà tolto il lavoro! E cosí è stato. Sono tornata come prima, nullafecente e affamata.

Ora un giorno che, avevo particolarmente fame, dico fra me e me: se per lo meno avessi una sigaretta! il fumo stordisce la fame, attutisce i crampi.

In quel momento vedo una mano tutta fasciata che mi porge una mezza sigaretta. Mi volto, era una ragazza che stava dentro da dieci anni, una certa Marina detta Cristo, perché aveva le stimmate. Tutti lo sapevano che lei di nascosto si teneva aperte le piaghe sulle palme con le unghie e con un pezzo di chiodo. Ma non ci facevano caso. La chiamavano Cristo come voleva lei.

Questa Cristo era una ragazza di ventinove anni, bassetta, carina, coi capelli neri e gli occhi verdi. Stava dentro perché aveva ammazzato il padre e la madre. Le tenevano le mani fasciate per via di quelle piaghe, ma piú la fasciavano e piú lei faceva sanguinare queste sue piaghe. Ci teneva, era molto orgogliosa di queste stimmate.

Dico: grazie! e prendo la sigaretta. Con l'altra mano pure fasciata questa ragazza mi avvicina un fiammifero acceso. Accendo, aspiro. Dico: ah che bellezza! Prendo una boccata, poi un'altra. Tenevo quella sigaretta come un brillante fra le dita. Me la godevo.

E mentre che succhiavo cosí felice, vedo con la coda dell'occhio la mano fasciata di Cristo che si posa sulla mia gamba. Dico: Cristo, che fai?

Cristo non risponde. Però vedo la sua mano che sale verso le cosce, con una lentezza vorace, mi scombussola tutte le gonne. Sale, sale, si arrampica come un topo avvolto nella garza.

Quando la mano è arrivata proprio lí, all'orlo delle mutande, mi sono alzata di colpo e ho buttato quel resto di sigaretta per terra. Dico: che ti credi che mi compravi con una mezza sigaretta! Ho detto cosí e me ne sono andata.

Cristo, per la rabbia, si è sciolta le bende e ha cominciato a grattarsi furiosamente le ferite coi denti e con le unghie finché non ha cominciato a colare il sangue. Allora è arrivata Cuore l'ha picchiata e l'ha fasciata di nuovo fino ai gomiti.

L'ho raccontato a Sarabella che si è messa a ridere. Dice: ma lo sai che qui dentro si vendono le fiche pure per una boccata di fumo? Dico: sarà, ma a me non mi va; io non mi vendo neanche per un milione!

Dice: sí, perché hai il sesso freddo. Dico: come freddo? Dice: tu puoi stare quattro mesi, sei mesi, un anno senza fare l'amore; a te ti basta il pensiero di Ercoletto. Altre invece hanno il sesso caldo e non c'è pensiero di maschio che tiene, hanno bisogno di fare e fanno come possono, con le amiche.

Poi ho scoperto che pure lei era di sesso caldo. Perciò parlava cosí. Anziché coi soldi lei pagava con il favore. Era potente e favoriva. Prendeva d'occhio una carina, la largheggiava nel cibo, nelle docce, e questa si faceva tutta dolce, riconoscente.

Poi un giorno la chiudeva nello sgabuzzino della dispensa e se la mangiava viva. Me l'ha detto una certa Carmela che è stata in questo sgabuzzino con lei per qualche patata bollita. Dice che l'ha presa, l'ha stretta cosí forte che si sentiva stritolare. L'ha morsa, l'ha strizzata, e l'ha lasciata coperta di lividi.

Di tutte le detenute ce n'erano una decina come me, col sesso freddo. Le altre erano tutte chi sposate, chi amanti, chi avventurate, non facevano che pensare a questo. Anche le piú malate avevano la loro innamorata e certe volte si azzannavano a morte per questioni d'amore.

Le suore facevano finta di non capire. Finché non davano fastidio non gli interessava quello che combinavano le malate fra di loro. Solo quando scoppiava la lite forte, allora dividevano, punivano. Ma spesso, quando sentivano piangere o bisticciare, ridevano e basta.

Molte si vendevano per il cibo. Una mela, un pezzo di formaggio, del caffè, una sigaretta. Chi riceveva pacchi, chi aveva piú amici o parenti amorevoli, era coccolata e ricercata. Tutte se le contendevano. Queste fortunate potevano comprare chi volevano, pure le suore, e le guardiane. Poi c'era chi lavorava e spendeva tutto per l'amante.

Le suore pure avevano le loro protette. Era difficile che ci andavano a letto. Erano puritane queste suore. Ma avevano gli amori loro e quando una diventava la protetta poteva fare quello che voleva. Bastava che si mostrava ipocrita, remissiva e correva sempre in chiesa.

La suora passava la sera a salutarla prima di ritirarsi a dormire, le portava un bicchiere di camomilla bollente, le regalava una pastiglia valda in piú. La teneva in considerazione.

Io ero sempre tenuta male perché rispondevo, non pregavo, facevo a botte e protestavo a voce alta. Per le suore ero il fumo negli occhi. Eppure lí ero molto piú paziente del solito, per via della paura. Ma la natura mia veniva fuori lo stesso.

Per fortuna c'era Sarabella che mi difendeva. E Sarabella era furba, le suore se le rigirava come voleva. E loro la lasciavano fare perché era brava con le malate, ci sapeva fare. Anche con le guardie la spuntava, era una specie di guardia pure lei. Lavorava, metteva da parte i soldi, era un leone.

Un giorno m'arriva una cartolina di Ercoletto. Quando l'ho vista mi si è acceso il sangue. Dico: oh Dio, Ercoletto s'è ricordato di me! Però a guardarla meglio la cartolina risultava una truffa.

Sulla parte lucida c'era una coppia sdraiata, due che si baciavano, lui giovane e bello con un cuore in mano, lei giovane e bella con una freccia che infilzava questo cuore. Sulla parte ruvida c'era scritto: "pensa al tuo Rocco, saluti, Ercoletto".

E dai con questo Rocco! dico. Eppure Ercoletto lo sapeva che questo Rocco era un frocio. Dico: ora gli scrivo una lettera coi fiocchi! Per fortuna avevo conservato quel pezzo di matita che mi aveva dato Sarabella. Con quello ho scritto una lettera a Ercoletto.

"Caro Ercoletto, a parte il fatto che se mi volevo fare un uomo me lo sarei fatto intero e non mezzo perché Rocco è un mezzo uomo, ma tu non lo sai come la penso io su queste faccende? io la penso in questa maniera che se pure mi girasse la testa non ti farei un torto a te che sei il mio uomo. Se poi te lo facessi, te lo farei con un uomo vero, uno del tipo di Tonino anche se poi Tonino alla fine non si è comportato da uomo. Comunque questa tua è una scusa per lasciarmi e metterti con quella che ti ha trovato tua sorella, la ruffiana. Sappi che qui io sto proprio male in mezzo a queste pazze senza cuore e non ho neanche i soldi per comprarmi una sigaretta e porto le mutande legate con lo spago che sono ridotte a brandelli. Cerca di venire a trovarmi se puoi o mandami qualcosa in ricordo di tutti quei pacchi che t'ho mandato io quando tu eri dentro. Ciao, tua Teresa."

Poi ho saputo che per questa ragazza Ercoletto ha fatto truffe per dodici milioni. Lui e un amico suo, che poi si sono divisi i milioni, sei e sei. Lui i suoi sei milioni se li è mangiati con Bruna, fino all'ultimo centesimo. E io andavo elemosinando per una sigaretta!

Mi rivolgevo a quelle già sposate, sicure, gli dicevo: mi dai una boccata? Dice: va bene, tieni, però quest'altra volta non ci venire piú. Dico: grazie, dammene un'altra boccata.

Dice: no, basta, gira al largo da me. Certe umiliazioni che provavo! Io mi facevo coraggio, ridevo, però quelle umiliazioni erano peggio di una coltellata.

Ogni tanto mi scriveva Orlando dalla prigione. Ci scrivevamo fra noi sventurati. Io non potevo mandare niente a lui e lui niente a me. Anche lui stava male perché la moglie sua l'aveva lasciato per un altro uomo, uno spazzino e ci aveva fatto pure un figlio con questo spazzino e l'aveva chiamato Elio.

Un giorno mi decido e scrivo alla Spagnola. Dico: tanto non mi risponderà; ma provare non fa male. E cosí scrivo: "Cara Marisa, mi sono ridotta pelle e ossa; non ho piú neanche la saponetta per lavarmi, non ho i soldi per una sigaretta, non ti dico questo per fare il caso pietoso, non voglio fare la tragica, ma purtroppo è la verità. Mi sono ridotta in mezzo alle matte e senza avere fatto nessuna pazzia mi ritrovo in mezzo alle criminali senza cervello. La fame mi divora e non ho piú né onore né salute. Sono arrivata al punto che chiedo l'elemosina. Fai un'opera di amicizia e mandami qualcosa, magari solo un paio di mutande. Firmato Teresa Numa."

Ho mandato questa lettera, ma senza speranza. Per comprare il francobollo ho dovuto cucire tre paia di scarpe. Dicevo: non risponderà mai. Però non potevo fare a meno di aspettare e piú i giorni passavano e piú mi rattristavo.

Una mattina mi mandano a chiamare. Dico: che vogliono questi carnefici? Credevo che mi mandavano a chiamare per una reprimenda. E vado giú agli uffici col passo lento strascicato, senza voglia e pigramente.

Invece era lei, la Spagnola, con una valigia piena di roba. Per l'emozione sono rimasta irrigidita, senza una parola in bocca. Allora lei m'ha vista cosí, con quel zinale color grigio, la faccia pallida, gialla, che parevo un morto uscito dalla tomba. Dice: ma com'è che stai qui in mezzo alle matte? e com'è che ti sei ridotta cosí? Dico: come mi sono ridotta? Dice: fai paura tanto sei ridotta male!

Dico: è la fame, non ho una lira; certe volte lo sai che mi riduco a raccogliere le bucce dei mandarini che buttano le suore e me le mangio, me le divoro; vado frugando nelle immondizie come un cane.

Dice: ma non c'è nessuno che ti aiuta? Dico: sí, c'è una, Sarabella, la quale mi ha preso in simpatia, siamo amiche. Però va a momenti, quando è invaghita di una nuova, si dimentica di me e mi lascia senza mangiare.

Ho aperto questa valigia. C'erano sei pacchetti di Sport. C'era una sottoveste, delle mutande di flanella, due paia di calze di lana. Tutta roba comprata sui carrettini a piazza Vittorio, ma in quel momento mi parevano lussuose. Poi c'era della carne, del formaggio, del caffè, dei biscotti.

Per un po' di giorni mi sono sentita sollevata. Ho mangiato, mi sono cambiata. Ho fatto mangiare pure Sarabella. Ho fumato a sazietà. Ero una regina. Mi sono tolta pure la soddisfazione di restituire i regali a quelle stronze che mi avevano trattato come una pezzente.

Poi è tornata la fame come prima. La sola fortuna era che stava passando l'inverno e non faceva piú tanto freddo. Anzi il sole cominciava a scaldare e quando stavo in cortile accucciata contro il muro, mi sentivo bene, felicemente. I dolori ai reni erano passati grazie anche a quelle mutande nuove calde e aderenti.

Però non potevo mai stare tranquilla per conto mio a pensare. C'era sempre qualche pazza che veniva a scocciare. Un giorno ho visto una che veniva verso di me tutta arrabbiata. Dice: tu mi hai rubato l'uovo!

Dico: ma quale uovo? Dice: stava là sulla tavola e tu me l'hai rubato! Io ne avevo rubate tante di uova, ma questo qui proprio non l'avevo mai visto. Dico: senti, lasciami perdere perché ho i nervi, io il tuo uovo non l'ho mai visto e non ne so niente.

Allora questa mi comincia a urlare che sono una ladra, che le ho rubato l'uovo, che mi denuncia. Io stavo per acchiapparla e appiccicarle uno schiaffo sulla bocca.

Per fortuna in quel momento arriva Milena, una ladra forte e giovane e la prende a male parole. Dice: vai all'inferno tu con il tuo uovo del cazzo! e levati di torno scema pazza rimbambita!

Quella, come prima ce l'aveva con me, ora ce l'aveva con Milena. Ha cominciato a dire che era lei la ladra del suo uovo. Poi l'acchiappa per i capelli e la scaraventa per terra.

Milena lí per lí non ha reagito per la gran sorpresa, ma subito dopo si è alzata, le è saltata addosso, l'ha afferrata per il collo e la voleva strangolare. L'altra per liberarsi le ha mozzicato un orecchio, tanto forte che le è rimasto un pezzo di carne in bocca.

Mi sono messa in mezzo anch'io per difendere Milena. Ma la pazzia dà la forza del diavolo. In due non ce la facevamo contro questa scatenata che voleva a tutti i costi portarci via la pelle a mozzichi.

Sono arrivate le suore Cuore e Fiordaliso. Io appena le ho viste me la sono squagliata per la grande paura di finire legata. Milena e l'altra sono state afferrate per i capelli, immobilizzate e assicurate ai letti. Poi siccome si agitavano, gli hanno fatto l'iniezione che fa gonfiare la lingua e non puoi piú né parlare né respirare.

Un altro giorno stavo sempre lí a prendere il sole quando mi vedo una che passa camminando a quattro zampe. Faccio finta di niente perché con le matte è meglio lasciarle perdere. Dico: si crederà di essere un cane!

Infatti era cosí. Solo che questo cane cercava proprio qualcuno da mordere. È venuta, calma calma, si è accucciata lí accanto a me. Dico: che vuoi? Zam! invece di rispondere, m'ha azzannato una spalla. Perché stavo seduta, e la spalla mia era all'altezza della sua bocca. M'ha acchiappato la spalla che ancora porto i segni dei denti.

Però non ho fatto a botte. L'ho lasciata perdere. Stavo buona buona perché volevo andarmene. Conoscevo una lí dentro, una certa Andreini che era entrata per punizione, come me, era savia e pure intelligente ma rispondeva sempre, gridava, diceva parolacce, dava della ruffiana alle suore. Beh a quella, quando è arrivata la fine della pena, le hanno dato altri sei mesi. Poi altri sei, insomma ha finito per rimanere dentro tre anni.

Dopo cinque mesi e otto giorni mi mandano via da Pozzuoli. Mi spediscono a Roma. E cosí mi ritrovo a Rebibbia. Ero contenta perché lí per lo meno si mangiava da cristiani e non stavo in mezzo alla merda tutto il giorno. Ridevo con le mie amiche, giocavo, trafficavo. Era una vita da signori in confronto a Pozzuoli.

Poi m'hanno liberata perché la pena era stata scontata. Sono uscita e sono andata subito dalla Spagnola. Anzi m'è venuta a prendere lei in macchina con un vecchio che la manteneva, un certo Italo. M'ha portato a casa sua, m'ha dato da dormire, da mangiare.

È lei che mi ha messo a paro. La prima sera ha cucinato un piatto di fettine e quando mi ha visto mangiare si è commossa, le è venuto da piangere. Era da due anni che non assaggiavo della carne cosí buona e tenera.

Allora lei mi mette davanti il vassoio con la carne, dice: mangia Teresa, a me non mi va. E io mi sono presa la sua fetta e poi quella del vecchio, ho ripulito tutto.

Io mangiavo e loro mi guardavano. Non alzavo gli occhi dal piatto. Allora la Spagnola mi dice: questa è proprio fame arretrata! tieni, prendi del vino, prendi del pane. E io ho bevuto, ho ingollato tutto. E poi ho vomitato perché quando lo stomaco è abituato alla parsimonia non tollera l'abbondanza improvvisa. La Spagnola dice: mangia mangia, rimettiti a posto, qui da me non ti mancherà niente.

Ma io ero intenzionata a ritrovare Ercoletto. Lo cercavo e stavo male perché non lo vedevo. La Spagnola non voleva che ne parlavo. Diceva: senti lascia perdere questo Ercoletto perché io non lo posso vedere quel disgraziato che t'ha abbandonato per due anni dentro carceri e manicomi.

Dico: ma io gli sono attaccata. Dice: infatti, lo so che ci sei attaccata, se non c'eri attaccata non andavi a trovarlo fino all'isola di Sardegna, a fare quei chilometri coi piedi che buttavano sangue; gli hai portato i pacchi e quest'uomo t'ha lasciata dentro una galera, senza aiuto.

Dico: sí, da un lato lo odio. Però ci sono stata assieme per tanti anni, non me lo posso scordare, sono stata troppi anni, è un'abitudine ormai. Poi, dico, vorrei vederlo per farmi dire il motivo per cui m'ha lasciata e l'aggiusto io; gli devo dare una rivoltellata!

Allora lei cercava di distogliermi da quel pensiero. Mi portava al mercato, mi portava al cinema, mi portava a spasso. Mi impediva di uscire da sola.

Le dicevo: ma senti io chiusa dentro non ci posso stare, sono appena uscita di galera, voglio camminare un po', sentirmi libera. Dice: vuoi paragonare la mia casa a una galera? qui fai il comodo tuo, mangi quanto vuoi, dormi quanto vuoi, qui stai bene.

Io però uscivo lo stesso. Mi piaceva camminare. Camminavo camminavo senza guardare dove andavo. Vedevo la strada, dicevo: ah finalmente posso andare dove voglio! E andavo.

Camminavo cosí per la via Tuscolana, me ne andavo fino a Cinecittà, sempre a piedi. Bazzicavo i bar di Cinecittà perché m'avevano detto che Ercoletto se la faceva da quelle parti.

Ogni bar che incontravo, entravo, guardavo, facevo finta di telefonare per non pagare la consumazione e poi me ne uscivo.

Un giorno sono andata da Alba. Dice: sí, Ercoletto capita qualche volta da me, ma ormai è parecchio che non lo vedo piú. Però le veniva da ridere, come al solito e si teneva la bocca per non sbottare. Io lo sapevo che lei conosceva il rifugio del fratello. A me mi diceva il contrario quella ruffiana. Diceva: mah chissà dove si sarà cacciato quel mio fratello! Dico: non si potrebbe vederlo un momento? Dice: io non so dove sta.

La verità è che Ercoletto aveva un contorno che cercava di non farmelo incontrare perché dice: se la rivede è finita. Pare che lui stesso aveva detto: finché non la vedo va tutto bene, se la vedo sono perduto.

Me l'hanno riferito gli amici. Per questo lo tenevano nascosto da me; lo portavano al mare, in montagna, lo portavano in giro. Tanto, finché gli duravano i soldi pagava lui.

Poi gli sono finiti i soldi. Ha ripreso a fare truffe. Questo contorno di ladruncoli senza futuro lo portava a firmare assegni a vuoto. Ercoletto è un uomo che si fa trascinare, è debole, lo abbindolano come vogliono.

Insomma io lo cercavo, ma non lo trovavo mai. Intanto era venuta Pasqua. La Spagnola m'ha regalato un bell'uovo di cioccolata con dentro un orologetto di smalto.

Ercoletto nel frattempo si ubriacava con quella, l'ho saputo dopo. Pare che era allegro, spavaldo. E a tutti diceva: finché non la vedo sto bene.

Poi un giorno, non so come non so perché, è venuto a cercarmi. È venuto dalla Spagnola con la macchina. Io non c'ero e lui se n'è andato per tornare piú tardi.

Io ero uscita a spasso. Avevo fatto un paio di chilometri a piedi e poi stavo tornando verso casa. Ma quando sono arrivata sotto il portone, invece di entrare, mi sono voltata e sono andata ad aspettare l'autobus alla fermata. Mi volevo dirigere verso l'altra parte della città, verso la Cassia, tanto per cambiare.

Aspetto aspetto, l'autobus non veniva mai. Dico: mannaggia questo autobus, ma che fa? quasi quasi ora me ne vado a piedi a prendere il tram di Cinecittà.

Pensavo cosí e passeggiavo su e giú per il marciapiede. C'era una signora che stava lí pure lei ad aspettare. Dico: ma signora, non passa mai qui l'autobus? Dice: eh ormai passa fra tre quarti d'ora. Dico: ammappelo! e va bene, ora me ne vado a piedi.

Mentre sto facendo due passi verso Cinecittà mi si ferma davanti una macchina. Era una macchina nuova, una Seicento blu, io non l'avevo mai vista e perciò non ho riconosciuto lui che stava dentro.

Si ferma cosí vrom! Dico: mannaggia, guarda questo stronzo, per poco mi mette sotto! In quel momento scende lui e mi viene incontro. Però stava attento, aveva paura, perché gli avevano detto che gli volevo sparare.

Allora da lontano mi fa: aho, ciao! Dice: venivo proprio da te. Da me? dico: e hai pure il coraggio di venire da me? Dice: come va?

Mi voleva dare la mano. Dico: la mano valla a dare a quella zozzona che ci stai assieme, di me non sei degno neanche di toccarmi!

Dice: senti, vogliamo ragionare? ma senza fare scene, ragioniamo e poi vediamo se ho ragione io o hai ragione tu. Dice: andiamo, vieni sulla macchina.

Dico: no, non vengo sulla macchina tua, sul posto di quella; la tua donna potrebbe essere gelosa. Allora dice: sii buona, non dire cosí! E m'ha fatto una faccia disperata. Dico: beh andiamo a parlare, voglio proprio vedere a che punto arrivi di menzogna!

Facevo la dura ma ero emozionata. Stavo rigida, arcigna, non gli volevo dare soddisfazione. Dico: senti, ormai di te non mi interessa piú niente perché mi hai abbandonata due anni dentro le galere e non ti sei occupato di me, sono stata al manicomio in mezzo alle pazze e non ti sei neanche fatto sentire.

Dice: mi dispiace che stavi al manicomio, io non lo sapevo. Dico: ma come, m'hai pure mandato una cartolina? Dice: io la cartolina l'ho mandata al carcere, si vede che da lí te l'hanno spedita al manicomio; io comunque non lo sapevo che stavi al manicomio.

Dico: carcere o manicomio è la stessa cosa, il manicomio però è peggio; ma comunque a te non ti interessa, lasciamo perdere perché a te non ti sono mai interessata.

Lui cercava di ragionare, di spiegare, di imbonirmi. Poi mi fa: hai cenato? Dico: sono fatti miei se ho cenato o meno. Dice: su, io non ho cenato, andiamo a mangiare da qualche parte, e dopo parleremo perché io ho fame.

Io non avevo cenato, ma non ho detto niente, per non dargli soddisfazione. Dico: io non ho fame, comunque se ci tieni verrò a farti compagnia, però non mangio.

Dice: no, se mangio io devi mangiare anche tu. Dico: va bene, andiamo pure, vuol dire che per farti piacere mangiucchierò qualcosa; d'altronde non ho rimorso di farti spendere perché di soldi me ne hai ingoiati tanti e allora posso pure mangiare sui soldi tuoi.

Ordino una insalata e una bistecca. Era un bel ristorante, tutto lustro, dalle parti di Cinecittà. Lui faceva il gentile, l'affabile, ma aveva dell'indifferenza, era cambiato.

Io ero peggio di lui. Ero rimasta fredda. Però vedevo che

nella sua indifferenza, facendo finta di niente, mi guardava con la coda dell'occhio.

Dice: ti sei ingrassata eh? Dico: mi sono ingrassata sí con tutti i pacchi che m'hai mandato tu! Dice: non fare la spiritosa! Dico: mi sono ingrassata in questi giorni perché ho mangiato a rotta di collo dalla Spagnola che per me è piú che un'amica, una sorella; è la sola vera amica che ho, e lei pure m'ha consigliato di lasciarti perdere perché ti sei comportato da carogna.

Dice: mi dispiace per te, però se io ti ho lasciato è per via di quel Rocco, perché m'avevano detto che mi tradivi con lui. Dico: sí, la scusa l'hai trovata bella! a me invece m'hanno detto che sono i tuoi amici che ti hanno proibito di venire da me.

Dice: beh sí, questa è la verità, sono sincero, i miei amici mi avevano proibito proprio di venire da te. Dico: allora tu non sei padrone di te e delle tue azioni, ti fai comandare dagli altri! Io, dico, mi vergognerei. Io che sono una donna faccio quello che voglio e sono padrona di me, a me mi comando io e nessuno mi dice quello che devo fare.

Allora lui dice: riconosco che sono stato stupido a cedere agli amici, però un dubbio ce l'ho sempre su quel Rocco. Dico: senti, se è vero che io te l'ho fatta con Rocco mi possa succedere la peggiore disgrazia del mondo, potessi andare dentro e non uscire piú!

Quando ha sentito questo si è convinto del tutto. Dice: allora devo pensare che gli amici mi hanno ingannato per invidia. Dico: no, ti hanno mentito perché tu possedevi i milioni, ti stavano addosso perché avevi i soldi. Ora i soldi ti sono finiti e sei ritornato da me. E tu pensi che io ora vengo a lottare una vita con te? io sono stufa, voglio stare a casa perché sono stanca e non voglio piú finire in galera, voglio essere mantenuta perché sono esausta, non ce la faccio piú.

Allora lui dice: va bene, tu stai a casa, io vado a lavorare e non ti farò mancare niente. Certo i milioni non ce li ho piú, però il necessario non te lo farò mancare.

Dico: facciamo la prova; se però non mantieni la promessa, me ne rivado per conto mio.

Insomma ci siamo rappacificati. È venuto a stare anche lui dalla Spagnola. Le pagavamo la stanza. Io restavo a casa e lui andava con questi suoi amici, Otello e Birmana a trafficare. Prendevano la biancheria a rate, la rivendevano, andavano a comprare le polizze dell'oro, insomma si arrangiavano.

Quando la biancheria non si trovava piú, tornavano a vendere l'olio. C'era una casa olearia sulla Tuscolana dove caricavano l'olio di arachide, lo mescolavano con quello di oliva, poi lo versavano dentro le damigiane. Queste damigiane poi le tappavano, le sigillavano con la cera, e fingevano di averle portate dalla Sabina. Sopra ci appiccicavano una scritta: Olio Puro Vergine Extrafino della Sabina.

Invece, per un quarto, era olio della campagna romana, per un quarto, grasso di asino purificato e per due quarti olio di cocco che veniva dalla Tunisia.

Ogni lattina la pagavano tremila lire, erano trecento lire al chilo. Poi lo rivendevano a seicento lire. C'era un guadagno netto di trecento lire al chilo, di cui duecento andavano alla Casa Olearia e cento ai venditori.

Io stavo a casa a dormire. Era bello avere uno che lavora per me mentre io dormivo e mangiavo innocentemente. Quando Ercoletto mi raccontava quello che faceva, gli dicevo: non voglio sapere niente, io sono una casalinga da ora in poi, non so niente. Se vengono i carabinieri sono innocente e non mi possono condannare, tu fai, ruba, io non voglio saper niente.

Per qualche mese mi sono molto divertita a fare la signora. Mi alzavo alle dieci, mi infilavo nella vasca da bagno e ci restavo un'ora, due, a cantare e giocare con l'acqua. Poi mi mangiavo qualche biscotto intinto nel latte, mi fumavo una sigaretta e me ne tornavo a letto. Rimanevo un'altra oretta distesa a farmi le unghie, a sbadigliare ascoltando la radio. Poi mi vestivo, lenta lenta, mi addobbavo e uscivo a fare la spesa.

Compravo roba già fatta, non mi andava di cucinare. Mi trattavo bene, riempivo la casa di roba succulenta: cannelloni ripieni congelati che basta metterli al forno per dieci minuti e sono pronti, spezzatino in scatola, sardine sott'olio, pesche sciroppate, tortellini semicotti, ragú in bottiglia.

All'una mi mettevo a tavola, qualche volta con Ercoletto, qualche volta sola. La Spagnola mangiava sempre fuori col suo vecchio. Dopo pranzo davo una sciacquatina ai piatti e mi mettevo a riposare.

Dormivo, leggevo i fumetti, mi stuzzicavo i denti, fumavo i sigari che portava in casa Ercoletto. Facevo la signora. Verso le cinque mettevo i piedi giú dal letto, gironzolavo per casa con il proposito di mettermi a stirare. Ma siccome il ferro era rotto e non mi andava di portarlo ad aggiustare, rimandavo.

Preferivo tornare in bagno, dove mi lavavo i capelli, mi facevo una bella schiumata, mettevo i rotolini e poi li asciugavo con il fon davanti allo specchio.

Proprio in quell'anno ho compiuto cinquant'anni. Era il 1967. Ma tutti me ne davano quindici di meno. Se non fosse stato per il dente mancante sul davanti che mi guastava un poco il sorriso, sarei stata proprio piacente.

La sera cenavamo tutti insieme, Birmana, Otello, Ercoletto, la Spagnola, il vecchio Italo e io. Bevevamo la birra, scherzavamo, ridevamo, era proprio una bella vita.

La notte Ercoletto si addormentava subito, era stanco. Io invece che avevo riposato tutto il giorno ero vogliosa, ero pimpante. E tanto lo carezzavo e tanto lo sbizzarrivo che finivamo per fare l'amore. E dopo finalmente mi addormentavo felice e soddisfatta.

Dopo qualche mese di questa vita, ho cominciato a stufarmi. La mattina mi alzavo con l'uggiarella. Mi strascinavo per casa e mentre prima mi divertivo a non fare niente, adesso mi sentivo soffocare dalla noia. Fare il bagno mi scocciava, mettermi a posto i capelli mi faceva crepare dalla noia, asciugarmi col fon ancora peggio. Curarmi i piedi era diventata una cosa insopportabile, leggere i fumetti mi dava la nausea, ascoltare la radio mi esasperava.

Insomma ero affogata nella noia e stavo diventando noiosa anch'io. Non mi piaceva piú fare la signora, non sopportavo piú l'odore di quei pavimenti, di quelle coperte, il rumore dell'acqua nella vasca mi faceva venire i nervi, il silenzio della casa nelle ore che tutti erano fuori mi provocava il mal di testa.

Cosí una sera ho detto a Ercoletto: sai che ti dico, da domani vengo con te. Ma come, dice lui, non avevi detto che volevi rimanere a casa a fare la casalinga? Dico: ho cambiato idea, si vede che non ci sono tagliata a fare la casalinga, muoio di noia.

Dal giorno dopo ho cominciato ad andare pure io a prendere l'olio con lui. Caricavo le latte sulla macchina, entravo nelle trattorie, trattavo il prezzo, incassavo, tornavo alla Casa Olearia, sempre all'erta per non farci scoprire dalle guardie. Ho ripreso la mia vita di prima e la noia è svaporata subito.

Coi soldi dell'olio ci siamo presi una camera e cucina dalle parti della Borgata Alessandrina. L'acqua corrente non c'era. La luce sí. La fogna non c'era. Avevamo un pozzo nero ma i proprietari ce l'avevano lasciato già pieno.

Dico: almeno vuotatelo un poco, la metà! Pagavamo quindici mila lire al mese. Dice: se la volete bene, se no andatevene da un'altra parte. E l'abbiamo presa cosí.

Dopo qualche tempo che ci abitavamo, il pozzo nero è uscito di fuori e il puzzo arrivava fin dentro casa. Questo puzzo portava le mosche e portava i topi.

Si vedevano certi topi grigi e famelici, intraprendenti. La notte uscivano da sottoterra, entravano in casa, si mangiavano tutto. Aprivano perfino il frigorifero non so come, si alzavano sulla punta dei piedi, e zac, forse con la coda, forse coi denti, non lo so, aprivano quello sportello pesante si divoravano tutto.

Dico: Ercoletto guarda che qui dobbiamo svuotare il pozzo nero se no finiamo mangiati dai topi. Dice: sí sí, domani faccio venire due amici e lo svuotiamo. Invece questi amici non venivano mai e il puzzo si faceva sempre piú insistente.

Nel pomeriggio alle tre ci incontravamo con Otello e Birmana in un bar a Porta Maggiore. Con loro partivamo a caricare l'olio. Poi fino a sera andavamo in giro a venderlo. Alle otto contavamo i guadagni e dividevamo.

Io non avevo tanta simpatia per quei due perché davanti a Ercoletto facevano una parte e dietro gli parlavano male di me. Volevano farci dividere per portarselo a fare le truffe da solo, senza di me.

Io poco gli garbavo perché sono indipendente. Invece Ercoletto è come un ragazzino; è debole e si fa mettere sotto, si fa trasportare. Non gli manca il coraggio e neanche la furbizia, però è stupido. E loro, per portarselo da solo e farne quello che volevano, cercavano di mettere discordia fra me e lui.

Dico a questa Birmana: ma come, ancora non siete soddisfatti che m'avete fatta abbandonare da Ercoletto e io ho sofferto tanto sola in quel carcere! m'avete fatto abbandonare per due anni e io dietro a quelle inferriate sempre a guardare il prato aspettando questo infedele!

Era vero. Avevo passato giornate intere affacciata a quelle inferriate a Rebibbia. M'ero quasi fissata come un'allucinata, guardavo tutti quelli che passavano, la domenica, aspettando lui. Tutto perché nei primi tempi era venuto qualche volta in quel prato sotto il carcere a salutarmi. Poi non è venuto piú.

Ma questa Birmana non sopportava i rimproveri. Infatti mi viene subito addosso con le mani. Dice: tu parli troppo, ti voglio dare una lezione! E cosí ci siamo prese a botte.

Era un tipo robusto, grossa piú di me, prepotente, manesca. Sono trent'anni che vive di espedienti assieme con questo Otello. Non hanno mai lavorato, né lei né il marito. Posseggono la macchina, una Millecento, posseggono la casa. E non sono mai andati dentro. Perché mandano avanti gli altri, loro si mettono sempre al sicuro.

Insomma prima mi dà una botta, poi prende una scarpa e mi tira un colpo in testa con il tacco. Allora non ci ho visto piú, ho preso un mattone e gliel'ho sbattuto sulla faccia.

Intanto il marito, piatto piatto, è andato a cercare aiuto. Ed è tornato poco dopo con altra gente. Tra questi ci stava uno zingaro, alto, grosso, uno che fa la comparsa a Cinecittà. È ricco, dà i soldi a strozzo, dà cento per centocinquanta.

Io conoscevo la moglie di questo zingaro, l'avevo conosciuta a Rebibbia. Proprio questa moglie mi aveva detto: se hai bisogno di soldi, mio marito te li può prestare. Prima avevo detto di no. Dico: tanto non potrei restituirli. Poi però ho avuto bisogno di soldi per pagare l'avvocato e le avevo detto: allora digli a tuo marito di darmi centomila lire. E dopo due giorni lei me le aveva date. Dice: però mio marito vuole che il giorno mercoledí sedici ti trovi al bar Vesuvio e gli restituisci i soldi. Dico: va bene. Infatti stavo per uscire di prigione e pensavo di rimediare quei soldi in qualche modo da lí al prossimo mercoledí.

Quel mercoledí però io non avevo una lira. Non ero riuscita a combinare niente di niente. Cosí ho detto: pago lunedí che viene. E lui: no, lunedí non va bene, devi pagare subito. Ma, dico, io non ho proprio una lira, lunedí pago, te lo giuro! E cosí si è zittito. Dice: però lunedí se non paghi ti do una coltellata.

Allora mi sono data da fare e per il lunedí sono riuscita a mettere insieme un televisore, un registratore, un giradischi di quelli da ventiquattro dischi, una radiola con l'antenna che costava quarantamila lire, un tovagliato da sessanta mila lire. Tutta roba presa a rate.

La somma che ho firmato era oltre le trecentomila lire. Quindi ho pensato: pure che non gli porto i soldi, gli do tutta questa roba, per centocinquantamila lire, bastano.

Lui vede questa roba, dice: va bene, prendo tutto; però mi devi ancora ottantamila di quel mercoledí che non sei venuta e m'hai fatto perdere un affare di ottantamila lire. Mi sembrava una prepotenza, però, per non litigare, dico: va bene, ti prendo un'altra cosa a rate e te la porto. Dice: voglio una lavatrice Zoppa. Dico: va bene, ora te la trovo questa lavatrice.

Sono andata in diversi negozi a Roma, ma non ho trovato la lavatrice Zoppa. Allora mi è venuta un'idea. Sono andata ad Anzio in un negozio di elettrodomestici dove mi conoscevano, cioè conoscevano i miei fratelli: Dico: sono la sorella di Numa Eligio.

Ah, dice, signora, si accomodi! Erano tutti gentili, inchinanti. Certamente pensavano: questa è la sorella di Numa, fa parte di una famiglia onesta, pagatrice. E nella fiducia mi hanno subito dato la Zoppa a rate.

Per caricarla è venuto Otello. Dice: guarda mi ha mandato lo zingaro, dice di prendere la Zoppa e di portarla da lui. Dico: ecco la Zoppa, l'ho presa te la puoi caricare. E cosí se l'è portata con una Giulia, sopra il portabagagli.

Io ero sicura che la recapitava allo zingaro, invece questo

Otello se l'è venduta per conto proprio. E dopo qualche giorno lo zingaro m'è venuto a prendere di petto.

Dice: tu m'avevi promesso la Zoppa e non me l'hai mandata! Dico: come non te l'ho mandata! è venuto Otello a caricarsela con una Giulia fino ad Anzio; mi sono pure rovinata con mio fratello Eligio per questa Zoppa.

Ma poi ho scoperto che erano d'accordo tutti e due, lo zingaro e Otello. Lo zingaro gli aveva detto: tu prendi la Zoppa, te la vendi e poi facciamo a metà e io fingo che non l'ho mai vista. Era tutta una cosa accordata e io non lo sapevo.

Insomma questo zingaro mi mandava sempre a chiedere la Zoppa e mi minacciava. Allora un giorno gli faccio riferire queste parole: se lo zingaro non la finisce, io divento piú zingara di lui, piglio un coltello e l'ammazzo! Quando ha sentito queste parole ha deciso di vendicarsi e m'ha fatto le cacce con gli amici suoi.

Quel giorno della lite con Birmana, io stavo andando ad Anzio con mio fratello ed Ercoletto. Nello era venuto a portare un po' di pesci a certi clienti romani. Poi si era fermato da me. Dice: mi s'è rotta la macchina. Aveva la Opel, si era rotto il cambio.

Ercoletto dice: te la presto io la macchina se ti serve te la do, però domani me la devi riportare perché mi serve. Nello dice: venite pure voi due ad Anzio, per questa notte vi ospito io, e poi domani vi riportate indietro la macchina. Dico: va bene, andiamo.

Mentre che scendiamo in strada, incontriamo questo Otello con Birmana. E subito ci siamo messi a litigare per via di Ercoletto. Quando lei m'ha dato il tacco in testa, io le ho tirato il mattone in faccia.

A questo punto il marito è andato a chiamare lo zingaro che stava acquattato dietro l'angolo con la moglie e altri amici suoi. Sono venuti avanti. Erano un branco.

Dice: permetti! Dico: che vuoi? Dice: ti pare bello che io ancora aspetto la Zoppa da te e tu non me la vuoi dare? ma che cosa credi che io sono il tipo da essere preso in giro da te?

Nello dice: filiamocela sorella che questi hanno il coltello! Io invece l'affronto questo zingaro perché m'era antipatico e poi m'aveva proprio stufata. Dico: senti è l'ora che te ne vai perché la Zoppa io te l'ho mandata con l'amico tuo e tu e lui vi siete messi d'accordo per venderla e perciò io non ti devo piú niente. Se non te ne vai, dico, io sbuco un pugnale e te lo caccio in petto.

L'ho detto sapendo che questi zingari hanno sempre il coltello appresso. In realtà io non avevo né coltello né pugnale. Facevo la ribalda per spaventarli.

Ma non finisco di parlare che mi sento un pugno sull'occhio. Mi viene giú un fiume di sangue, s'era spaccato un sopracciglio. Subito Ercoletto si butta addosso allo zingaro. E Nello pure, però piano, perché aveva il mal di cuore, infatti poi è morto l'anno dopo. Cercava di mettersi in mezzo fra Ercoletto e lo zingaro, ma questo gli ha dato una manata e l'ha mandato per terra.

A questo punto si sono buttati tutti addosso a Ercoletto, tun tututun tutun, l'hanno steso per terra. Vado per aiutarlo, con l'occhio accecato, il sangue in bocca e mi viene addosso la zingara, la moglie dello zingaro col coltello in mano.

Io mi rivolto, mi sposto come un gatto; e vado a finire appicciata a un amico loro, un certo Tullio. La zingara tira la coltellata, era per me quella coltellata, e invece di me ha colto Tullio.

Appena hanno visto che aveva preso l'amico loro invece di me, si sono spaventati. Io ne ho approfittato e sono scappata. Corro corro, arrivo sulla ferrovia. Lí mi fermo e cerco di tamponare con la gonna quel sangue che mi colava dal sopracciglio.

Ma avevo il pensiero a Ercoletto e a Nello che erano rimasti lí per terra. Perciò appena ho ripreso fiato, sono tornata indietro. Per fortuna gli altri se n'erano andati portando con sé il ferito.

Ercoletto stava sempre svenuto per terra e Nello cercava di risvegliarlo. Appena mi vede, se la prende con me. Dice: dovevamo andare via subito, guarda che hai fatto! Dico: no, se andavamo via subito era peggio, perché stasera ci aspettavano di nuovo sotto casa. Cosí invece in qualche modo la questione è risolta. Dice: io t'ho vista morta sorella mia perché il coltello era lungo e l'ho visto proprio diretto a te.

Abbiamo riaccompagnato Nello ad Anzio. E lí in casa di lui, ho trovato l'altro fratello, Eligio. Appena mi vede mi affronta. Dice: ma come tu sei mia sorella e mi combini questi guai!

Dico: che guai? Ma lo sapevo che parlava del negozio di elettrodomestici.

Dice: il proprietario del negozio dove hai preso la Zoppa viene sempre da me dicendo che la prima cambiale è andata in protesto, la seconda, la terza, mi grida che qui è un macello e per rimediare devo pagare io.

Eligio era avvelenato. Già non mi poteva vedere; poi dopo che gli ho fatto fare questa figura con le cambiali, peggio che andare di notte! Dice: io non ho pagato perché la firma è tua, però mi hai fatto fare una pessima figura!

Dico: a me non me ne frega niente delle tue figure. Tu hai i soldi. Mi hai mai aiutata tu? mi sei mai venuto a vedere in carcere dove stavo? mi hai mai mandato un pacco, una lettera quando stavo sola abbandonata in manicomio? che vuoi da me? anche se io morissi, dico, a te non te ne importa niente, basta che non ti faccio fare brutta figura!

Ercoletto buttava ancora sangue dal naso, sangue dalla bocca. Dico: invece di parlare tanto, portami un dottore! E Eligio è uscito a cercare un medico.

Torna dopo un po' con un certo Branca. Questo ha guardato il ferito, non l'ha toccato per niente, ha detto: mettetegli dell'aceto, dell'acqua ossigenata e fasciatelo! E se n'è andato. Cosí ci siamo medicati alla meglio. Eravamo tutti gonfi e lividi, Nello, Ercoletto e io.

Poi abbiamo saputo che questo Tullio era andato a finire all'ospedale per la coltellata. Dice che è mancato poco morisse, gli bastava un altro millimetro e la lama gli infilzava il cuore. Dice che gli è venuta la pleurite, in seguito a questa coltellata e che stava per morire.

Dico: peggio per te! sei venuto per difendere lo zingaro e peggio per te! Perché questo Tullio gli procurava i clienti allo zingaro e poi prendeva la percentuale. Certi ladri per fare le truffe hanno bisogno di soldi. Per comprare una camera da letto, un salotto, una partita di mobili da qualche milione a rate, ci vogliono cinquanta centomila lire di caparra. Lo zingaro usciva questi soldi e poi ne riprendeva il doppio.

Allora dico a Ercoletto: sei soddisfatto degli amici tuoi? hai visto cosa sono capaci di fare? quella Birmana e quell'Otello ti hanno imbrogliato, ne sei convinto adesso? Dice: hai ragione tu Teresa, questi sono capaci di tutto, questo marito e questa moglie, sono diabolici!

Cosí mi sono liberata di Birmana e di Otello. E ho vissuto in pace con Ercoletto. Andavamo a comprare l'olio per conto nostro, lo rivendevamo. Non avevamo bisogno di complici. Vivevamo bene, contenti.

In quel periodo Orlando è andato un'altra volta dentro e io ho preso in casa il figlio suo piú piccolo, Orlandino. A questo bambino mi ci sono affezionata, non lo posso lasciare alla madre perché quella lo mette in collegio. La bassetta, la nana. È brutta come una ranocchia questa cognata mia, ma ha sempre uomini, gente che ci va in casa. Non lo fa per i soldi. E chi la comprerebbe quella lí; è pure cieca come una talpa e porta le lenti grosse un dito. Senza lenti non ci vede dal naso alla bocca.

Gli uomini ci vanno per il piacere. E lei pure lo fa per piacere. Si prende un uomo in casa, lo tiene qualche mese, ci dorme insieme, ci mangia insieme. Poi quello se ne va, e lei ne prende un altro, tutti spiantati, tutti mezzi matti, tutti derelitti come lei.

Ha sei figli questa nana, tutti e sei in collegio dalle suore. Quando li vedo mi arrabbio perché sono pieni di croste, magri, sporchi, fanno spavento. Dico: tienili in casa no? Dice: non ho soldi per mantenerli. E infatti è vero perché Orlando sta sempre in galera e chi li mantiene questi figli? Lei va a servizio ma prende sí e no trentamila lire al mese e non ce la fa.

Orlando l'ha lasciata tante volte. Dice: non ti voglio piú, se non mi sei fedele non ti voglio. Ma poi, ogni volta che esce, la va a cercare.

Due anni fa la nana gli ha regalato questo figlio che è preciso a lui, rossiccio di capelli, allegro, prepotente, perfido. Poi mio fratello è ritornato dentro e io sono andata a prenderlo prima che lei lo cacciava in collegio come gli altri sei.

Aveva tre mesi quando l'ho preso. Era già terribile. La nana non ci poteva combattere. Diceva: io l'acchiappo a questo figlio e lo sbatto al muro. Piange sempre, sporca sempre, corre dappertutto, urla, grida, fracassa tutto, io non ce la faccio.

Gli ho comprato il biberon, i vestiti nuovi. E me lo sono tenuto. Era cattivo, è ancora cattivo, ma si è affezionato a me, moltissimo. Dormiamo insieme, io abbracciata a lui e lui rannicchiato sul mio petto.

La mattina quando si alza, mi bacia la faccia, mi dice: svegliati che è tardi! smuoviti culacciona! scendi dal letto figlia di puttana. Mi mette allegria. Ha il vizio di fare la cacca dappertutto. Quando lo metto sul vaso, niente, si strascina su quel vaso per mezz'ora e non gli esce niente. Quando l'ho rivestito bene, ripulito e stiamo per uscire, mi fa: mamma, mi sono cacato addosso! E mi tocca rispogliarlo e ricambiarlo tutto.

Una mattina presto, stavamo ancora dormendo, sento gridare: Numa Teresa, aprite in nome della legge! Erano dodici poliziotti con le pistole.

Circondano la casa, picchiano sui muri, sulle porte. Aprite! Aprite, faceva quello, il capitano. Dico: un momento, per Dio, lasciatemi il tempo di infilarmi la vestaglia, un momento, sto a dormire!

Intanto spingevo Ercoletto a calci fuori dal letto. Dico: Ercoletto sbrigati che questi vengono per te, corri, scappa!

Aprite, Numa Teresa! Un vocione da macellaio. Dico: e che ho ammazzato qualcuno? calma, ora vengo; non mettete paura al ragazzino perché vi torco il collo!

Andavo lenta per dare il tempo a Ercoletto di infilarsi i pantaloni e scivolare fuori dalla finestra. Quando l'ho visto al sicuro in un angolo del lucernario che dà sul cortile, ho aperto la porta.

Sono entrati, hanno cominciato a frugare da tutte le parti. Io me li guardavo. Erano neri, furiosi. Capivano che l'avevo nascosto ma non sapevano dove.

Finalmente fanno per andarsene. Il capitano si agitava, dava ordini, li avrebbe frustati se avesse potuto quei suoi poliziotti buoni a niente. Io me li guardavo beffarda.

Proprio nel momento che escono dalla porta, si sente un rumore turutu tun tun tun, e viene giú Ercoletto con tutti i vetri del lucernario. I poliziotti hanno sentito e si sono messi a correre verso il cortile.

Ercoletto che quando vuole è veloce come un gatto, si è infilato fra le altre case, è montato sui tetti. Il capitano urlava: eccolo! eccolo! Sparate! Due poliziotti gli hanno scaricato contro il fucile.

Ma invece di cogliere lui hanno colto un altro. Hanno sparato addosso a un poveraccio che andava di fretta perché era in ritardo al lavoro. L'hanno scambiato per Ercoletto e lo hanno pistolettato. E quello è rimasto ferito alle gambe e alla spalla.

Dice: eccolo preso, giú presto! acciuffatelo! Sono andati là, hanno visto che era un altro. Il capitano è diventato verde. Dice: chi vi ha detto di sparare! Ma era stato proprio lui, io l'avevo sentito l'ordine.

Dice: adesso chiamate l'autoambulanza e portate questo signore all'ospedale, subito! Ci scusi tanto, per l'errore, le porgo le scuse a nome della polizia, diceva all'impiegato che rantolava sul marciapiede. Quello non aveva neanche il fiato per rispondergli.

Pensavo che tutto era finito. Invece dopo un momento è ricominciato il carosello perché un vicino ha visto Ercoletto nascosto in mezzo a un deposito di cassette e ha preso a gridare: è là, è là, prendetelo! Ercoletto è scappato di nuovo, e questa volta non gli hanno sparato; ma con l'aiuto di altri uomini del vicinato è stato preso e ammanettato.

Dopo due giorni ritornano questi poliziotti. Io stavo tranquilla perché non sapevo di essere incriminata. Invece ero ricercata pure io. Stavo serena e incosciente non sapendo che sulla testa mi pendevano due anni di prigione.

Sono entrati, mi hanno fatto vestire in fretta e furia. Dico: ma io che c'entro? avete preso Ercoletto, ma che volete da me? Dice: silenzio e vieni con noi!

Ho lasciato il pupo a una vicina di casa. Dico: mi raccomando, che poi mando qualcuno a prenderlo. Dice: sí sí, stai tranquilla Teresa, ci penso io. Era una donna buona anche se sporca.

Dopo una settimana mio fratello è andato a prenderlo e se l'è portato ad Anzio. Io stavo dentro, ero preoccupata. Ma mi consolavo pensando: ci sta il padre, ci penserà lui. Mentre invece dopo tre giorni hanno arrestato anche Orlando.

E dal carcere m'ha scritto: "Cara sorella, Orlandino si trova all'ospedale del Bambin Gesú malato con l'intossicazione, la scabbia. Fai in modo di uscirlo perché lí si muore".

In effetti il bambino aveva preso la scabbia. Chissà come

l'aveva tenuto la vicina! Si vede che non lo lavava mai, era una zozzona.

Gli hanno tagliato i capelli lí al Bambin Gesú, poi siccome si grattava, gli hanno legato le mani e i piedi. Era una tortura. Gli rodeva, gli rodeva e non poteva neanche grattarsi. Non riusciva a guarire.

Io dicevo sempre alla Persichetti, l'assistente sociale: portatemi questa creatura, lí dentro non può stare! Andavo dalla madre superiora, andavo a chiedere: portatemi qua il bambino, nell'infermeria c'è posto, fatemelo curare come si deve!

Andavo sempre implorando per farlo venire lí, per sapere come stava. Sta bene, sta bene il pupo, diceva la madre. Dico: ma la scabbia? gli è passata la scabbia?

Hanno scoperto, dice la Persichetti, che ha qualcosina al cuore, la creatura. Dico: come al cuore? e che ha? Dice: qualcosina, forse dovranno fargli un piccolo intervento.

La preoccupazione m'ha preso alla testa. Dico: magari questo mi muore, questo bambino di tre anni e come faccio? Invece non aveva niente, dopo l'ho saputo. Era solo cattiveria.

Alla fine del mese avevo accumulato dodicimila lire. Mi ero messa a lavorare, alla Cartotecnica, a fare le buste, i cartellini. Prima mi avevano adibita alla macchina tagliatrice. Zac, zac, zum zum; questa macchina scendeva come un lampo e tagliava migliaia di fogli tutti insieme. Un giorno una cretina di nome Mariella mi dà una spinta scherzosa e per un pelo non perdo tutte e due le mani sotto questa taglierina.

Allora ho fatto il diavolo a quattro, ho detto che lí alla macchina non ci lavoravo piú, che era troppo pericoloso. Dice: se vuoi lavorare devi rimanere lí, se no vattene e non riceverai una lira. E io per guadagnare quei quattro soldi ho continuato a stare lí. Ma vivevo con l'ansia di questa lama tagliatrice. E alla fine del mese avevo l'esaurimento, i capogiri, le nausee. Allora finalmente mi hanno trasferita alla fabbricazione buste.

Con quelle dodicimila lire mi sono comprata due bei pupazzi di stoffa con gli occhi di vetro, le trecce e tutto. E poi chiamo la Persichetti e le chiedo se li può portare ad Orlandino per la befana. Lei mi fa: sí Teresa, non mancherò, vengo dopodomani a prendere questi pupazzi e li porterò al piccolo.

E invece non s'è vista, né per il primo dell'anno, né per la befana. Io ho speso i soldi e i pupazzi sono rimasti piegati sotto il letto, dentro una scatola di biscotti.

Vado dalla suora. Dico: domani è la befana, vorrei mandare questi due pupazzi a mio nipote che sta al Bambin Gesú. Dice: non c'è bisogno figlia cara, il bambino là dentro di giocattoli ne ha quanti ne vuole, sta tanto bene là dentro, non ha bisogno di niente.

Invece stava malissimo. Ci è andata un'amica mia a vederlo. L'ha trovato buttato dentro un lettino, tutto infreddolito, morto di fame. Ho protestato, scritto. Ma non c'è stato niente da fare. Finché sono rimasta dentro non l'ho potuto curare.

Ero affannata, nervosa, chiusa là dentro senza poter fumare. Alla fame, al freddo mi potevo abituare, ma alla mancanza di fumo no. Con l'età il vizio del fumo è aumentato. A trentanni fumavo dieci sigarette al giorno, adesso a cinquantatré ne fumo sessanta.

Cercavo sempre di rimediare una sigaretta. Quando potevo lavorare, lavoravo. E quelle diedi dodicimila lire al mese, di cui tolte le ritenute né rimanevano ottomila, le spendevo tutte in sigarette.

Il primo giorno che avevo i soldi fumavo tutto d'un botto tre quattro pacchetti perché la voglia era troppa. Fumavo tutto questo fumo e stavo subito meglio, ero saziata.

Poi cominciavo a rallentare per farmeli durare tutto il mese. Un pacchetto là dentro costa quasi il doppio di fuori. Perciò risparmiavo. Però dopo un po' la tentazione riprendeva forte e verso metà mese avevo già speso tutto.

Dovevo pure offrire qualche sigaretta alle mie amiche. Dovevo pagare i debiti. E poi le sigarette erano denaro lí dentro, si pagava con quelle.

Se avessi voluto vendermi avrei trovato subito chi mi dava sigarette. Ce n'erano tante lí dentro a Rebibbia che si vendevano per mezzo pacchetto di sigarette.

Sarà che io ho il sesso freddo, come diceva Sarabella, non lo so. Io quando sono dentro penso sempre all'uomo. Sono sentimentale, voglio bene al sentimento. Penso sempre col cervello a chi voglio bene, penso a lui, al passato, mi metto a ricordare tutti i particolari del suo corpo e mi accontento.

Questo è il difetto che ho. Fisicamente sono un tipo freddo. Con l'uomo mi faccio pure la parte mia. Ma se l'uomo non c'è, me lo rinnovo nella fantasia, me lo rimiro al nudo dentro la testa, lo bacio, lo carezzo, lo godo senza di lui, fra me e me.

Lí dentro ero anormale perché lí le donne se non possono fare l'amore schiattano e per mancanza dell'uomo, fanno con le donne. Stando sempre appicciate, chiuse senza lavoro, sempre tra di loro, sviluppano la voglia e si baciano, si amano, come fra uomo e donna, anche con piú passione.

Siccome io non avevo questa voglia, non mi accorgevo nemmeno degli intrighi delle altre. Girava la chiacchiera che una delle infermiere, la Campofiorito amoreggiava con una detenuta, una torinese molto carina, bionda, che si chiamava Suni.

Suni era dentro per droga e pare che la infermiera le procurava questa cosa per l'oblio in cambio di denaro. E la proteggeva, cosí dicevano, ma io non mi ero accorta di niente.

Dice: ma come, quelle due stanno sempre appicciate, non l'hai visto? non lo vedi come si guardano durante la messa? Dico: ho altro per la testa io che guardare a quelle due sceme! penso alla sorte mia che è malvagia e sfortunata.

Dice: allora non ti sei neanche accorta che suor Isabellona ama le donne, che s'è appassionata per Dionora la parrucchiera? Dico: no. Dice: e neanche ti sei accorta che Assunta e Bambina la zingara vivono insieme come marito e moglie e fanno l'amore tutte le notti sotto gli occhi delle compagne di cella? Dico: distratta sí, ma scema no, però non mi interessa. Dice: e di Egle e Ferraú te ne sei accorta? Dico: certo, stanno nella cella accanto alla mia.

Questa Egle era una madre di famiglia, anzi era nonna, aveva i nipoti. E si era sposata dentro il carcere con questa Angioletta Ferraú di trentotto anni. Angioletta era una bella donna, pienotta, con la frangetta sugli occhi.

Una mattina sento la suora Carmina che entra nella loro cella e dice: Egle preparati, sei scarcerata, libera! Io penso: beata lei! mamma mia come sarà felice!

Ero cosí col pensiero alla sua libertà quando sento un

265

pianto dirotto. Era la voce di questa Egle. Piange, piange, non la smette piú. E poco dopo comincia anche l'altra, la Angioletta. Piangevano tutte e due come due fontane.

Dopo una settimana che Egle se n'era andata, la Ferraú si è messa con un'altra, con una certa Lucia. Intanto Egle, senza sapere niente, le mandava lettere, pacchi.

Poi un giorno è venuta a sapere per via di una spiata, che Angioletta se la faceva con questa Lucia. Allora ha fatto una truffa, si è fatta prendere ed è tornata dentro.

Quando è rientrata, ha trovato Lucia che aveva preso il suo posto nella cella e nel letto di Angioletta. Allora si è buttata su questa e l'ha mezza scuoiata. Gridava: brutta zozzona! lurida! io t'ho mandato i soldi, t'ho aiutata, t'ho portato i pacchi, e tu mi tradivi con questa ladra da quattro soldi! Insomma si sono insultate, picchiate. Tutto il carcere era in subbuglio. Sono arrivate le guardie, il direttore.

Le hanno staccate, divise. Ma dopo un giorno quelle hanno fatto pace e sono tornate assieme. Non le hanno trasferite, non le hanno punite, niente. Il direttore e il comandante sapevano tutto ma non gliene importava niente. A loro basta che stanno tranquille, possono fare quello che vogliono.

A me per una parola mi mandano a Pozzuoli, a quelle per tutti i casini che fanno, le lasciano perdere. Una sera si sono ubriacate, una certa Nora Selecta, Iolanda, Iulia, Ines, nella cella di Vanda, una zingara. Questa Selecta aveva avuto dei soldi da casa, aveva comprato il cognac per tutti.

Hanno mangiato biscotti, salsicce, cetriolini e si sono messe a bere. Poi hanno giocato, ballato. Ridevano come matte. Tutti sentivano, la suora sentiva, ma faceva finta di niente.

Fra di loro c'era pure una che si chiama Scisci. Questa Scisci nella ubriacatura, ha messo le mani addosso alla donna di Nora Selecta. E Selecta, per la gelosia, le ha rotto una bottiglia in testa. È finita cosí, a botte. La suora è stata costretta a chiamare il direttore. Questo è venuto su, ha guardato, ha constatato e se n'è andato. Io credevo che le trasferiva chissà dove, invece non è successo niente.

Il fatto è che questa Scisci gli serviva al direttore, perché gli puliva l'ufficio, gli lustrava le scarpe, sopra, sotto, gli rammendava i calzini, e gli faceva pure da spia. In contraccambio lui la lasciava libera di agire come le pareva. Quando si ubriacava chiudeva un occhio e pure l'altro.

Le suore, quella volta, tutte a ridere. Dice: hai visto si sono scoperte le tombe! Suor Innocenza, poi è una pettegola, una lavandaia. Ridice tutto, è intrigante, cazzarosa. Sta sempre in mezzo a tutti i pettegolezzi. Sotto sotto istiga, e dopo fa finta che non ne sa niente, si tira indietro e sta a guardare. È maligna. Tira il sasso e nasconde la mano.

Dice: hai visto che vergogna, che vergogna! una madre di famiglia, una donna anziana! eh lo sappiamo lo sappiamo cosa nasconde quella santarellina! Ma mentre dice che vergogna si vede che ci gode a queste liti, è felice, gongolante.

Invece di dividerle queste litigiose, le accoppiano. Dice: basta che non danno scandalo, basta che stanno buone! E cosí le lasciano diventare piú viziose, piú avide.

Le suore se ne infischiano. Qualche volta addirittura le assecondano, gli fanno i servizi in contraccambio di regali. L'ho sentita io con le mie orecchie suor Innocenza telefonare al pappone di Nora Selecta per farla stare calma. Poi riceveva in regalo una bella scatola di dolci, qualche vestiario di lana, qualche cornice d'argento. Ma soprattutto dolci, perché le suore sono golose, molto golose.

Ora succede che appena entro in galera mi danno una rete e un materasso di crine quasi completamente vuoto. La notte non riuscivo a dormire perché il ferro della rete mi raffreddava i reni ed ero tutta indolenzita e rotta.

La mattina mi alzavo ed ero già stanca, come se fossi stata a zappare. Vicino a me c'era Zina Teta, l'avevo ritrovata in carcere. Dice: vai vai, e digli al direttore che ci cambi i materassi; digli pure che metà delle docce sono rotte, che cosí non si può andare avanti, che fa freddo e moriamo di gelo.

E mi manda avanti a me. Dico: vieni pure tu no? Dice: no no, vai tu che tu sei piú brava. E mi spingeva.

La verità era che aveva paura. Hanno paura queste donne, sono carogne, hanno paura di reagire. E trovano una fessa impulsiva come me da mandare avanti. Dice: vai vai! Se poi il direttore mi tratta male, si tirano subito indietro. Noi? dice, noi non abbiamo detto niente, non abbiamo protestato, qui va tutto bene.

Ora giusto c'era una cella vuota, asciutta a due passi di

distanza dalla mia che era umida e fredda e strettissima. Dico: perché non mi mandate in questa cella vuota? la dovete forse affittare? dico, non è mica una pensione il carcere!

Dice: se ci va Teta in quella cella bella pulita ordinata non resiste neanche un giorno, perché Teta è disordinata e sporca, non pulisce mai. Dico: ma che c'entro io con Teta? mandatemi a me e a lei mettetela da un'altra parte. Dice: no, per ora è così e basta.

Questa Teta era veramente sporca. Se andava al gabinetto gli dovevi correre appresso per tirare la catena. Era giovane ma ci vedeva poco, però gli occhiali non se li faceva. Aveva un mandato di cattura perché l'avevano trovata senza patente, per atti osceni, insomma era una ragazza che faceva la vita quando non rubava.

Stava sempre sul letto, a fumare. Fumava fumava non si alzava nemmeno per lavarsi la faccia. Si puliva la faccia con la crema perché non le andava di toccare l'acqua. Le unghie, a non fare niente, le erano diventate lunghissime, nere e appuntite. Lei se ne serviva per pulirsi le orecchie, per stuzzicarsi i denti.

Il gabinetto lo dovevo pulire io, il lavandino lo dovevo lavare io. Sempre a buttare acqua, sempre a strigliare, mi faceva schifo vedere tutto quel sudiciume. Cercavo di pulire alla meglio, per lo meno dove mangiavo, del resto non mi importava.

Allora vado dalla madre, dico: madre, io con questa Teta non ci voglio più stare. Eh la conosciamo, dice, la conosciamo bene la Teta che non si rifà mai il letto; da quando è venuta non si è mai rifatta il letto, lo copre come i cani e basta.

E io dico: ma perché non mi levate? ho forse fatto un contratto a morte con lei o me l'ha condannato il giudice che devo stare con questa Teta? Dice: no, tu devi rimanere con lei perché tu hai il senso della responsabilità, lei no, e tu la puoi migliorare. Mi lisciava per farmela cibare.

Mi volevano tenere con quella perché io pulivo dove lei faceva sporco. Perché sapevano che io nella zozzeria non ci so stare e mi piace tenere lustro dove abito.

Dico: allora cambiatemi il materasso che ho un materasso tutto buchi e la mattina mi sveglio coi dolori. E la suora: quello non è competenza mia: vai dal direttore e vedi un po'!

Vado dal direttore. Dico: senta signor direttore, io mi sto a rompere le ossa su un materasso vuoto. Dice: beh, facciamo tanto presto, vai giú ti fai dare un po' di crine dalla suora magazziniera, e ti riempi il materasso da te.

Ah, dico, perciò io devo andare a prendere il crine, pulirlo, riempire il materasso, ricucirlo; ma sono forse venuta a fare il materassaio qui dentro? Dice: beh se vuoi dormire bene, devi fare cosí; qui stai in galera, mica al Grand Hotel.

Dico: va bene, allora questo io poi dirò al giudice quando andrò in tribunale, che qui dentro ci dobbiamo fare i materassi, prendere il crine in mezzo alla polvere e chi ci paga a noi? i materassai vengono pagati, a me chi mi paga? comunque, dico, non stiamo a guardare il capello, io questo lavoro lo faccio, però mi dovete dare la cella asciutta; io pulisco, lavo, riempio pure i materassi, ma datemi una camera asciutta visto che ce n'è una vuota lí senza nessuno.

Dice: quella cella deve rimanere vuota. Dico: ma perché? Dice: non devo spiegare a te il perché, è cosí e basta.

Allora io vado su, nel momento che la suora non vede, entro nella cella disabitata, mi prendo i due materassi belli morbidi soffici e pieni che stavano lí e me li porto nella mia cella. Dico: è piú giusto che se li gode qualcuno anziché stare lí a muffire.

Ne do uno a Teta e uno me lo metto sulla mia rete. Mi viene un letto alto, soffice. Dico: ora sí che dormirò. Infatti quella notte ho fatto dei sogni bellissimi.

Ho sognato che uno mi inseguiva col coltello. Io scappavo scappavo. Poi, quando questo stava per darmi una coltellata, mi sono messa a volare. L'assassino non poteva volare, e guardava in su e diceva: mortacci tua, ma dove vai? Io lo occhieggiavo dall'alto, come fosse un verme, ridevo di lui.

Volavo, ero tanto brava che facevo gli scivoli nell'aria, mi rivoltavo, mi allungavo, ero un uccello con due ali che erano le braccia. Vedevo tutto piccolo, con dei colori chiari chiari come diluiti nell'acqua. Quel volo me lo ricordo ancora, era proprio magnifico.

Mi sono svegliata la mattina che i reni avevano finalmente riposato. Dico: oh, per una volta ho dormito come si deve! In giornata poi sono tornata alla cella disabitata, ho preso dei quadretti che stavano appesi al muro, ho preso le due tende che stavano attaccate alla finestra e mi sono portata tutto nella mia cella.

Ho abbellito la nostra stanza spogliando quella vuota. Ho messo tutto a posto. Teta mi guardava, fumava sdraiata sul letto e mi guardava. Dice: ora è bella la stanza nostra, prima sembrava una stalla. Dico: tu però un dito non l'hai mosso per pulire questa stalla; sei pigra e sporca. Dice: se mi muovo mi viene la malinconia.

Dopo qualche tempo è venuta l'ispettrice. Una mattina che eravamo appena alzate, questa entra, sembrava una maschera, aveva dei bellissimi capelli biondi chiusi dentro una retina nera e una faccia di cane con le labbra dipinte di rosso. Guarda, scruta. Dice: ah così avete spogliato una cella e ne avete rifatta un'altra. Guarda un po' sorella, guarda che succede qui!

Dico: capirai, adesso la stanza d'albergo non l'affitta più senza quelle tende e quei materassi! Dopo tutto, quelle tende, dico, le hanno pagate le detenute, mica il governo! e se io me le prendo, le sottraggo a loro, non al carcere. E poi, dico, io la conosco questa che ha messo le tende, è una zingara, si chiama Cicchetti Elena, quando se n'è andata ha detto: tu prendi tutto Teresa che è roba mia. E così ho fatto, dico.

Vedo sor Innocenza che mi guarda brutto. Ma lí per lí non m'hanno fatto niente. L'ispettrice ha girato i tacchi ed è uscita tutta irrigidita, seguita dalla suora deferente.

Il giorno dopo, di pomeriggio, viene la madre, la paperona. Dice: Teresa, devi andare subito in porta, c'è una notizia per te, ti devono dare una notizia!

Dico, che notizia, madre? di che? Siccome avevo questo fratello Orlando che da ultimo gli erano venuti due infarti, stavo preoccupata. Dico: ma come, di me non si interessa nessuno, nessuno è mai venuto a darmi una notizia, che sarà?

Dice: vai vai in porta, c'è una notizia, vai su! Dico: riguarda mio fratello questa notizia? Io sapevo che lei conosceva la notizia e perciò insistevo, per sapere come affrontarla. Ma in carcere c'è il sistema del mistero; ti terrorizzano con quel mistero diabolico che non puoi mai sapere niente di quello che ti riguarda.

Però quando vogliono, ti lasciano capire, sospettare. Allora dico: ma si tratta di Orlando? Dice: credo di sí, che riguarda proprio tuo fratello, vai vai giú in fretta che la notizia può essere grave. Oh Dio, dico, sarà morto! E corro giú.

Vado alla porta, abbuiata e senza fiato. A momenti casco dalle scale. Dice: Numa Teresa, sei tu? Dico: sí sono io, ditemi subito. Dice: devi partire, sei trasferita.

Brutta infame, maledetta suora! dico, tu lo sapevi qual era la notizia e mi fai questo tranello! M'aveva fatto prendere un tracolpo. Io per fortuna non soffro di svenimenti, se no sarei cascata per terra come una pecora morta. Dico: maledetta madre e chi t'ha fatta!

A Perugia poi l'ho raccontato di questo tranello alla madre di là, suor Pazientina. E quella subito m'ha detto: Madre Supplitiis la conosco, era una monaca qualsiasi, adesso è diventata superiora, ma non sa nemmeno leggere e scrivere, è un'ignorante, una burina che non finisce mai. Pensa che qualche volta le dicevo: leggimi il giornale, e lei leggeva come una bambina di prima elementare, senza manco capire i punti e le virgole.

A Perugia mi toccava il giudiziario. Invece m'hanno mandata in mezzo alle ergastolane. Con la scusa che non c'era posto m'hanno schiaffata in mezzo alle criminali incallite.

Ho dovuto fare buon viso a cattivo gioco. Buonasera! dice, come stai? da dove vieni? che hai fatto? Dice: datti sotto che qui si sta bene! soldi, ne hai soldi? tira fuori quello che hai che qui ti troverai bene in mezzo a noi.

Per fortuna non avevo niente; perché lí non guardano per il sottile, ti frugano tutta. E se cerchi di nascondere qualcosa ti riempiono di botte e ti lasciano tramortita, non c'è scampo. A me subito m'hanno afferrata in sei, m'hanno frugata, ricercata, m'hanno messo un dito in culo per vedere se nascondevo qualcosa. Non m'hanno trovato niente e mi hanno lasciata perdere.

Quella pettegola della madre Supplitiis, dico, m'ha sistemata! Non solo mi ha spedita a Perugia, ma mi ha fatto chiudere al penale, in mezzo a queste assassine.

Per non vedermi in faccia dopo quel tranello, non m'aveva fatto risalire dalla matricola. E la roba me l'aveva fatta mandare con un'altra detenuta che si è tenuta metà dei miei possessi. Un piatto, un bicchiere, la tazza dove mangiavo, due forchette, un barattolo di caffè, una maglia di lana marrone, un paio di calze e due paia di mutande sono rimaste nelle sue mani. Io di questa roba ne avevo bisogno, ero rimasta nuda e cruda. Ma con chi me la prendevo? col muro?

Mi si avvicina una vecchia, con tutti i capelli bianchi, dice: ti consiglio di non protestare perché qui chi protesta la chiamano cattiva e può pure finire a Pozzuoli. Dico: lo so, l'esperienza l'ho già fatta.

Dice: se reclami ti pigliano subito sott'occhio quindi abbozza; se ti possiamo aiutare ti aiutiamo noi. Dico: ma voi vi adattate a fare le deficienti, le leccapiedi, a dare cento baci sulle mani delle suore, a fare quel sorriso falso, come fate?

Allora questa, la vecchia mi guarda dritto negli occhi e mi fa: a noi di te non ce ne frega un cazzo. Quindi stai buona perché se no te la facciamo passare noi la voglia di fare caciara!

Io non ho risposto perché ho capito che la vecchia non parlava per sé ma per le altre, era una specie di capo. Sapevo pure che le ergastolane hanno un sistema tutto diverso perché devono fare i conti a lunga scadenza, devono passarci una vita con queste suore e perciò se le tengono buone a costo di fare le ipocrite al cento per cento.

Poi sotto sotto fanno quello che vogliono, ma apertamente non protestano mai, per mantenere l'ordine apparente. Ognuna di loro inoltre ha la sua compagna e sa che se la dovrà tenere per venti, trenta anni, ci si è affezionata e non vuole correre rischi.

Io che non ero ergastolana e sapevo di uscire entro un anno, dovevo per forza agire in un altro modo. Ma lí mi trovavo proprio male fra tutte queste donne assassine, non le potevo tenere a bada. Erano dure, violente e se appena le scontentavi, rischiavi di farti linciare.

Un giorno vado da suor Eburnea, una monaca piccolina con una faccia nera molto carina. Dico: suora, cerchi un po' di mandarmi via da questo reparto perché io in mezzo a tutte queste ergastolane non mi ci trovo. Ma perché? sono tanto brave, mi fa. Dico: sí brave, però hanno ammazzato, hanno squartato, e siccome devono stare dentro tutta la vita, sono diventate acide, dure, perverse.

Dice: ma no Teresa, sono rassegnate; mangiano bevono e stanno tranquille. Dico: sí tranquille! Comunque siccome non sono una spia non ho detto niente di quello che succede in mezzo a quelle donne, tanto piú che lei sapeva tutto benissimo.

Dico: saranno tranquille ma io in mezzo a loro mi metto tristezza; io non ho ammazzato nessuno e non ci voglio stare in mezzo alle ergastolane. Dice: vedremo cosa si può fare; per il momento rimani lí e rassegnati come vuole il Signore. Dico: il Signore non c'entra per niente, siete voi che lo volete! porco Cristo, porca Madonna, comincio a bestemmiare a tutta bocca. Allora lei si alza, mi dà uno schiaffo sulle labbra e se ne va.

La mattina ci alzavamo alle sette. Ci dovevamo lavare, vestire, tutto di corsa. Bisogna fare il letto, presto presto, bisogna fare la fila al gabinetto. E se non ti sbrighi suor Caritatis ti chiude a chiave, ad una certa ora spranga tutto e chi rimane dentro perde la colazione, il latte e il pane.

Io tante volte rinunciavo a questo latte perché mi volevo lavare e arrivavo tardi al gabinetto per via della fila. Qualche volta facevo a meno del gabinetto per il latte. Dovevo scegliere, o l'acqua o il latte o il gabinetto. Tutte e tre le cose non le potevo fare. Quasi tutte scelgono gabinetto e latte. L'acqua la lasciano stare.

Il latte è annacquato. Per dargli sapore ci mettono dentro un po' di surrogato di cicoria. Il pane è quello del giorno prima. Lo passano solo a mezzogiorno il pane. Se lo vuoi mangiare la mattina, te lo devi conservare dal giorno prima. Però bisogna che lo conservi in qualche posto segreto oppure addosso, sotto la maglia, perché c'è sempre la possibilità che te lo rubano.

Adesso hanno rinnovato lí a Perugia, hanno messo a posto. Si sta un po' meglio. Ma prima non c'era né doccia né gabinetto. C'era un buco per terra, come per gli uomini e basta.

Di questi buchi ce n'era uno per ogni quindici persone. In quanto al lavandino era cosí piccolo che ti ci potevi lavare appena la faccia e niente altro. Se avevi soldi, ti compravi una concolina di plastica, ci mettevi dentro un poco d'acqua gelata e ti ci lavavi.

Il bagno si faceva sotto, nelle cantine, una volta ogni quindici giorni. C'erano le file, quelle del giudiziario, quelle del penale, ogni sezione aveva la sua fila.

Una volta alla settimana potevi portare i panni giú in lavanderia ognuno col suo fagotto, toccava lavare la biancheria, in fila, tutto di corsa, sempre di corsa come i bersaglieri. Ma questo ancora è cosí, non è cambiato.

A Perugia si mangiava meglio che a Roma. Il giovedí davano la pasta asciutta, la sera, ogni sera un brodino con l'uovo, un poco di formaggio. La carne la davano tutti i giorni, quando un pezzo di lesso, quando una salsiccia, quando lo spezzatino in umido. Certo era carne dura, ci voleva la dentiera di ferro. Però davano la carne tutti i giorni. E poi patate, molte patate.

Se hai soldi puoi comprare tutto, perfino le bottiglie di cognac. Chi lavora compra. Io, essendo che avevo pochi mesi, non mi facevano lavorare. I posti erano scarsi e se li accaparravano quelle che dovevano rimanere dentro piú anni.

Io poi non so ricamare. Dice: se ti metti qui a sedere e ricami, ti puoi guadagnare qualcosa. Ma io non sono buona. Alla cartotecnica di Rebibbia ero brava, correvo, ero abile con le mani. Ma a ricamare faccio tutti puntoni neri, non sono capace.

Poi ero ancora scottata di Rebibbia perché gli ultimi tre mesi non mi hanno dato niente. Non so perché. Io le marchette le avevo pagate per quei mesi che ho lavorato e non ho preso il fondo cassa quando sono uscita, mai niente. Non so perché. Forse per via di tutti i miei trasferimenti. I soldi arrivavano e io partivo. Il fatto è che ad un certo punto sono spariti e nessuno ne sapeva niente.

A Perugia morivo di noia, tutto il giorno seduta a quel tavolino. Volevo leggere qualche libro, svagarmi un po'. Però io da vicino non ci vedo bene. Allora ho chiesto un paio di occhiali.

La suora dice: per gli occhiali devi fare istanza al Ministero. Ho fatto l'istanza, ma gli occhiali non arrivavano mai. Allora dico: suora cosa devo fare per avere gli occhiali? io vorrei leggere un po', istruirmi. Dice: fai sollecito.

Faccio il sollecito, ma gli occhiali niente, non c'era verso di averli. Allora la suora mi dice: tutti i venerdí viene la contessa Bartolomei per l'elemosina alle carcerate, tu la affronti, le baci la mano, le chiedi con garbo questi occhiali e vedrai che lei te li dà. Le devi fare un po' di gentilezza, di manfrina, quella è una che si commuove, una della San Vincenzo, col cuore in mano. Di' che sei mezza cieca, che non hai una lira, che non puoi leggere il libro delle preghiere.

Arriva questa contessa, era una matrona bionda, con le calze nere, il vestito nero, una gran spilla di brillanti sul petto, un cappello di farfalle nere sulla testa.

Appena arriva, le si buttano tutte addosso. E lei distribuisce regali, a chi un reggipetto, a chi una sottoveste, a chi un paio di scarpe. Tutta roba usata naturalmente, ma con quella penuria era grata lo stesso.

Io mi avanzo e dico: contessa, mi servirebbero un paio di occhiali perché non ci vedo bene. Mi ero ripassata nella memoria tutti i piagnistei da dire, ma poi quando sono stata là, me li sono scordati. Non mi andava di piangere, anzi mi veniva da ridere a vedere quella matrona con quel cappello di farfalle nere.

Allora la contessa mi fa: e tu quanti anni devi fare? Dico: cinque mesi. Dice: mi dispiace, ma io do la precedenza a queste poverette che devono stare qui tanti anni; comunque visto che sei molto povera ti regalo questa borsa per l'acqua calda. E mi mette in mano una borsa di gomma. Dico: ma che me ne faccio di una borsa per l'acqua calda? io ho bisogno di occhiali per leggere. Dice: leggere che cosa? Dico: libri, qualcosa per istruirmi. Dice: non stai in carcere per istruirti ma per espiare, quindi rassegnati e prega, per pregare non c'è bisogno di occhiali!

Nel pomeriggio, verso le cinque, suor Caritatis veniva e diceva: chi vuole andare all'acqua calda? Fino ad allora non mi ero mai mossa. Da quel giorno, con la mia borsa di gomma, mi precipitavo giú alla lavanderia con le altre.

Lí ci sono i bollitori che buttano acqua calda tutto il giorno. Con quest'acqua potevamo riempirci le nostre borse e poi di corsa tornare su. Io cercavo in quell'occasione di prendere un poco d'acqua in piú per lavarmi i capelli o il sedere perché lí il bidè non te lo fanno mai fare. Ma ogni volta suor Caritatis mi faceva buttare via l'acqua dicendo: la borsa e basta, Teresa, la borsa e basta!

Una volta finita la corsa dell'acqua calda, non c'era piú niente da fare fino all'ora della televisione. Qualche volta mi addormentavo sul banco. Veniva suor Eburnea, mi dava uno schiaffetto. Dice: dormirai dopo, a letto, ora stai sveglia.

Dico: ma io mi annoio, non so che fare! Dice: rifletti sui tuoi peccati. Dico: mi annoio ancora di piú. Dice: allora prega. Dico: ho pregato tanto che mi si è scorticata la lingua. Sí, dice, tu preghi a male parole. Infatti, dico quello è il mio modo di pregare. E sapevo che dicendo cosí mi mettevo in cattiva luce, ma non ci potevo fare niente, a me le suore mi stanno antipatiche e non mi va di lisciarle.

Quando veniva l'ora della televisione, era tutta una corsa, un rimestolío per prendere i posti migliori. Le detenute erano contente e se ne stavano lí a bocca aperta, qualsiasi cosa la direzione decideva di farci vedere.

Ogni programma veniva studiato dalle suore, dalla superiora, dal direttore e dalle guardie. Ognuno diceva la sua: "questo è adatto", oppure "questo non è adatto".

Adatti erano le canzoni, i giochi dove si vincono soldi, le conversazioni dove ci sono sacerdoti, qualche telefilm e qualche commedia piagnucolosa. Non adatti sono tutti i notiziari, anche quando parlano del papa, i polizieschi, le cronache, i processi anche se finti, i film di tutti i generi, i filmati di guerra, i dibattiti, le discussioni, le inchieste.

Una volta c'è stata una lite terribile per via dello sceneggiato Anna Karenina. Il direttore aveva dato il permesso dicendo che era adatto e noi ne avevamo già visto una puntata. Poi invece è venuta madre Pazientina dicendo che non era adatto, e ha spento la televisione senza aggiungere una parola.

È successo il finimondo. Tutte, anche quelle che non protestavano mai, si sono rivoltate. Urlavamo, sbattevamo le sedie. C'è voluto l'intervento delle guardie per calmarci.

Io ero la piú scalmanata. Avevo acchiappato la suora per il velo e tiravo sperando di lasciarla con la testa pelata al nudo. Ma lei appena s'è sentita tirare ha cominciato a dimenarsi come un'anguilla e tanto ha fatto che mi è sfuggita di mano.

Quando c'era la televisione facevamo le nove, le dieci. Quando non c'era, andavamo a dormire alle sette. Ci ritiravamo in uno stanzone, una specie di stalla per cavalli.

Al centro di questa stalla c'era una stufa, una stufa sola per tutti. La stufa scaldava solo due metri intorno a sé, il resto della camerata restava al freddo. C'erano una quarantina di letti. Di questi solo quattro o cinque prendevano il caldo della stufa, per gli altri era peggio che stare in una ghiacciaia.

Questa stufa andava a legna e noi per farla durare un poco di piú rubavamo qualche pezzetto di sedia nella falegnameria e ce lo ficcavamo dentro di nascosto.

Poi, appena suor Caritatis usciva, ci precipitavamo attorno alla stufa. Ci scaldavamo i piedi, mettevamo i calzini a scottare sopra il tubo metallico, era un pigia pigia furibondo.

Se non facevi cosí morivi stecchita perché le mura del penale buttano acqua e l'umidità ti mangia viva. Allora tante volte, mentre che ci scaldavamo là tutte ammucchiate contro la stufa, qualcuno diceva: mannaggia a quel porco! Teresa quando esci devi andare dal ministro, al Ministero, devi chiedere di mandare un'inchiesta qua dentro!

Dico: questa volta lo faccio davvero! Dice: vai lí e gli racconti tutto al ministro, che qui davvero l'ambiente è come una caserma, una stalla, con una stufa sola che non ce la fa a scaldare neanche un metro quadro, che abbiamo un gabinetto solo, che siamo trattate come stracci da piedi, che mangiamo come i maiali, cosí non si può vivere. Dico: sí sí, andrò dal ministro e gli dirò tutto.

Alle otto suor Caritatis chiudeva la stalla, ci sprangava dentro e se ne andava a dormire. Il suo letto stava in una stanza in fondo al corridoio, assieme a quello di altre quattro suore.

Inchiavardano tutto e tu puoi morire non aprono piú fino alla mattina dopo. Se ti senti male puoi crepare, non ti danno retta.

Io una notte mi sono sentita male, mi è venuta una colica ai reni. Mi sono alzata, ho bussato, ho ribussato, non ce la facevo piú, mi mancava la voce. Le altre, ipocrite, non mi hanno filata per niente, hanno fatto finta che dormivano. Con tutto il baccano che facevo, loro russavano! Avevano paura. Pensavano: ora questa chissà fa il diavolo a quattro e noi non ci vogliamo entrare con la collera delle suore.

Dopo due ore è arrivata suor Caritatis. Dice: che vuoi? Era livida, assonnata. Dico: ho una colica, mi sto a morire. Dice: prendi questa supposta e non mi svegliare piú brutta pezzente! Richiude tutto e se ne va.

La supposta per un poco mi ha fatto effetto. Poi, avevo appena ripreso sonno, mi sono svegliata di soprassalto con i dolori piú forti di prima. Allora strillo, busso, chiamo, batto, prendo a calci la porta. Ma la suora non è venuta.

Sono rimasta lí, piegata in due per il dolore che non riuscivo a tornare dentro il letto. Nessuna mi ha aiutata. Mi sono dovuta trascinare a quattro zampe fino al letto e poi tirarmi su piano piano aggrappandomi alla coperta.

La mattina dopo mi mettono in infermeria. Ero tutta rattrappita. Dicevo: chiamatemi il dottore. Dice: sí, sí. Però il dottore non veniva. Mi davano le supposte ma ormai non mi facevano piú effetto. Ero impietrita dal dolore.

Dico: fate qualcosa, fate qualcosa! La suora passava di corsa, prendeva i termometri, lo sciroppo, le siringhe, diceva: dopo dopo, calma calma e se ne andava.

Mentre sto in mezzo ai dolori piú velenosi vedo che accanto a me, da una parte e dall'altra del mio letto ci sono due belle vecchie austere. Aspettavano il mangiare di mezzogiorno e parlavano di questo mangiare, se lo pregustavano. Di me non si curavano per niente, come se non ci fossi.

È arrivato il pranzo e si sono messe lí con questi piatti a tirare su la minestra. Mangiavano e chiacchieravano. Sempre come se io non ci fossi. Poi si sono alzate, tutte e due insieme, hanno orinato dentro un secchiello di plastica e sono andate a buttare l'orina dentro un lavandino che stava in fondo alla stanza.

Dentro questo lavandino ci lavavano i piatti, la biancheria, ci si pulivano i denti, ogni cosa insieme. Con tutti i dolori e la vertigine pensavo: che schifo! io qui non ci resto; dentro a quel lavandino non mi ci lavo neanche morta.

Finalmente arriva il medico. Mi fa fare una iniezione. Subito mi sento meglio. Però stavo ancora rattrappita. E non mi potevo alzare. Allora dico a una di queste vecchie: per piacere mi prendi un poco d'acqua che ho sete.

Quella mi guarda, fa finta che non ha sentito. Ho pensato che forse era sorda e mi sono rivolta all'altra. Dico: mi prendi un poco d'acqua dal rubinetto che ho sete!

Niente. Non s'è neanche voltata. Stava con la testa girata verso il muro, si stava pulendo il naso e cosí è rimasta. Mi sono dovuta alzare, tutta storta, gobba e andare al rubinetto a prendere l'acqua perché quell'iniezione mi aveva messo una gran sete.

Quando viene la suora dico: suora, qui mi fate morire come una bestia, non posso neanche avere un poco d'acqua, che siamo in mezzo alle belve?

Dice: non ti fare sentire da quelle due che sono cattive, sono due ergastolane qui da trent'anni e non hanno pietà per nessuno. Poi mi dice: tu di dove sei? Dico: di Anzio. Dice: anch'io sono di Anzio. E facciamo un poco di amicizia.

Era giovane questa suor Celeste dell'infermeria, con un naso largo e grosso, ma fresca, gentile. Dice: paesà, te lo dico per te, lasciale stare quelle due vecchie perché sono perfide. Dico: senti, visto che sei tanto gentile, mi dovresti portare un goccio di caffè o di latte, una cosa calda, ne ho proprio bisogno.

Dice: sí sí, ora te lo mando con la scopina. Aspetto aspetto, questo caffè non arrivava mai. La suora correva, andava su e giú. Dico: e il caffè, paesana? Dice: subito subito, te lo mando dalla scopina. Ma ogni volta se lo scordava. Allora l'ho chiamata e le ho detto: ma che paesana sei che ti dimentichi di un favore cosí piccolo che t'ho chiesto?

Nel pomeriggio finalmente mi manda questo latte caldo. Viene la scopina, tutta infagottata, con i capelli tirati sotto la cuffia sporca. Mi fa: tié! E mi butta il latte come se mi facesse un favore terribile. Io mi piglio questo latte e me lo bevo. Se avevo piú forza glielo tiravo in testa per la sua malagrazia. A malincuore me lo sono bevuto, cattivo com'era, sapeva di rancido, me lo sono mandato giú per forza.

La notte mi tornano i dolori. Chiamo suor Celeste. Dico: fatemi un'altra iniezione, sto male. Dice: senza l'autorizzazione del medico non si può fare niente. E allora chiamate il medico, dico. Domani, dice, domani.

L'indomani il medico non viene per niente. E io sempre a chiedere questa iniezione. Mi avevano ripreso i dolori forti come la prima sera. Dice: il medico viene solo quando lo chiama la madre superiora. E dov'è la madre superiora? dico. È in missione a Roma, dice, tornerà fra qualche giorno.

E cosí sono rimasta senza medico. Io protestavo, mi arrabbiavo. Allora viene la paesana mia e mi dice: se vuoi c'è un medico stamattina qui in carcere, adesso te lo chiamo.

Dico: chiama subito, che ne ho bisogno. Dopo un po' arriva questo medico, alto, raggiante, bello. Dice: si deve levare qualche dente signora? Era un medico dentista. Dico: no, no, avrei un dente qui davanti che m'è caduto per le botte delle guardie, ma non ho i soldi per rimettermelo.

Dice: beh, quando avrà i soldi pagherà, io glielo posso mettere a posto per dodicimila lire. Dico: ma io non ce l'ho dodicimila lire. Dice: me ne può dare sei subito e poi altre sei fra un mese. Dico: e chi me le dà a me seimila lire?

Cosí il dente non me lo sono messo a posto e i dolori ai reni me li sono tenuti finché non sono passati da soli in capo a una settimana.

Sono uscita dopo quei mesi, tutta magrita, spenta. Ercoletto stava ancora dentro, aveva preso piú di me. La nostra casa era stata distrutta, come al solito. Ogni volta che vado dentro, vengono gli amici, vengono i parenti, si portano via tutto. E quando esco mi trovo spoglia e triste come uscita da una tomba.

Vado dalla Spagnola, l'unica amica vera che ho. Dice: oh Dio come ti sei sciupata! Dico: è la galera che sciupa. Dice: tieni, mangia! E mi mette davanti delle patate condite con l'olio e il prezzemolo.

Dice: sai, la carne non te la posso dare perché il vecchio non ce l'ho piú, i soldi sono scarsi e i prezzi sono aumentati; le fettine di vitello che pagavo millecinquecento lire al chilo, adesso costano piú di duemila lire al chilo, non so come fare.

Dico: non ti preoccupare, ora cerco di rimediare qualcosa e te la compro io la carne.

Per prima cosa vado a riprendermi Orlandino. Lo trovo tutto assiderato, con le croste sul sedere, sulle gambe. Aveva uno sfogo di pustole gialle che una si rompeva e un'altra ne nasceva e non c'era medicina che lo poteva guarire.

Intanto cerco di sapere dove hanno trasferito mio fratello. Nel mentre mi arriva una lettera di lui che dice: "Cara sorella e caro figlio Orlandino, ebbi la causa al tribunale di Livorno per quella mia zuffa con il bandito La Parca e per la coltellata infertagli dal sottoscritto. Da lí fui trasferito a Roma dove rimasi circa un mese e vidi cose peggio che all'inferno perché assistetti alla morte del giovane Cocota che lo legarono al letto di contenzione e lo uccisero a forza di botte. In quell'occasione presi di petto il brigadiere e con il vaso di notte gli spaccai il sopracciglio sinistro. Per questo fatto fui condannato a un anno di reclusione e trasferito di nuovo a Porto Azzurro da cui uscivo martoriato. Lí ebbi la notizia della morte di nostro padre, vidi la data del telegramma e constatai che il cappellano del carcere lo trattenne ventiquattro giorni e allora mi avventai contro il cappellano e gli spaccai la testa con un manico di scopa. In quel mentre cambiò direttore e venne un certo Sozzi di Roma, che avendo saputo di tutto quello che avevo passato mi considerò e mi lasciò andai a mettere le tagliole per i topi e ogni topo che prendevo mi regalava un pacchetto di trinciato comune e dopo tre mesi mi mandò a Civitavecchia dove mi ero perfezionato a fare gli scialli e i vestitini per bambini. Dopo otto mesi a Civitavecchia fui intervistato da un rotocalco illustrato che scrisse molto di me dicendo che abbastava una tonalità di voce per essere scaraventato dinanzi al Tribunale, che non esitavano a colpire con le mani e col legno e che a Civitavecchia ero divenuto un detenuto modello.

Cosí passarono sei mesi, sorella, di consolazione e uscii in libertà, quando tu ancora stavi dentro. Andai dalla mia concubina, la nana e poi tentai in quella stessa notte di buttarmi sotto le ruote del treno, ma accortosi un ferroviere con l'aiuto di altre tre persone mi accompagnarono a casa. La mattina dopo mi riconciliai con lei e per qualche tempo tutto andò bene, il giorno lavoravo con il Comune e la notte andavo a mare con le lampare. Una bella mattina nel ritorno dalla pesca mentre mi recavo a casa di nostro fratello Luciano vedo parecchia gente a guardare un negozio che la notte fu svaligiato e mi fermai anche io a guardare. Ad un tratto il padrone del negozio a nome Rollini mi puntò una pistola al petto gridando: ecco il ladro di questa notte! Io sicuro di me stesso gli feci una risata in faccia e gli dissi: sei solo uno scemo, ma in quell'istante venne il brigadiere dei carabinieri che mi arrestò con modi barbari dandomi anche qualche schiaffo e qualche pugno. Trascorsi due notti e due giorni in camera di sicurezza. Per l'intervento dei marinai e del fratello Luciano con il sindaco di Anzio mi fecero uscire. Dopo due giorni andiedi ad abitare a Nettuno in una stanzetta che mi procurò nostro fratello Eligio dove gli pagavo diecimila lire di pigione al mese. Ma poi per la gelosia di mia cognata dovetti andare via di là e per la buona pace della famiglia lasciai la casa e andiedi a Anzio convivendo sempre con questa nana, Andandò Carmela che tu conosci e mi misi a lavorare come facchino al porto dove prendevo cinquemila lire al giorno. Il sabato sera assieme agli amici di lavoro poiché scaricavamo due autotreni di concime, decidemmo di andarci a mangiare insieme delle cozze e una pizza. Dopo mi recai a casa a lavarmi e diedi tutti i soldi a Carmela e le dissi che se mi cercavano venissero nella cantina di un certo Nerone in via 20 settembre. E nel mentre si mangiava e si beveva un certo Romoletto detto Grattone disse di avere visto chi aveva svaligiato il negozio di Rollini ma disse che non avrebbe mai fatto i nomi però disse che vide pochi minuti prima due ladri parlare con il maresciallo dei carabinieri. Allora io mi bevetti una bottiglia di vino rosso e salutai tutti dicendogli che mi dovevo recare a casa per portare la mia mantenuta al cinema ed andai via.

Mi recai da un mio amico dove mi feci dare la pistola e mi precipitai di corsa in caserma e chiesi di parlare urgente con il maresciallo e alla sua presenza dissi: signor maresciallo, faccia presto perché ho trovato i ladri della stoffa che si stanno spartendo i soldi e stanno dissertando. A quelle parole lui fece armare i carabinieri e prendemmo la strada dove io gli avevo indicato, facendoli sparpagliare. Io e un appuntato armato di mitra e il maresciallo ci incamminammo per un'altra strada buia. Ad un certo punto tirai fuori la mia pistola e la puntai contro l'appuntato togliendogli il mitra e poi tolsi la pistola al maresciallo e in seguito li riunii tutti e li disarmai riportandoli in caserma sempre con il mitra spianato.

Strada facendo trovai un certo Cicogna e lo mandai a chiamar nostro fratello Luciano che infatti arrivò subito appena giungemmo in caserma. Egli mi vide con il mitra spianato e mi si raccomandò di stare buono. Io gli dissi di telefonare subito al sindaco che venisse immediatamente perché avevo acciuffato i ladri e l'accusa contro di me cadeva subitamente e mi vendicavo di loro.

Venuto il sindaco disse che avrebbe telefonato al Comando dei carabinieri che mandassero subito un comandante nella caserma per sbrogliare questo affare. Trascorsi una cinquantina di minuti entrò un brigadiere che io lo misi subito sotto il tiro del mitra. Poi siccome mi volevano fare posare quel mitra con le buone o le cattive, io dissi: questo maresciallo assieme coi ladri è l'autore del furto che erano d'accordo, ho le prove. Il maresciallo stava zitto ed era la prova della sua colpevolezza. Allora siccome non si andava né avanti né indietro, lo ammazzai questo maresciallo senza pietà perché era lui l'autore del furto di cui mi avevano accusato perfidamente, poi dissi a Luciano di raccogliere i caricatori e di consegnarli al brigadiere e al sindaco.

Quando consegnai il mitra, mi arrestarono subito senza tenere conto del mio atto di giustizia e dovetti confessare per iscritto che avevo ammazzato il maresciallo per vendetta personale.

Per questa bravata fui rimesso dentro, anche se il giudice riconobbe la colpa del maresciallo che era lui assieme coi ladri d'accordo per la spartizione del furto. Sono adesso nel carcere di Reggio Emilia che peggio non si potrebbe stare per la malvagità degli abitanti tutti nefasti e grossolani peggio che a Porto Azzurro. Mandami se puoi qualcosa in abiti e in cibo che ho sempre fame e i denti tutti guasti mi impediscono la masticazione, mandami roba morbida come frutta biscotti carne in scatola eccetera. Ti prego di venire a trovarmi al piú presto ora che sei uscita e portarmi Orlandino che come padre gli sono sempre lontano e lo manco molto. Termino con la penna ma mai col cuore. Ricevi un forte abbraccio, tanti baci e particolari bacioni al nostro caro Orlandino. Tuo per sempre, fratello Orlando Numa. "

Prima di portargli il figlio però ho aspettato che si rimettesse un poco. L'avrei spaventato presentandogli il bambino conciato cosí. Gli ho dato pennicillina e cortisone in polvere e finalmente pare che le pustole, soprattutto col cortisone, si sono essiccate e la pelle marcia è caduta morta lasciando crescere una bella pelle nuova.

Intanto cercavo un lavoro per guadagnare qualche soldo perché non potevo vivere dalla Spagnola con Orlandino sempre alle spalle di lei. Per disperazione, non trovando altro, mi sono rimessa a trafficare con i travelli cecchi. Però questa volta stavo piú attenta perché non volevo ritornare dentro. Ho deciso di lavorare da sola, senza complici.

A suo tempo, presso il bar Bengasi avevo conosciuto uno che faceva il cameriere in un albergo di via Nazionale. Questo cameriere si chiama Vito, è un tipo magro, stempiato, distinto, che nessuno lo sospetterebbe; parla pure il francese come un francese.

Io mi ricordavo di lui che una volta mi aveva proposto un affare e sono andata a trovarlo. Gli ho detto che facevo la vita, che andavo con gli americani e che mi capitavano dei travelli che non sapevo dove cambiare. E lui mi ha detto: porta, porta, te li cambio io.

Questo Vito era nella fiducia del direttore dell'albergo e si era fatto amico di tutti là dentro, pure del cassiere, perché l'albergo ha persino la banca interna. È un albergo non di lusso, ma commerciale, con un movimento di turisti di tutti i paesi e gente d'affari che vanno e vengono immancabilmente.

Allora io compravo i travelli cecchi a Campo dei Fiori, da due borsaroli amici miei, oppure andavo a Trastevere, da Aldina detta Gamba Storta o da Luigi detto Becca.

Loro mi procuravano questi travelli cecchi da cento, da cinquanta, da trenta dollari. Per cento dollari pagavo ventimila lire. Ma dipendeva dai giorni. C'era quando li pagavo piú cari e quando li pagavo meno cari.

Tante volte Gamba Storta mi diceva: tieni, Teresa, dammi diecimila lire, levameli di torno questi travelli cecchi, è una settimana che li ho qui e ormai scottano.

Prendevo questi travelli cecchi e li portavo a Vito. Due, trecento dollari alla volta. Subito lui, zac, andava alla banca interna e li cambiava. Io gli mettevo in mano ventimila lire, trentamila, secondo quello che cambiavo.

Dice: è andata bene? Dico: è andata bene sí, ieri sera ho acchiappato un americano, era tutto ubriaco, m'ha dato questi travelli cecchi.

E lui: eh, sei brava tu, mi diceva, ci sai fare con questi americani, hai fatto bene, bisogna trattarli cosí questi stronzi pieni di soldi, eh, becca becca!

Cosí lui me li cambiava. E invece erano tutti travelli cecchi rubati e ci stava sopra la denuncia. Forse questo Vito intuiva, capiva da dove venivano, ma faceva finta di niente. Io entravo, cambiavo, intascavo e me ne andavo.

Alla Spagnola ho comprato carne, prosciutto, le ho pure regalato un televisore per il suo compleanno. Ad Orlandino l'ho fatto ingrassare. Ho portato diversi pacchi a Ercoletto che intanto era stato trasferito a Cassino. E pacchi pure a mio fratello Orlando a Reggio Emilia.

Poi ho deciso di prendermi una camera per conto mio e mi sono messa da questa vecchia. Aveva ottant'anni, era brutta come la peste, ma pensava ancora agli uomini. Si voleva sposare con uno che ha la bancarella al mercato, la bancarella di frutta e si chiama Giomberto. Poi non lo so se l'ha sposato oppure no. Questo Giomberto voleva sposarla per intascare i soldi che lei nasconde in banca, pare che ha un deposito di mezzo milione. Lo dicevano tutti che lui puntava ai soldi e qualcuno l'ha riferito anche a lei, alla ottantenne, ma questa non stava a sentire. Diceva: tutta invidia, tutta invidia, Teresa mia; qui se non stai attenta ti tolgono la sedia sotto il sedere, hai visto quanto è bello Giomberto? hai visto come mi vuole bene? la sera, ogni sera mi porta una pera moscatella da mangiare.

Da questa vecchia io pagavo ventimila lire al mese per l'uso di una stanza e cucina e bagno. Però l'acqua calda non c'era, la stanza era grande quanto un buco e a stento c'entrava un lettino da campo. La cucina era una zozzeria tutta infestata di trecce di aglio e di cipolle che mandavano un odore acuto, nocivo. Insomma me la passavo cosí e cosí, non male ma nemmeno bene. C'era quando facevo piú quattrini, c'era quando ne facevo pochi davvero. Ma non mi sbilanciavo per paura della galera. Vivevo sola con Orlandino e aspettavo l'uscita di Ercoletto da Cassino.

Un giorno mentre camminavo con Orlandino verso le parti di Porta Portese dove ero andata per fare la compera di una coperta, mi è venuta improvvisamente la nostalgia di mio figlio Maceo. Una nostalgia cosí forte che i miei piedi si sono incamminati da soli verso viale Marconi. Con il pupo in braccio, le scarpe che mi facevano male, mi sono fatta questa camminata fino alla casa di mio figlio.

Di fronte al suo palazzo ci sta un giardinetto spelacchiato dove vanno a cacare i cani, composto di due alberi rognosi e di quattro aiole dalle foglioline gialle e malate. Ci sono pure due panchine verdi luccicanti dipinte di fresco. Lí mi sono seduta, di faccia alla casa, aspettando di vederlo uscire.

Aspetto aspetto questo figlio non esce mai. Piú il tempo passava e piú aumentava la voglia di vederlo. Pensavo: se esce faccio finta che sono qui a spasso col pupo, che non sapevo neanche che lui abita qui, che lo incontro per caso e ci siamo.

Andavo su e giú, su e giú. Ma niente, Maceo non usciva. Ho aspettato fino a sera, sempre in quel giardinetto, mi era venuto male agli occhi a furia di scrutare quel maledetto portone da cui entravano e uscivano tante persone ma mai quella che aspettavo amorosamente.

Sopra da lui non ci potevo andare perché mi aveva fatto sapere che per lui la mamma era morta. Cosí ha detto e me l'ha mandato a riferire qualche anno fa, dopo che è stato montato su dalle zie, nemiche mie mortali, contro di me. Gli dicevano che sono una madre cattiva, una delinquente senza legge né morale. Dice: tua madre sta sempre in galera, se la fa con tutti ladri, con tutte puttane, è una fuorilegge, una nemica della famiglia, tu la devi ripudiare! E cosí ha fatto. Ha detto: da oggi in poi non ho piú madre. Per me mia madre è morta.

Ha ottenuto un bel lavoro alla Pirelli. Si è sposato. Ha messo su casa in viale Marconi. Con lui abita pure la suocera, una buona donna molto sopportabile. Questa suocera lui la chiama mamma.

Prima ci veniva da me, prima di andare a fare il militare; abitava con le zie ma veniva sempre a trovarmi. Era diventato amico di Ercoletto. Mangiavamo le pizze, andavamo al cinema insieme. Poi dopo aver fatto il militare è cambiato.

Si è fidanzato, ha messo su un'aria da signore, ha preso questo posto alla Pirelli, non m'ha voluta piú vedere. Dice: mia madre ha l'amico, vive con uno senza essere sposata, non sta bene che un impiegato della Pirelli ha una madre cosí.

È un bel ragazzo mio figlio. Non perché è mio figlio, ma è proprio radioso. È alto uno e ottantacinque. Ha la faccia carina. Di fisico, leggermente negli occhi, assomiglia a me.

Di carattere ha preso dal padre: è della razza del padre. Non è cattivo, ha sensibilità, è bravo. Però si è fatto trasportare, si è fatto mettere su. È come suo padre che se lo rigiravano come volevano, lo infatuavano, lo montavano a modo loro.

È stata principalmente la cognata mia Egle che l'ha messo contro di me questo figlio. Io gli avevo scritto dal carcere che stavo sola, affamata, pregandolo di venire a trovarmi.

E lei gli ha detto: che sei matto? la prigione? per carità, non ci andare a trovare quella sciagurata di tua madre! Come se a mettere un piede là dentro per una visita si togliava l'onore. E infatti non c'è mai venuto e non mi ha mai neanche scritto una cartolina.

Quando stavo fuori veniva spesso a casa mia, beveva la birra assieme con Ercoletto, giocavano a carte. Qualche volta mi rimproverava questo figlio, mi faceva la predica. Dice: mamma, guarda che hai combinato, guarda che hai fatto della tua vita! tante pretese, tanti grilli e poi te ne stai sempre in galera! le tue amiche si sono fatte ricche, i tuoi fratelli si sono messi a posto e tu stai sempre come una pezzente! Tu conosci solo ladri e puttane, frequenti gente da poco.

Erano le stesse parole di sua zia. Dico: fai finta che sono baroni e principi questi ladri, a te che t'importa chi frequento? Se avessero i soldi ti inchineresti. Fai finta che sono ricchi, straricchi, arciricchi e inchinati davanti a loro.

Il colpo di grazia gliel'ha dato questa moglie che si è presa, perché ha trovato una ragazza ostinata e altezzosa. Si chiama Mimma. È abruzzese, ha il sangue amaro. Il suo carattere non porta comprensione. Vuole essere riverita, rispettata, fa la superba e l'angelica. Non è buona a compicciare niente. Deve ringraziare Dio che le ha dato una madre casalinga che fa tutto lei, pulisce, lava, cucina, tutto. La figlia non muove un dito in casa, ha paura di rovinarsi le mani.

Porta le unghie lunghe, quando se le rompe le riappiccica con il nastro adesivo. Come intelligenza è un somaro. È furba, questo sí. Appena ha conosciuto mio figlio, l'ha subito messo sotto. Dice: se non prendi la laurea non mi fidanzo con te. Poi: se non prendi un mestiere non ti sposo.

E lui mio figlio, si è laureato, ha preso il posto alla Pirelli. E per fare questo ha dovuto faticare, subire umiliazioni, chiedere favori, strisciare. Aveva preso una pece tremenda per questa Mimma. Era innamorato cotto.

Di faccia non è brutta questa ragazza, ha il naso rincagnato, le labbra sottili, gli occhi in fuori. Piace a mio figlio, a me non piace. Di altezza è normale. Ha pochi capelli, è un po' pelata, anche di viso è carinella.

Per me mio figlio s'è sprecato con questa Mimma che non vale un batocco da portone. Lo dicono tutti. Non perché è mio figlio, ma ha un fisico benportante, è una statua. Poi è allegro, giocatore. Lei invece è arcigna, scura. Non dà soddisfazioni a nessuno. Lo tiene sotto, lo fa lavorare. Gli parla sempre di automobili, perché vuole l'automobile di lusso, vuole la pelliccia di castoro, vuole i piatti d'argento, è un'avida.

Sta sempre davanti allo specchio a spazzolarsi quei quattro capelli. Dice: Maceo non ha né padre né madre. Il padre è morto, la madre vive con un uomo, non sono sposati, non sono regolari.

Poi tira fuori la boccetta della lacca per le unghie, un liquido rosa appiccicoso, e si mette lí a laccare, prima le unghie dei piedi e poi quelle delle mani e mentre lacca brontola, dice: questo è regolare, questo non è regolare, questo va bene, questo non va bene. È peggio di un giudice del tribunale.

In questo albergo di via Nazionale ci andavo la mattina tardi, verso mezzogiorno, quando Vito staccava. Ci andavo tutta elegante, con il cappotto avana, il cappotto col bavero di pelliccia, un braccialetto qua, uno di là, i capelli lavati di fresco, una bella camicetta gialla.

Facevo questa parte della battona di lusso per Vito, per dargli fumo negli occhi e fargli credere che quei travelli cecchi non erano rubati.

Dico: stanotte m'è andata bene, ho pasticciato un americano proprio ricco e mi sono fatta dare cento dollari, poi ne ho incontrato un altro, sai, un amico di questo, tutto gonfio con la faccia gonfia.

Dice: brava Teresa, trattali male, derubali! sono gentaglia e si credono importanti perché hanno quattro soldi, si credono superiori e ti trattano come uno straccio solo perché fai il cameriere o la puttana. Spogliali, derubali, scannali vivi!

Dico: questo americano si chiama Gionni, è un tipo rapace, mi vuole solo per sé, vuole sposarmi e portarmi in America, hai capito? gli è morta la moglie e adesso vuole sposare me. E lui: brava, brava, tu sposalo e poi piantalo, ma prima portagli via tutti i soldi.

Io dicevo cosí perché il giorno dopo dovevo cambiare cinquecento dollari e potevo raccontargli che erano dell'americano Gionni. Lui però questo Vito era un po' scemo perché non si accorgeva che questi travelli cecchi erano tutti firmati diversi, anche firme di donne c'erano, anche firme italiane.

Dice: vieni Teresa, ti voglio offrire un caffè. Andavamo in

un bar lí vicino, mi offriva il caffè con la panna. A lui basta che gli parlavo male degli americani è tutto contento. Era fissato.

Dice: com'è, com'è questo che ti vuole sposare? Dico: è uno alto due metri, avrà settant'anni. Però è castano chiaro, non so se si tinge. Porta i pantaloni alti fino al petto, con due bretelle rosse su cui c'è ricamata questa parola V-I-C-T-O-R-Y.

La fantasia mia la facevo galoppare, per dargli corda a questo Vito. Era vero che avevo conosciuto un americano cosí, ma tanti anni prima. Era uno che voleva sposare Dina e si chiamava proprio Gionni. A me neanche mi vedeva, era innamorato di Dina. Aveva settant'anni veramente, ma ne dimostrava qualcuno di piú.

Dice: brava, brava! spennalo bene, scuoialo! E si batteva le mani sulle cosce. Beveva un caffè, poi un altro, sempre con la panna sopra. Metteva quattro, cinque cucchiaini di zucchero e sopra la panna. Era goloso del sapore dolce. Di conseguenza aveva tutti i denti rotti e marciti.

Dice: e poi, e poi, che hai fatto? Dico: l'ho portato a una pensione, l'ho denudato, me lo sono pappato e poi gli ho detto: o mi dai cento dollari o ti pianto in asso e lui mi ha accontentato subito.

Gli facevo la gradassa e lui rideva, con quei denti bacati. Mi offriva un altro caffè, si batteva le mani sulle cosce. Non era antipatico, solo un po' fissato.

Dice: racconta, racconta ancora! E io inventavo, ero diventata una inventona, una bugiarda. La fantasia mia volava come un uccelletto. Certe pallonate che gli rifilavo!

Ora un giorno vado all'appuntamento con questo Vito e non lo trovo. Dico: dov'è Vito? Dice: signorina per favore non metta piú piede qui dentro perché il direttore la fa cacciare. Dico: e perché? perché mai? Subito ho tirato fuori le unghie, per non farmi mettere sotto. Intanto cercavo un modo per scappare lesta lesta.

Allora viene un cameriere amico di Vito, un certo Vincenzino e mi dice: lo sa, Vito è stato chiamato dal direttore che gli ha detto ma a te chi te li dà tutti questi travelli cecchi? e lui: è la mancia degli americani, e il direttore: a chi vuoi darla a bere, una mancia di cento dollari! e cosí Vito ha risposto: veramente la storia è diversa, conosco una signorina qua che ci va con questi americani e loro la pagano coi travelli cecchi.

Il direttore gli ha detto che questi travelli cecchi erano tutti rubati e c'era la denuncia sopra. Però non ti mando in galera, ha detto, perché la responsabilità è anche mia e se non tappiamo questo buco, io perdo il posto e te con me.

Insomma questo direttore, per non perdere il posto, si è rassegnato a pagare due milioni e settecento mila lire, il valore dei travelli cecchi rubati. Un tanto al mese, li pagherà tutti.

Quando ho sentito questo, mi sono rassegnata. Dico: meno male! io pensavo che Vito era stato arrestato e già mi sentivo le manette ai polsi. Dice: ora vada signorina e non si faccia piú vedere perché il direttore è arrabbiato nero con lei.

Cosí ho perduto quella fonte che era abbondante. E Vito non l'ho visto piú. Da allora ho ripreso con la biancheria e con l'olio. Si guadagna di meno però il pericolo non è grave e il lavoro è duraturo.

Poi un giorno un'amica mi fa: senti un po' Teresa, vedi di cambiare questo assegno, poi facciamo metà per uno. Dico: se è falso non lo cambio, non voglio rischiare per ottantamila lire.

Dice: no, è buono, te lo garantisco. E va bene, dico, domattina vado in banca e te lo cambio, ma perché non lo fai tu? Dice: io non ho documenti, non mi posso presentare in banca e poi sono ricercata.

Come mi presento allo sportello trovo le guardie là che mi stavano aspettando. Non era buono l'assegno, era rubato e quella strega m'aveva inguaiata a me che ero in buona fede, per quelle maledette ottantamila lire!

Cosí vado dentro un'altra volta. Ritrovo tutte le mie amiche, le conoscenti. Dice: ciao, sei di nuovo qua! Dico: lasciami perdere che è meglio.

Ho chiesto di lavorare e mi hanno messa all'orto. Ho una zappa, devo zappare, levare le erbacce, innaffiare, seminare. I primi giorni con me lavorava una certa Antonia che è una chiacchierona abbondante. Riusciva a parlare anche mentre zappava, non so come faceva, era una acrobata.

Nostro incarico era pure di portare da mangiare alle galline. C'è un pollaio con una ventina di polli. Sono polli belli grassi, cattivi, se ci entri ti vengono a beccare i piedi e se non gli dai abbastanza da mangiare strillano e quando ci vai la prossima volta, per vendetta, ti acchiappano le gambe.

Ogni tanto sparisce uno di questi polli. Dico alla suora Carmina: chi ha preso la rossetta? Dice: zitta e taci, non sono cose che ti riguardano. Dico: non vorrei che poi incolpano a me. Dice: non ti preoccupare, qui di ladri non ce ne sono.

Antonia si mette a ridere. La suora si arrabbia. Dice: che ridi tu scema? Antonia si mette una mano davanti alla bocca ma continua a ridere. La suora dice: via, forza, a lavorare, sfaticate!

Soltanto ieri, parlando con l'ortolano, ho saputo a chi vanno questi polli che noi nutriamo con tanta cura. Dice: Teresa mi raccomando nutrilo bene che questo finisce nella pentola del giudice Giglio.

Per questo lavoro mi danno ottomila lire al mese, compresi i contributi da versare e le marchette.

Antonia è rimasta incinta, me l'ha detto l'altro giorno. Dico: ma di chi? Si mette a ridere. Dice: della suora no? Dico: che la suora ora è una travestita? Dice: la suora mi ha fatto da paravento; il padre vero si chiama Serpente. Dico: ecco, risalta fuori quel maledetto serpente! ma dove sta che gliene voglio dire quattro. Dice: sta all'altro carcere da dove sono stata trasferita.

Il giorno dopo questo discorso Antonia non è scesa all'orto, e anche il giorno seguente. Dico: suora, ma Antonia dove sta? non l'ho vista piú. Dice: sta all'infermeria. Dico: e che ha? Dice: niente, non ti immischiare.

Però ero incuriosita. Sarà nato il figlio, dico, ma non può essere perché mi aveva detto che era al quinto mese. Poi, all'ora di cena, ho saputo da una sua amica che aveva tentato l'aborto con un coltello da cucina e si era tagliata mezzo utero. Adesso sta in infermeria e non si sa se vivrà o morirà.

Meno male che ho le ovaie infreddate io, non c'è pericolo che rimango incinta. Ho cercato di andare in infermeria per trovare Antonia ma non mi hanno lasciata entrare. Dice che ha perso otto litri di sangue. Ma dove ce l'aveva tutto questo sangue? una donnetta magra magra, chiacchierina, dolcetta, pallidona, sembrava che al posto del sangue aveva acqua zuccherata.

Quello che mi fa rabbia è che ho dovuto lasciare Orlandino a sua madre la nanetta che lo sbatterà in collegio subitamente. Non ha pazienza coi figli quella donna, non ha soldi, non ha iniziativa. Se ne sta lí in una baracca sul mare, senza stufa, senza luce, senza letto. Dorme su un materasso steso per terra, va a lavare i panni, prende trentamila lire al mese e vive cosí beata e contenta. Ogni volta che nasce un figlio lo chiude in collegio, all'orfanotrofio dove le vengono su mezzi scemi, tubercolotici, impediti.

Ercoletto sta dentro anche lui. Mi scrive poco, ma mi scrive. Dice che a Cassino c'è un maresciallo sadico che sfotte i detenuti. A Ercoletto che gli diceva: mi mangerei una bella pasta asciutta! gli ha risposto: la pasta asciutta la mangio io, tu mangi le patate! E siccome Ercoletto ha protestato, l'ha cacciato in cella di punizione per dieci giorni. Invece pare che il direttore è un pezzo di pane. Ma chi comanda non è lui, perché è civile; chi comanda è quello che porta le stellette, cioè a dire la guardia, il maresciallo dei carabinieri.

Il direttore, saputo il fatto, ha chiamato il maresciallo e gli ha detto: caro maresciallo, io ti caccio via ipso facto. E il maresciallo ha risposto: provateci caro direttore!

E in effetti non c'è riuscito a cacciarlo e neanche a fargli cambiare metodo. Sono sempre lí a battibeccarsi, ma sono lí, tutti e due insieme e chi comanda è la divisa, non il borghese. Cosí scrive Ercoletto dal carcere.

Uscirò prima io di lui, fra dieci mesi. Sto mettendo da parte i soldi per quando esco, perché al solito sono senza casa, senza mobili, senza niente. Ho lasciato un baule pieno di roba in deposito presso un ciabattino di via San Giovanni in Laterano, ma chissà se lo ritroverò; quello è mezzo instupidito; si fa rubare le scarpe sotto al naso, mette il miele al posto della colla, mastica tutto il giorno pezzetti di cuoio, è un tontolomeo.

Quando esco, basta, voglio smettere di fare la ladra, mi voglio trovare un lavoro di sarta, anche se non so cucire, che ci fa, imbroglierò qualcosa, comprerò la stoffa a rate, e dopo la prima rata cambierò indirizzo. Voglio mettere su casa, con Ercoletto e Orlandino, tranquilla, quieta, in un posto bello, pacifico. In carcere non ci voglio tornare piú.

Dacia Maraini in BUR

Amata scrittura

I percorsi della lettura e della scrittura svelati con
passione e umiltà. I segreti del mestiere di scrittore,
istruzioni e consigli, letture ed esercizi
Scrittori Contemporanei - Pagine 320
ISBN 1712822

✧

Bagheria

Un racconto autobiografico che dipinge la Sicilia, la
cittadina di Bagheria, dove l'autrice, bambina, appro-
da dopo due anni di prigionia in un campo di
concentramento giapponese
Scrittori Contemporanei - Pagine 176
ISBN 1720201

✧

Il bambino Alberto

Un libro su Alberto Moravia, a lungo compagno
dell'autrice. Una lunga intervista, una meticolosa
raccolta di memorie scritte con dolcezza e sensibilità.
Scrittori Contemporanei - Pagine 160
ISBN 1720296

✧

Buio

Dodici storie che raccontano della violenza sull'infanzia e sull'adolescenza. Storie tragiche del nostro
tempo, racconti di dolore e solitudine
Scrittori Contemporanei- Pagine 224
ISBN 1725182

✧

Cercando Emma

Un libro nel libro: il fascino e il mistero di
Madame Bovary ripercorsi da Dacia Maraini.
Scrittori Contemporanei- Pagine 182
ISBN 1711682

Dolce per sé

Vera ha cinquant'anni e compone il suo romanzo
epistolare destinando le sue lettere a Flavia, la nipote
bambina di Edoardo, il giovane violinista a cui è
sentimentalmente legata.
Scrittori Contemporanei - Pagine 194
ISBN 1711851

✧

Donna in guerra

Il racconto è l'occasione per trattare temi come
l'immobilismo della scuola, la violenza delle
istituzioni e la corruzione della cultura popolare, visti
attraverso gli occhi di una donna.
Scrittori Contemporanei - Pagine 280
ISBN 1710618

✧

Isolina

Prefazione di Rossana Rossanda
La storia di Isolina, una ragazza veronese costretta
ad abortire e morta durante l'intervento.
Scrittori Contemporanei - Pagine 196
ISBN 1711478

✧

Lettere a Marina

Lettere intime in cui Bianca racconta se stessa, l'amore per il padre, gli amori segreti, la vita di collegio, i
sogni, il dolore e la speranza.
Scrittori Contemporanei - Pagine 208
ISBN 1786689

✧

La lunga vita di Marianna Ucrìa

Marianna, bambina di una grande e decadente famiglia palermitana del Settecento, è destinata a sposarsi
per dare nuovi eredi al casato, oppure a entrare in
convento per sempre.
Scrittori Contemporanei - Pagine 272
ISBN 1711411

Memorie di una ladra

La vita travagliata di una donna costretta a vivere di espedienti, ispirata da situazioni reali che l'autrice ha raccolto durante un'inchiesta sulle carceri femminili.

Scrittori Contemporanei - Pagine 304

ISBN 17114433

Mio marito

Pubblicato per la prima volta nel 1968, è una testimonianza storica e letteraria sulla condizione femminile. La vita di donne che solo attraverso il marito ottengono la consapevolezza di esistere.

Scrittori Contemporanei - Pagine 160

ISBN 1710631

La nave per Kobe

Il ricordo dell'infanzia lontana, le prime esperienze giapponesi e i successivi viaggi in Africa e in India con Moravia e Pasolini.

Scrittori Contemporanei - Pagine 184

ISBN 1710716

Piera e gli assassini

Con Piera Degli Esposti

La complessa e tormentata figura dell'attrice sobriamente valorizzata dalla straordinaria sensibilità della scrittrice.

Scrittori Contemporanei - Pagine 280

ISBN 1700259

Storia di Piera

Con Piera Degli Esposti

Una famiglia sconquassata e infelice ma che allo stesso tempo contiene in sé le ragioni arcaiche dell'amore. Un rapporto fra una madre e una figlia carico di sensualità e di complicità.

Scrittori Contemporanei - Pagine 280

ISBN 1720214

Il treno per Helsinki

Una voce alla radio riporta la protagonista, Armida, indietro nel tempo. Riaffiorano così alla memoria volti di amici, sogni perduti, aspirazioni.

Scrittori Contemporanei - Pagine 272

ISBN 1720273

Voci

Michela, giornalista radiofonica, scopre attraverso piccoli indizi che la sua vicina è stata assassinata. Assieme alla commissaria Adele Sòfia, cercherà di scoprire l'assassino.

Scrittori Contemporanei - Pagine 304

ISBN 1720256

Finito di stampare nel giugno 2007 presso
il Nuovo Istituto Italiano d'Arti Grafiche – Bergamo
Printed in Italy

RCS Libri

ISBN 978-88-17-11443-1